EXTRAÑOS
EN EL TREN
NOCTURNO

Si tienes un club de lectura o quieres organizar uno, en nuestra web encontrarás guías de lectura de algunos de nuestros libros http://www.maeva.es/guias-lectura

Este libro se ha elaborado con papel procedente de bosques gestionados de forma sostenible y de fuentes controladas, certificado por el sello de FSC (Forest Stewardship Council), una prestigiosa asociación internacional sin ánimo de lucro, avalada por WWF/ADENA, GREENPEACE y otros grupos conservacionistas.
Código de licencia: FSC-C007782.
www.fsc.org

MAEVA desea contribuir al esfuerzo colectivo y permanente de proteger y preservar el medio ambiente con el compromiso de producir nuestros libros con materiales responsables.

EMILY BARR

EXTRAÑOS EN EL TREN NOCTURNO

DOS DESCONOCIDOS SE ENCUENTRAN EN UN TREN.
SOLO UNO LLEGARÁ A SU DESTINO.

Traducción:
ÁLVARO ABELLA VILLAR

MAEVA

Título original:
THE SLEEPER

Diseño e imagen de cubierta:
© Opalworks

Benito Castro, 6
28028 MADRID
emaeva@maeva.es
www.maeva.es

ISBN: 978-84-15893-40-0
Depósito legal: M-310-2015

Fotomecánica: Gráficas 4, S.A.
Impresión y encuadernación: Huertas, S.A.
Impreso en España / Printed in Spain

Para James, Gabe, Seb y Lottie,
como siempre, con mucho amor

Prólogo

Enero

Tendría que haber llegado hacía ya dos horas.

Una persona no puede desaparecer de un tren en mitad de la noche, pero parece ser que eso fue lo que le sucedió a ella. Se subió al tren en Paddington –al menos que nosotros sepamos–, pero no se bajó en Truro.

–Seguro que está bien –le dije. Mis palabras, improbables y manidas, permanecieron suspendidas en el aire. Traté de dar con una explicación. Tras descartar la amnesia y el sonambulismo, la verdad es que solo quedaban dos, y ninguna de ellas serviría para tranquilizar a su marido.

–Eso espero. –Tenía el rostro arrugado y sus ojos parecían haberse hundido bajo unos párpados ligeramente caídos. Todo él se derrumbaba a medida que, poco a poco, ya no podía seguir aparentando que su mujer iba a entrar por la puerta en cualquier momento. Su cara estaba, no sé muy bien cómo, colorada y gris a la vez, con la tez moteada e irregular.

No se me ocurría qué hacer, de modo que volví a preparar café. Él miraba su teléfono, buscando una vez más algún mensaje que pudiera, de alguna forma, haber llegado en silencio, a pesar de que había subido al máximo el volumen del móvil y se había llamado desde la línea de casa, solo para estar seguro.

–El próximo tren llega en siete minutos –informó.

Puse la cafetera al fuego. Abrí unas cuantas puertas de los armarios de la cocina, buscando algo sencillo, algo que él pudiera comerse sin darse cuenta.

Resultaba extraño estar en la cocina de otra persona, sumida en lo que me temía que iba a ser la fase inicial del colapso total en la vida de un hombre a quien ni siquiera conocía. En realidad, ya estaba en mitad del precipicio, agarrándose con la punta de los dedos a un endeble matojo de hierba.

Le llevé unas natillas en una bandeja.

Las vistas eran espectaculares, pero el único punto en el que ambos podíamos concentrarnos era la pequeña estación que teníamos en primer plano. Cuando el chirrido de unos frenos anunció la inminente llegada del tren, él se puso en pie y apoyó las manos en el cristal de la ventana para observar. Habría sido capaz de perdonarle cualquier cosa a su mujer con tal de que apareciera, asomando por detrás del tren y arrastrando una maletita –yo estaba convencida de que tendría una maletita con ruedas; es típico de la gente como ella–. Le daría igual dónde hubiese estado, qué hubiese estado haciendo, y con quién.

Había amanecido con el cielo frío y despejado, pero ahora se estaba cubriendo con nubes que avanzaban con rapidez. Se agrupaban encima de nosotros, esperando su momento; la luz cambió de repente y, aunque todavía estábamos en mitad de la mañana, se volvió oscura como si fuera un atardecer.

Esperamos, en suspense, los segundos que tardó el trenecito de dos vagones en llegar al final del ramal y vomitar sus escasos pasajeros. La mayoría se había bajado en Falmouth Town, la parada anterior.

En contra de mi voluntad, mi corazón se aceleró cuando cuatro pasajeros surgieron al fondo del andén. Una pareja de pelo cano, con ropa de montañeros, mochilas y bastones de caminar, avanzaba con determinación por el aparcamiento. Se dirigían –estaba segura–, a la senda de la costa. Un joven con un patinete bajo el brazo iba a paso lento tras ellos, envuelto en una pesada chaqueta, con bufanda y gorro de lana. Por último, apareció una mujer.

Sería más o menos de la misma edad que la de ella, pero era bajita y parecía nerviosa. Mientras la observábamos, miró a su alrededor y se detuvo al final del aparcamiento, esperando algo. Llevaba una mochila a la espalda. Los dos seguimos mirando hasta que un coche frenó delante de ella. La mujer sonrió, se relajó y abrió la puerta de atrás para meter la mochila antes de sentarse delante.

No era ella. Claro que no. Ya no esperaba que lo fuera.

La lluvia, casi aguanieve, comenzó a salpicar la ventana.

–Deberíamos llamar a la Policía –le dije.

Fingió no haber oído.

Primera Parte

Lara

1

Agosto

Lo tengo a mi lado, en el balcón. Me ofrece la taza verde que su horrible madre me regaló por Navidad. Abajo, un tren entra en la estación. Es de dos vagones, lo más largo que admite ese andén.

–Su té –dice, en un tono burlón y ceremonioso–. Espero que cuente con la aprobación de *madame*.

No cuenta con mi aprobación, pero claro, no puedo decirlo. Envuelvo la taza entre mis manos e intento componer la expresión adecuada. Sabe qué tazas me gustan, y sabe que esta en concreto no es una de ellas. No puedo decirle que esas trivialidades me importan. Me pondría un razonable gesto de sorpresa, abriendo los ojos como platos.

–Gracias –digo.

Nos apoyamos en la barandilla a contemplar la ciudad, nuestros brazos se rozan. El sol brilla sobre el tren en la estación y sobre los muelles que hay detrás. Más allá, la curva de la ciudad, que abraza el puerto. En el agua se ven destellos y deslumbrantes puntitos de luz que vienen y van con el movimiento de las olas. Al otro lado del estuario, los árboles, las tierras y las casonas de Flushing reverberan con este calor, inusual incluso en agosto. Hay gaviotas posadas en formación sobre el techo de uno de los almacenes del puerto. Están haciendo el equivalente a tomar el sol de los pájaros. El calor es casi molesto en mi piel, el salitre en el ambiente, que normalmente no noto, el reflejo del sol en el agua, todo aquello me trae a la mente, de pronto, días de la infancia olvidados hace largo tiempo.

–Parece una ilustración de un libro infantil, ¿a que sí? –comento–. Estación. Cargueros. Buques de guerra. Veleros. Coches. Camiones. Todo debería llevar una palabra escrita debajo. –Hago como que escribo las palabras con la mano, bajo el aparcamiento de la estación–. ¿Cuántos medios de transporte distintos puedes ver?

Él me mira a mí, no a las cosas que señalo, así que giro la cabeza para mirarlo.

–Sí. Y esos trastos que agarran cosas. –Señala a las máquinas del puerto–. Y los cacharros gigantes de metal que levantan cosas. Es el paraíso de los libros de ilustraciones.

Me acerco y le toco el brazo. Tiene el vello mullido y rubio. Hasta esta conversación nos ha llevado demasiado cerca del asunto que intento evitar, solo porque ya no queda más que decir. Cambio de tema, doy un sorbo al té –como de costumbre, es más o menos la mitad de fuerte del que me haría yo– y señalo las casas que quedan a nuestra izquierda.

–Y allí, ¿cuántas vidas distintas podemos ver? Miles de casas. Todas esas ventanas. Todas las cosas que pasan dentro. Apuesto a que ahí abajo suceden cosas mucho más extrañas de lo que te puedas imaginar.

Él mira en dirección a las casas.

–¿De lo que yo me pueda imaginar, o de lo que cualquiera se pueda imaginar?

–Cualquiera –aclaro, posiblemente demasiado rápido.

Sam se cambia la taza de mano y me pasa un brazo por encima del hombro. Me apoyo en él. Es grande como un oso, corpulento pero no gordo. Eso siempre me ha gustado. No me considero de esas mujeres que necesitan un hombretón fornido que cuide de ellas, pero me agrada su robustez.

–¿Recuerdas que mi amiga viene esta tarde? –digo–. La que conocí en el *ferry*.

–Ah, sí. Me lo contaste. ¿Cómo dijiste que se llamaba?

–Iris.

–Eso, Iris.

No le hace gracia. No quiere que nadie forme parte de nuestra vida. La verdad es que no tenemos amigos. Invité a Iris precisamente porque eso es algo que quiero cambiar.

–Esta parece la primera vez en siglos que pasamos el rato sin más –comenta. Parece nervioso–. Ya sabes. Es agradable no estar todo el rato con conversaciones serias. Hicimos nuestros planes, el destino se burló de nosotros.

Me preparo para la parte de que todo sucede por alguna razón.

–Todo sucede por alguna razón –continúa–. Y creo que todo esto ha pasado para unirnos más, y porque hay algún niño en alguna parte. En China, quizá. O en el Himalaya, como siempre dices tú. Un niño que nos necesita. Así está escrito. Estoy seguro.

–Vaya, acabas de transformar esto en una conversación seria.

–Oh, lo siento.

Respiro hondo.

–No pasa nada –digo.

Ha hecho este mismo discursito cientos de veces, y puede que tenga razón. Igual la infertilidad y todo lo demás sucedió por algún motivo impreciso e indefinible. Igual hay un niño en un valle de Nepal que está destinado a ser nuestro. Pero no tenemos la opción de tomar un avión para ir a descubrirlo. Hasta los de Visa, que prestan dinero a todo quisqui, se niegan a financiarnos más aventuras.

Es verdad lo que dice Sam. Siempre estoy hablando del Himalaya. Siempre he soñado con ir allí, alquilar una casa a los pies de una montaña y pasar meses y meses en aquel clima fresco y despejado, paseando, contemplando el paisaje y existiendo. Lo haría mañana mismo. Pero nunca he ido, ni siquiera cuando teníamos tanto dinero que no sabíamos qué hacer con él, porque a mi marido no le apetecía. Siempre terminaba llevándome a lo que él llamaba «unas vacaciones más convenientes».

Quizá mi bebé esté, de hecho, esperándome allí, pero no puedo llegar hasta ella, o hasta él. Resulta inquietante.

–Te quiero –me dice–. Puede que nos hayamos quedado sin dinero y sin opciones de tener un niño para hacer que merezca la pena, pero te quiero.

–Yo también te quiero –me apresuro a responder.

–Lara.

Nos apoyamos el uno en el otro, sintiendo el sol en nuestras cabezas y nuestros brazos desnudos. Contemplamos las vistas y nos tomamos el té. No hay mucho más que decir.

Tengo ganas de gritar, y a veces lo hago. En ocasiones, chillo con todas mis fuerzas, pero nunca cuando Sam está en casa. Cuando él ronda cerca, reprimo la angustia y me la guardo dentro. No puedo contarle nada cercano a la verdad y por eso, supongo, nuestro matrimonio no es lo que él se piensa. Sam cree que estamos profundamente enamorados, tocados pero optimistas, listos para comenzar nuestro nuevo viaje, uno que no teníamos previsto pero cuyo destino es más maravilloso si cabe por ese mismo motivo. Piensa que vamos a estar siempre juntos, aquí en Cornualles, a cientos de kilómetros de nuestras complicadas familias. Se cree que formamos una unidad.

Yo preferiría estar soltera. Pero no puedo decirlo, claro que no. En secreto, agradezco que no hayamos tenido aquel hijo. A él le rompería el corazón oírlo. No ha sucedido nada en particular entre nosotros: ninguno de los dos ha sido infiel, y Sam nunca ha sido para mí nada más que tremenda e insoportablemente cansino. Me casé con el hombre equivocado, y era consciente de ello cuando lo hice, de modo que la culpa es mía y estoy atrapada.

Me pregunto qué diría Sam si supiera que siempre he tenido un plan de fuga, una mochila preparada y lista para agarrarla y marcharme en un santiamén. No lo hago por él, pero al mismo tiempo es revelador.

Me convencí de que el bebé, si llegaba, lo arreglaría todo, pues me ofrecería algo en lo que concentrarme y que amar. En realidad, sabía que la vida no funciona así. El bebé ha tenido suerte por no haber nacido.

Media hora más tarde me río en voz alta al darme cuenta de que parezco el ama de casa más sumisa del mundo: estoy sacando del horno dos mitades de un bizcocho, usando unas manoplas con estampado de flores, y llevo un delantal con volantes, una imitación barata del estilo Cath Kidston. Siento que estoy interpretando la vida de otra persona. Soy una criatura de ciencia ficción, metida en un cuerpo terrícola para ocultar mi verdadero ser. Por dentro hay alguien a quien Sam apenas conoce. La criatura de mi interior es fea y rabiosa, fría, frustrada y sarcástica. Lucho por mantenerla oculta porque Sam no se merece lo que sucedería si la dejo suelta.

Lo cierto es que no amo a mi marido. No lo quiero lo más mínimo. Como mucho, en los días buenos, me gusta. Puedo ver que es bastante mejor persona que yo, y esto provoca que lo desprecie más aún. Además, no sé muy bien cómo, eso me impide abandonarlo. Odio el té que prepara: es una leche aguada y templada, teñida de beis por un brevísimo flirteo con la bolsita del té. Cuando me lo bebo, pongo cara de asco pero la disimulo, porque después de cinco años intentando conseguir que lo prepare como me gusta ya he desistido.

Cuando llama a una grúa «cacharro gigante de metal que levanta cosas» con un «trasto que agarra» en la punta, me entran ganas de echar a correr y volverme a Londres chillando. Estoy casada con un hombre que llama al cargador del móvil «la cosa que se enchufa» y al mando a distancia, «el cacharro de la tele con botones». Esto, una costumbre que casi me resultaba graciosa en el pasado, se ha convertido en un manierismo que me lleva al borde del homicidio. Tengo que apretar los dientes y contenerme para no decir nada, una vez y otra y otra.

Me he pasado años proponiendo unas vacaciones de senderismo en Nepal, pero aunque él sabía que era lo que yo más quería en el mundo, continuamente encontraba motivos por los que no se podía realizar: un hipocondríaco dolor de rodilla, aversión a la altura, no contar con suficientes días de vacaciones para que mereciese la pena… Siempre terminaba llevándome a playas, en las Canarias o en Francia. Aunque ya tenemos playas aquí y, de todos modos la playa es aburrida. Yo quiero montaña.

Las dos mitades del bizcocho están perfectamente hechas. Eso es porque cuando nos mudamos de Londres a Cornualles todavía teníamos dinero y nos compramos una cocina Smeg de gama alta. No teníamos ni idea de que estábamos a punto de malgastar todos nuestros ahorros en tres ciclos infructuosos de fecundación in vitro. De haberlo sabido, me habría apañado con un horno que fuera miles de libras más barato, y no habría pasado nada, aunque estos bizcochos en concreto saliesen algo menos esponjosos.

A ninguno de los dos se nos pasó por la cabeza que la naturaleza no encajaría con nuestros planes. Éramos, o eso nos parecía, una pareja súper fabulosa y exitosa que conseguía lo que se proponía. Unos profesionales londinenses que se mudaban a una casita con vistas al puerto de Falmouth para formar una familia. Sam quería que tuviéramos una niña, luego un niño, y después un tercero, sin preferencia de género. Serían rubios y sanos, aprenderían a navegar en lanchas neumáticas y jugarían al *rounders* en la playa.

Dejo los dos bizcochos sobre la rejilla para que se enfríen y pongo los moldes en remojo en el fregadero. Se me dan bien estas tareas terrícolas. Nadie que me viera podría sospechar. Ser una malvada alienígena camuflada resulta solitario.

A Iris su novio también le produce sentimientos contradictorios. Eso fue lo que me atrajo en ella. Nos reconocimos la una en la otra. Estoy convencida. Por eso le he preparado este bizcocho.

A veces deseo poder querer a mi marido, pero si lo quisiera no sería yo. Prefiero ser yo, vivir una mentira e intentar no reunir las agallas para hacer lo correcto, en vez de la esposa afectada que él necesita.

Cuando la cocina está en orden y compruebo por el balcón que Sam está abajo en el jardín cortando el césped, corro a mirar mi correo. Una vez más, mi único contacto del mundo exterior proviene de mi amigo de confianza, money-supermarket.com.

Me siento y empiezo a teclear. Mi corazón late tan fuerte que puedo sentirlo por todo el cuerpo.

«Leon –escribo–. ¿Alguna novedad? Bsos. L.»

Luego, lo mando y lo borro de la carpeta de mensajes enviados. Sam jamás miraría mi buzón de correo electrónico, pero prefiero estar segura.

Suena el timbre exactamente a las tres y media. Cuando abro la puerta y veo a Iris, sonrío, repentinamente feliz. Si no hablo como Dios manda con alguien pronto, probablemente asesinaré a mi marido mientras duerme.

Iris lleva una falda liviana, las piernas desnudas y un casco de bicicleta en el brazo. Tiene el pelo largo, espeso y revuelto; castaño oscuro, pero rubio en las puntas.

–¿Vas en bici con esa falda? –digo, en lugar de saludarla.

–¿Sabes? Ni me lo planteo. Si hay alguien interesado en las vistas, que las disfrute. De todos modos, estoy segura de que a nadie le interesan.

–Pasa.

En el centro veo mujeres del tipo mamá bohemia, capaces de vivir aquí y ganarse un dinerillo como diseñadoras, escritoras o ilustradoras, y con frecuencia pienso que sería inmensamente más feliz si tuviera un grupo de amigas como ellas. Nos reuniríamos en el bar Town House, a los pies de la colina, a beber cócteles y botellas de pinot Grigio, y nos reiríamos de los aburridos de nuestros maridos. Eso es lo que hace la gente.

Iris representa mi primer paso en esa dirección. Es, creo, más o menos de mi edad, o quizá un poco mayor. Me gusta su excentricidad. Sé que tiene novio, y que le resulta exasperante. Todavía no lo conozco, pero me encantará conocerlo.

Iris me mira con una sonrisita, y me pregunto qué ve. ¿Ve a la perfecta esposa rubita, con sus mallas y su vestido de algodón, poniendo a calentar la tetera y llevando un impecable bizcocho a la mesa junto a la ventana de la casa con vistas? ¿O percibe a la malvada alienígena asesina? Me apetece preguntárselo.

–¿Cómo estás? –digo; no puedo preguntarle lo otro.

–Bien, gracias –responde–. Genial, la verdad. La bicicleta me desentumece un poco. –Se lleva los dedos al pelo y deshace un nudo.

–Hay muchas cuestas por aquí, ¿no?

Asiente.

–Ahí está la cosa. Te matas subiendo una pendiente, y luego disfrutas del placer de lanzarte colina abajo todo lo rápido que puedes, y ya estás en mitad de la siguiente cuesta antes de perder el impulso. Hacen falta nervios de acero, por el tráfico, pero merece la pena. Hacía años que no montaba en bici, porque me daba miedo, pero luego pensé, ya sabes, que le den. ¿Qué más da? Un día empecé y es magnífico.

Miro alrededor. Sam sigue fuera.

–He preparado un bizcocho. Todos esos años de universidad han servido para algo. Podemos tomar té, ¿o prefieres una copa de Prosecco?

Sé que puede adivinar lo que yo prefiero por mi expresión, y, felizmente, accede.

–Bueno, el Prosecco estaría bien –dice–. Si a ti te apetece.

–Oh, claro.

–No parece que a nadie le preocupe que vayas un poco achispada en bicicleta. Casi seguro que hay alguna ley que lo prohíbe, pero a la única persona a la que puedes hacerle daño es a ti misma, supongo. La Policía, por suerte, tiene mejores cosas que hacer.

–¿Tu novio también monta en bici?

Inclina levemente la cabeza.

–Antes. Ahora no tanto. Es... Bueno, ahora es una especie de ermitaño.

Me apetece saber más, pero en vez de preguntar descorcho la botella, que suelta un agradable plop, y nos sentamos. Cuando Sam y yo compramos esta casa, nuestro futuro hogar familiar, tenía moqueta con espirales y un divino toque playero y anticuado. Hicimos poquísimos cambios, porque me gustaba así. De todos modos, la moqueta tuvo que desaparecer y llegó el parqué. Se quitó el gotelé y el estucado lo sustituyó. Quitamos la horrible chimenea –un poco en contra de mi criterio; se acercaba bastante a ser lo suficientemente fea como para ser guay–, y la inevitable estufa de leña ocupa ahora su espacio. La casa es encantadora, comparada con otras cárceles. Está bien para enseñársela a la gente.

Cuando tuviéramos hijos, íbamos a ampliarla, a hacer más dormitorios, una habitación de juegos, una casita en el árbol y muchas otras cosas. Sam solía fantasear con huellas pringosas en las ventanas; pero las ventanas siguen impolutas.

–Esto es espectacular. –Iris contempla la vista.

–Nunca terminas de acostumbrarte, porque cada día la vista es distinta.

–Seguro. Si viviera aquí, me pasaría todo el tiempo mirando por la ventana.

–Básicamente, es a lo que me dedico yo.

Iris se ríe, aunque lo digo en serio. No tengo otra cosa que hacer. Ni siquiera he logrado encontrar un empleo de administrativa. Cada vez que me presento a algo, me vienen con la misma monserga: «Sobrecualificada», aunque no hay nada para lo que puedan servir mis cualificaciones. Todos los trabajos en mi campo –promoción inmobiliaria y arquitectura– ya están cubiertos. Se me pasó por la cabeza la idea de presentarme en el supermercado Asda, pero Sam me detuvo.

–¿Cómo van tus revisiones?

Estoy contenta por acordarme de eso. Iris y yo nos conocimos en el *ferry* de St Mawes una tarde. Nos pusimos a hablar sobre banalidades, y descubrimos que ambas lo habíamos tomado solo por el capricho de montar en barco. Cuando llegamos nos dimos un paseo. Soplaba un fuerte viento. A Iris el pelo le tapaba la cara y el mío empezó a escaparse de las horquillas y los pasadores. Luego entramos en un pub pequeño y oscuro en una carreterita y nos bebimos varias botellas de cerveza. Era todo inesperado, transgresor, y me gustó.

–Bueno, bien –dice–. Me gusta trabajar desde casa. Ser capaz de ponerme mis propios horarios, tener el control de mi vida laboral. –Su cara se arruga hacia arriba cuando se ríe y me recuerda la sonrisa de un bebé–. Suena como si fuera operadora de una línea erótica, ¿no? O como si me dedicara a posar en una webcam. Mi especialidad son los libros de Derecho. ¡Me va la marcha! Pero no me quejo, gracias. Debería escribir un diario. Sería el testimonio más aburrido del mundo. Cada día es exactamente igual.

–Yo escribía un diario –le cuento–. Cuando mi vida era interesante. No se puede releer un diario, ¿verdad? No sin echarte a llorar. Pero tu trabajo debe de resultar gratificante, en cierto modo.

–Sí, algunos días. Tienes que crearte un buen ambiente. Tengo la radio puesta todo el rato, la BBC 6, así que no paro de escuchar música. Pero también, y esto es clave para mí, mi novio está por ahí. Laurie. Él también trabaja desde casa, así que tengo bastante compañía. A los dos nos gusta la música. Es nuestro mundito privado. Te parecerá aburrido, pero es lo que me va.

Le paso una copa de Prosecco.

–¡Salud! –digo.

–¡Salud! –responde.

Doy un trago a la bebida, y en aquel instante me doy cuenta de que podría engancharme al alcohol con demasiada facilidad. Sería muy lógico dejarse llevar por la costumbre de beber todas las tardes.

–Así que ¿estáis los dos solos? –digo–. Como nosotros, Sam y yo.

–Sí –responde–. Te terminas recluyendo en tu mundito, ¿verdad?

–¿Te resulta agobiante?

–Creo que soy una ermitaña de corazón, y Laurie es más o menos como yo. Él, yo y las gatas. No es algo que le funcione a todo el mundo, pero a nosotros sí. De haber nacido en una época distinta, habría sido una buena monja de clausura o una mujer salvaje que viviese en una cueva en las montañas.

–Pues ya tienes tu cueva en Budock.

–Sí.

–Pero no estás sola.

–No.

–¿Cuántas gatas?

–Solo dos. –Me mira–. ¿Pensabas que iba a decirte dieciocho?

–Me lo preguntaba.

–Por suerte, todavía no he llegado a ese punto. *Desdémona* y *Ofelia,* nuestras heroínas de tragedia; les gusta un poco el drama. Con eso me basta.

Sam entra en la habitación dando fuertes pisadas.

–¡Buenas tardes, chicas!

Tiene la camiseta blanca pegada al cuerpo por el sudor. Solo Sam se pondría una camiseta blanca como esa. A John Travolta le quedaba bien, pero en mi marido demuestra falta de imaginación.

–Sam…

Me levanto y le pongo una mano en el brazo. Ahora caigo en la cuenta de que le pongo con frecuencia la mano en el brazo. Es una forma de mostrar disposición al contacto, pero al mismo tiempo lo mantengo en su mínima expresión.

–Sam, esta es Iris. Iris, mi marido, Sam.

Sam se dispone a estrecharle la mano, pero Iris se levanta y le da un beso en la mejilla.

–Os conocisteis en el barco –dice–. Me lo contó Lara. ¡Vaya! Le estáis dando a esa cosa de las burbujas.

Iris le ofrece una respuesta de cortesía cualquiera cuando oigo que suena mi móvil. Su anticuada melodía corta el aire, corro hacia él. Mi teléfono casi nunca suena.

Miro el nombre en la pantalla. Luego lo agarro y corro al balcón. Mi corazón late acelerado.

–Leon. –Cierro la puerta con firmeza. El aire es frío pero vigorizante–. ¿Cómo estás?

–Lara –dice mi padrino, el hombre que me conoce de verdad–. Ahórrate los formalismos. ¿Estás segura de que es esto lo que quieres?

Lo tiene. Lo noto en su voz.

–Sí, Leon, por favor. Tengo que hacerlo. No puedo seguir así.

Miro a Sam, observo cómo da un sorbo nervioso de mi copa, cómo corta un trozo enorme del bizcocho. Se sienta y resulta evidente que se estruja el cerebro buscando preguntas que hacer a la extraña que se encuentra a su mesa. Me gustaría que no resultase tan obvio que le molesta su presencia.

–Entonces, tengo algo para ti.

–Cuéntame –digo.

Mientras contemplo una nube purpúrea que avanza claramente por el estuario, Leon comienza a hablar, y un futuro empieza a abrirse ante mí.

2

Practico la forma de decirlo, encerrada en el cuarto de baño.

–He encontrado trabajo –le digo a mi reflejo. Me gusta la sensación que deja en mi boca. Casi no puedo imaginar el potencial que contienen esas palabras. Detesto cómo va a reaccionar Sam.

Necesito contárselo ya. Él sabe que estoy nerviosa por algo. Lo supo desde el momento en que terminé de hablar con Leon, regresé a la mesa y vacié mi copa de Prosecco de un trago.

«¿Qué pasa, Lara?», no para de preguntarme; y yo le respondo: «Nada», con una de mis enormes y relucientes sonrisas.

–He encontrado trabajo –vuelvo a decir a la chica del reflejo, que parece triste al pronunciar las palabras, pero sus ojos están encendidos por todo ese mundo nuevo que se revela ante ella. La obligo a practicar hasta que lo dice bien. Tener un trabajo es algo bueno. Hago un esfuerzo para añadir la parte importante:

–He encontrado trabajo, y es en Londres.

–¿Lara?

Tiro de la cadena, para disimular, y me recojo con una horquilla un par de mechones sueltos. Iris se ha marchado a su casa. Se fue de repente, cuando le susurré que tenía que contarle algo a Sam. Probablemente haya pensado que estoy embarazada. Ya arreglaré eso más tarde.

–¡Ya voy! –grito.

He encontrado trabajo, y es en Londres. Es una realidad que me resulta fascinante.

Soy londinense y me muero por volver. Nací y me crié allí, y fue donde Sam y yo nos conocimos y donde vivimos tres años, antes de decidir, en un arrebato repentino, que la razón por la que no me quedaba embarazada era porque todos los días nos pasábamos horas en el metro. La culpa era, concluimos, del ambiente, y no nuestra. Era toda esa otra gente, empujándonos, atropellándonos y metiéndonos prisa. Era el pintalabios, las tiendas y la contaminación, los autobuses que pasaban renqueantes frente a nuestro dormitorio en Battersea con toda la gente del piso superior a la altura de nuestra ventana; las carreras al supermercado Sainsbury's para comprar la cena de vuelta a casa; el hecho de que los paseos por el parque estuvieran bien, pero no fueran más que un sucedáneo de salir de la ciudad.

Y luego, cómo no, estaba el viejo cliché: como londinenses, apenas íbamos al teatro, a las galerías de arte, a los museos.

Ahora que vivimos en Cornualles, un viaje a la capital es algo especial. Hace año y medio que no vamos. Es excitante, está lleno de posibilidades. Hay tantas cosas que hacer allí para mí, ahora. Me superan.

Lo de mudarnos fue, naturalmente, idea de Sam. Un domingo por la mañana bajó las escaleras, en pantalón de pijama y una de sus muchas camisetas blancas, mientras yo estaba concentrada en una tarea del trabajo.

–¿A qué hora te has levantado? –preguntó, avanzando adormilado hacia la cafetera.

–No lo sé. –Recuerdo que tuve que hacer un esfuerzo por prestarle atención, por sonreír–. A las cinco, creo. He currado un montón. Ya casi termino.

–Jolín, Lara.

Me volví a mirarlo. Me daba la espalda mientras se servía una taza de café tibio. A mí me encantaba trabajar por la mañana temprano. Él jamás lo entendió. Se lo dije mil veces, pero siempre me miraba con aire de suficiencia, pensando que quería hacerme la interesante.

–¿Qué?

Hice un esfuerzo y dejé por un momento el trabajo. Se acercó y se sentó a mi lado. Alcancé mi taza de café, aunque estaba frío, y la envolví entre las manos buscando un vestigio de confort.

–Lara –repitió. Su rostro estaba arrugado por el sueño–. Esto no está bien, ¿sabes? Si vamos a formar una familia, si nos va a llegar el día, y sé que va a llegar... Solo han pasado unos meses. Necesitamos llevar unas vidas menos estresantes. Necesitamos salir de Londres. Hay una oferta de trabajo a la que podría presentarme.

Suspiré. Sam siempre tuvo tendencia a proponerme grandes planes, y este, por lo que podía ver, era otro de ellos.

–¿En qué consiste el trabajo? –Me esperaba que fuera algo soso, en Hampshire o Surrey.

Sonrió.

–Es en un armador de yates de lujo, en Falmouth. He estado leyendo sobre la ciudad. Parece un buen sitio para vivir. Perfecto para una familia.

Me reí.

–Vale, nos vamos a vivir a Falmouth. ¡Así de fácil! Por cierto, ¿dónde está Falmouth? ¿En Devon? ¿Qué voy a hacer yo allí?

Se levantó y se colocó detrás de mí. Se inclinó y me rodeó con los brazos.

–En Cornualles –dijo en mi pelo–. Y tú, querida, vas a tener un bebé.

–Claro –dije en voz baja–. Pues consigue el trabajo y lo probamos.

Ni por un instante me esperaba que en realidad todo sucedería así, tan sencillo como si hubiera sido preparado. De lo contrario, no me lo habría tomado tan a la ligera. A Sam le dieron el puesto y nos mudamos. Los armadores querían que empezara cuanto antes, y en un abrir y cerrar de ojos vendimos nuestra casa –por suerte para nosotros en el momento álgido del mercado, aunque en aquel entonces parecía que los precios fueran a mantener la tendencia ascendente para siempre–, dejamos nuestros trabajos de Londres y nos fuimos al oeste, y después seguimos hacia el oeste. Al final, a unas veinte millas del punto más occidental posible, aparcamos delante de nuestra nueva casa y comenzamos nuestra nueva vida.

Me gusta la vida en Cornualles, en muchos sentidos. Me gusta Falmouth. Si tuviera una familia y un empleo para mantener mi mente ocupada, sería feliz aquí. Hay playas y campo, bosques y tiendecitas. Es fácil llegar en tren a ciudades más grandes. A veces me resulta agradable la sensación de vivir apartada de casi todo el resto del país. No es Falmouth lo que está lejos, es todo lo demás.

Sin embargo, él y yo solos aquí, sin un bebé, sin ningún amigo cercano, sin trabajo, no es nada bueno. Estamos más cerca de los cuarenta que de los treinta, y no voy a vivir así indefinidamente. Falmouth está bien. Yo estoy bien. Sam y yo, donde quiera que estemos, ya no estaremos bien.

Sam se encuentra arriba, porque nuestra casa está construida al revés, en la ladera de una colina. Lo encuentro en la cocina, fregando las copas de Prosecco y los platos del bizcocho.

–¡Eh! –dice– Estás aquí.

–No hemos terminado la botella. –La saco del frigorífico y la sostengo a la luz–. Vamos a acabarla, venga.

Su risa es ligeramente nerviosa.

–Ni siquiera son las cinco, Lara, y ya has bebido mucho, ¿estás segura?

–Sí, venga. Yo secaré eso. Toma.

–¿Qué pasa?

Iba a pedirle que se sentara y contárselo con tacto, pero al final lo suelto sin más.

–Era Leon el que me ha llamado antes –le digo–. Ya sabes, mientras Iris estaba en casa. Sam, me han ofrecido un trabajo. En Londres, en la empresa de Sally. Para hacer justo lo mismo que antes. Me han pedido que me embarque en un proyecto de desarrollo inmobiliario en Southwark. Transformar viejos almacenes en pisos, tiendas y todas esas cosas que hacía antes. Seré la responsable de desarrollo, básicamente mi antiguo trabajo. Hasta el momento, lo único que han hecho es comprar el terreno. El resto, equipo, diseño, todo el tema político para llevarlo a cabo, será responsabilidad mía. Todas las cosas que se me dan bien. Un contrato de seis meses. A corto plazo.

Me detengo, lo miro y espero.

–Imposible.

Lo sabía.

–Piénsalo, Sam. Está muy bien pagado. Seis meses. No es para siempre.

–Pero es en Londres. Yo no puedo dejar mi trabajo, así que no podemos irnos a vivir medio año a Londres, ¿no?

Engullo un trago burbujeante. El vino está flojo y tiene un regusto metálico.

–No puedes dejar tu trabajo –acepto; por el tono, parezco la mujer más razonable del mundo–. Pero yo puedo ir y venir. Me quedaré en casa de Olivia, o con mis padres. Hay un tren nocturno. Puedo irme el domingo por la noche y volver el viernes por la noche. Nos lo pasaremos genial los fines de semana.

–¡No! –Su voz suena categórica–. Lara, ni lo pienses. Nos mudamos de Londres para escapar de todo aquello. Íbamos a adoptar. No vas a regresar a esa carrera de locos. ¿Por qué demonios quieren que pongas tu vida patas arriba para ese puesto, en vez de emplear a una de las miles de personas cualificadas en Londres que podrían hacer el trabajo? Dices que todas esas cosas se te dan bien, pero en realidad es lo que se te daba bien antes. Hemos dejado atrás esa época, gracias a Dios.

Tengo el presentimiento de que es importante que él no se dé cuenta de cómo me hace sentir esto.

–Quiero hacerlo. –Mantengo la calma en la voz–. Echo de menos usar el cerebro, Sam. He fracasado con lo de ser madre. Esto es algo que sé que puedo hacer. Todavía soy buena en mi trabajo. No puedo traerme el trabajo aquí y quiero trabajar. Y, lo principal: podemos terminar de pagar nuestras deudas en ese medio año.

Voy a aceptar el trabajo, aunque tenga que dejar a Sam. Este secreto me hace arder de culpa. Casi espero que diga que no. Si es así, me marcharé.

–Jolín, Lara. –Cuando dice eso, puedo palpar mi victoria.

Vacío mi copa. Él hace lo mismo. Me mira con ojos tristes. Lo he decepcionado, una vez más. Fuera, el sol se refleja en el agua. Dos pichones se posan en la barandilla del balcón. La grúa gira, sacando un enorme contenedor cuadrado que contiene vete a saber qué de la cubierta de un gigantesco barco que ha llegado de vete a saber dónde.

A primera hora de la mañana, mientras el mundo exterior empieza a desperezarse, me despierto de golpe. Sam está vuelto hacia mí, roncando suavemente, con su rostro rosa y arrugado por la almohada.

Me voy a Londres. Mi vida estará ocupada. Estaré constantemente en movimiento. No es, en ningún sentido, una decisión fácil. Tendré que trabajar como acostumbraba, y después de mis años fuera del mundo laboral, necesitaré probarme a mí misma. Ir a Londres implicará volver a ser una mujer profesional; me supondrá tener un aspecto inmaculado, mostrarme serena y segura, trabajar con planos y con gente. Mi tarea será hacer que las cosas sucedan. Todo esto me sienta, visto de la distancia, como bucear en una piscina de agua fresca en un día caluroso.

Los pájaros en la calle arman tal alboroto que no entiendo cómo Sam, y todo el mundo, puede dormir con ese jaleo. El sol se arrastra por debajo de la persiana e ilumina perfectamente la habitación.

Nuestro dormitorio es pequeño. Hay que pegarse a la cama para llegar al armario. Íbamos a ampliar toda la planta baja de esta casa hecha al revés cuando tuviéramos una familia. Nuestra habitación sería más grande y estaría bien equipada. Sé perfectamente lo que eso habría supuesto, porque solíamos hablar de ello todo el rato. Leíamos libros y planeábamos qué iba a ir dónde. Habría un moisés, una mesa cambiador con una bandeja en la parte inferior, y en la bandeja, una montañita de bodis doblados y chaquetitas diminutas.

Sam quería un bebé porque es un ser humano normal. Yo quería un bebé porque me parecía la mejor oportunidad que me quedaba de amar a alguien con pasión y entrega.

Lo observo dormido bajo la tenue luz de la mañana. Esto es tan íntimo que siento que no debería hacerlo, pero me incorporo sobre el codo y continúo mirándolo. Es vulnerable, inconsciente, y me recuerdo que debo tener pensamientos cariñosos porque él no es consciente de mí.

Dormirá él solo en esta cama seis días a la semana durante seis meses. Después de eso, seguramente sabremos qué hacer.

Si yo me fuera, le digo sin abrir la boca, encontrarías a alguien enseguida. Conocerías al tipo de mujer que necesitas. Podrías tener un hijo con ella, porque no le pasa nada a tu recuento de espermatozoides. En principio, tampoco hay nada raro en mis datos. Simplemente, no ha llegado el día.

Nunca deberías haberte casado conmigo. Envío esa realidad a su cabeza, por medio de telepatía. Habrías sido feliz con una esposa que te adorase, no con alguien que se aferra a ti como a una balsa en un mar embravecido y luego desea poder dejarte y seguir su camino cuando llegue a tierra. Pero ya es demasiado tarde. Debería, como siempre, haber escuchado los consejos de Leon. Me advirtió que no me casara con Sam.

«Te va genial ahora –dijo tras conocerlo–, pero, por el amor de Dios, Lara, no te cases con él. Te aburrirá hasta la muerte porque es demasiado bueno. Como aquel tipo, Olly, pero este no te puteará. Serás tú quien acabe puteándolo a él.»

Al menos en eso se equivocaba.

Cada día más, me voy imaginando a la mujer con la que debería estar Sam. Intento visualizar a su segunda esposa. Hoy observaba a Iris y me preguntaba si serviría, pero sabía que no.

Iris tiene novio, pero también tiene secretos. Oculta mucho de sí misma. Sam necesita una esposa que tenga tan pocos demonios como él.

La señora Finch ideal habría tenido una infancia feliz, y no sería ambiciosa en lo profesional. Desearía dedicarse a su familia y disfrutaría cuidando de la casa. Sería organizada, agradecida, y pensaría que Sam es la persona más *sexy* y fascinante del universo.

Ella y yo no seríamos amigas.

De un modo intermitente, he intentado y he fingido ser ella. Hoy me encuentro buscándola, como las mujeres de esos artículos de las revistas que saben que van a morir y empiezan a buscar a otra esposa para sus maridos, una nueva madre para sus hijos, antes de irse. Resulta raro que lo hagan, y más extraño todavía en mi caso, por eso de que estamos felizmente casados y tal y también porque nunca ha habido hijos.

Desearía tener un motivo para marcharme. Desearía poder aceptar que tengo un marido guapo, atento y encantador que me adora, y sentar la cabeza. Necesito que una de esas dos cosas ocurra.

Me iré a Londres. De ese modo, las cosas podrían cambiar, asentarse y arreglarse. Por otra parte, también sería factible alejarnos y separarnos de mutuo acuerdo, sin rencores ni culpas. Este es el material del que se componen mis sueños de día.

Salgo de la cama haciendo el menor ruido posible, bajo las escaleras de puntillas para poner la tetera al fuego y contemplar la salida del sol.

3

Septiembre

Sam insiste en llevarme en coche a Truro mi primer domingo de tren nocturno. Su tristeza es tan exagerada que al final me entran unas ganas perversas de reír. Hubiera preferido tomar el ramal que sale de la estación del puerto, detrás de nuestra casa, pero comprendí que esto significaba mucho para él, así que me rendí rápido.

Cuando nos despedimos en el control de billetes, está a punto de echarse a llorar.

–Cuídate –dice–, ¿vale? Prométeme que estaremos en contacto todo el rato. Ojalá pudiera ir contigo.

Sonrío y le doy un beso.

–No seas tonto –digo, con una seriedad fingida. Cuando quiero, puedo ser tan agradable como el resto de la gente–. Tú trabaja para pagar la hipoteca y las facturas, yo trabajaré para pagar las tarjetas de crédito. Volveré el sábado por la mañana y pasaremos un fin de semana maravilloso. Todos los fines de semana. ¡Sam! No te pongas depre, ¿vale? Yo no voy a estar a tu lado para animarte. Sal al pub y todo eso. Queda con tus amigos del trabajo, sal a correr. Mantente ocupado y estaré de vuelta antes de que te des cuenta.

Entierra su rostro en mi pelo.

–Sí, señorita –dice, con una docilidad exagerada–. Lo sé. Y tú empieza los trámites para adoptar al niño.

–Claro. Bueno, me voy. No sirve de nada que nos quedemos aquí de pie pasándolo mal. Adiós, cariño. –Necesita que le diga que lo quiero, sé que lo necesita; se merece oírlo. No puedo irme sin decirlo. Respiro hondo–. Te quiero, ¿vale?

Se lo digo bajito, en el cuello, pero la satisfacción que le produce es horriblemente evidente.

–Gracias, cariño –me dice, y puedo imaginar su sonrisa–. Gracias.

Cuando el tren se acerca, sé que Sam todavía estará en el vestíbulo de la estación, mirando por la ventana. Encuentro el vagón E y el compartimento 23, que tiene la puerta abierta.

Mi compartimento es más pequeño de lo que me esperaba. Hay solamente una cama –para mi alivio–, un lavamanos, que encuentro bajo una tapa, un espejo, una bolsa transparente que contiene artículos de aseo y algunas redecillas pegadas a la pared para meter cosas. Hay una pantallita de televisión en la posición perfecta para verla tirada con pereza desde la cama, y nada más.

Todo en esta diminuta estancia desprende eficiencia y limpieza. La cama, cubierta por un edredón sorprendentemente lujoso y con una sábana blanca almidonada, es estrecha pero agradable. Por un momento, miro a mi alrededor y solo siento puro placer.

La persiana está echada, dispuesta para la noche. Si la abro, probablemente podría ver a Sam a través de la ventana. Estará ojeando el tren, buscándome. En vez de eso, cierro la puerta y me siento en la cama. Con un pequeño temblor, el tren empieza a moverse.

Son las diez en punto. Tengo que estar en el trabajo por la mañana. Necesito irme directamente a dormir.

Hay un espejo en la pared, cerca del lavabo, y otro detrás de la puerta. En el tren parezco distinta. En Falmouth soy una esposa sin hijos, una mujer simpática que ofrece su ayuda cuando es capaz de reunir la energía suficiente y el número requerido de sonrisas. Nada más montarme en este tren, sin embargo, me he convertido en una trabajadora que vive en las afueras.

Cuando llaman a la puerta, me alarmo y me molesto. Mi primer pensamiento es que Sam ha reservado en secreto un billete para darme una sorpresa. Rezo para que no sea así, y me odio por ello.

Abro, no puedo fingir que no estoy. Una mujer con el pelo corto y rizado está apoyada en el marco de la puerta, mirando una lista.

–Hola, corazón –dice con alegría–. Eres la señora Finch, ¿verdad? ¿Sí? ¿Me dejas ver tu billete, cariño? ¿Qué te apetece para desayunar, guapa?

Le entrego el billete y la reserva.

–¿Dan desayuno?

–Pues claro.

–¿Cómo sabes mi nombre?

–Estás en mi lista, guapa.

Figuro en su lista, así que no puede pasarme nada. Me gustaría sacarle una foto y enviársela a Sam, para demostrarle que estoy en buenas manos. Si se lo pidiera, seguramente la mujer me dejaría.

Pero no lo hago, sino que elijo café y cruasán, consciente de que serán menos apetecibles de lo que suenan, pero al mismo tiempo convencida de que cumplirán con su cometido.

En cuanto se marcha, voy a los servicios, al final del vagón. Por el camino, tengo que apretujarme para pasar junto a una persona, un hombre alto que rondará los cuarenta y pocos. Tiene el pelo oscuro y es alto y fornido. Parece que también viaja por trabajo, y me ofrece una sonrisa amable cuando paso a su lado, me pego a él más de lo normal porque el pasillo es muy estrecho. Nuestros cuerpos se rozan a pesar de mis esfuerzos, y aprieto el paso, azorada.

Quiero ir a lo mío. Esto pronto formará parte de mi rutina y no me apetece tener que estar parándome a saludar a nadie. El tren podría ser una perfecta cámara de descompresión entre mis dos vidas, dos noches por semana que no serían ni de trabajo –o, más en concreto, de estar en el piso de mi hermana, lo cual me resulta una idea menos alegre y ligera que antes a medida que me voy acercando entre traqueteos a Londres–, ni de casa, con todo su sentimiento de culpa y su encanto pertinaz.

Estoy tumbada, aún despierta en la estrecha cama; siento el movimiento del tren sobre los raíles mientras me conduce inexorable hacia la ciudad. Sonrío, y luego me río en voz alta en la semioscuridad por el inesperado cambio en mi vida. Hace seis semanas no tenía objetivos y estaba aburrida: era la «esposa de Sam» y «esa mujer de la sala de espera». Paseaba sin rumbo por Falmouth y cruzaba a St Mawes en el *ferry* sin motivo alguno, aunque apenas podía permitirme el billete. Ahora vuelvo a ser yo, de nuevo disparada rumbo a la ciudad, dando la espalda a la frustración y al fracaso, lanzándome a un trabajo en el que espero seguir siendo buena. Me engaño fingiendo que hago esto solo por dinero.

Creo que no podré dormir, pero me quedo dormida rápidamente y cuando me despierto el tren está parado. Oigo ruidos fuera, sonidos que, a pesar del puerto, no se oyen en Falmouth. Es el bullicio de la estación de Paddington en plena actividad. Los motores y las ruedas chirriantes, un grito repentino para avisar de algo, una risa inesperada. Se oye un anuncio de fondo, evidentemente dice algo sobre un tren, aunque no puedo distinguir las palabras. Mi persiana bajada es un rectángulo gris tras el cual acecha la mañana.

Mientras busco mi teléfono, encajado en la redecilla que hay junto a mi cama, dan un golpe seco en mi puerta, y la simpática mujer trina:

–¡Buenos días! ¡El desayuno!

Estiro el brazo y quito el pestillo de la puerta sin abandonar la cama. La mujer entra en el habitáculo, baja la mesita y se asegura de que la bandeja queda firme encima.

–Tienes que abandonar el tren a las siete –dice, antes de marcharse–. Si quieres, puedes esperar en el vestíbulo de Paddington. ¿Conoces la sala de espera del andén 1?

–Gracias –le digo–, pero me voy directamente a trabajar.

El café es café de tren, y el cruasán sale de un envoltorio de plástico, pero da igual, los disfruto los dos. Saco una foto a la bandeja, con mi desayuno a medio comer, y se la mando a Sam. Me parece algo bonito. «En Paddington –le escribo–. Me dan de comer. Todo va bien. Salgo a trabajar en un minuto. Te llamo luego. Bs.»

Luego me lavo todo lo que me permite la toallita que me han dado y me pongo una cantidad generosa de desodorante. Me visto con la falda, la blusa y la chaqueta que colgué con mimo por la noche y, ya que no es posible lavarme y secarme el pelo, me quedo frente al espejo durante veinte minutos enroscándolo en una especie de moño con las muchas horquillas que me traje para este fin. Me maquillo como solía hacer cuando era una londinense. Por último, añado el toque final: mis zapatos de trabajo. Los tengo desde hace años, y probablemente ahora son oficialmente *vintage.* Son unos Mary Jane altos y clásicos, de los que se habría puesto una secretaria en los años cincuenta para salir por la noche. Son de color rojo oscuro y los adoro. Me los calzo y me convierto en un yo semifamiliar y largo tiempo abandonado.

Sonrío ante el espejo. Soy la Lara de verdad. Ha habido muchas otras a lo largo de los años, y esta, ahora lo sé, es la que más me gusta. La ocupada, la exitosa, la brillante. La que es la hostia en lo suyo.

Esta es la egoísta. La soltera.

Son las siete en punto. Me bajo del tren justo detrás de una mujer que tendrá, calculo, unos cincuenta años. Igual que yo, va vestida para trabajar, y ha resuelto el problema del pelo con una ancha cinta de esas que la gente se pone en la playa; es de color verde claro, a juego con su atuendo, y le queda bien.

–Buenos días –dice con una sonrisa, y se da la vuelta en el andén para esperarme.

Me gusta al instante. Si esta mujer estuviera en un cuaderno de colorear, la pintaría de naranja y rojo, con un áurea bondadosa que reparte felicidad a su alrededor.

–Buenos días –respondo con timidez, pero el repentino arrebato de camaradería me hace sonreír.

–¿Vas derecha al trabajo? –pregunta, mirando mi ropa–. ¿O te tomas un café primero? Siempre pienso que los de la estación son mucho mejores que la mierda que dan en el tren: para bebérselos de un trago y acabar cuanto antes, pero como son gratis… O no, porque ya los pagas en la considerable tarifa del compartimento. Es tuyo, tienes que tomártelo.

–Me iba directa al trabajo. –Observo el reloj de estilo antiguo en la pared que tenemos delante–. Pero es mi primer día, de modo que lo que haré será buscar la cafetería Costa más cercana para hacer tiempo allí, entre nervios. Así que, venga, me tomo uno, sí. Y si va a ser medio decente, mejor que mejor.

Me detengo por un instante a saborear el aire de Londres. Está sucio y polvoriento por las máquinas de la estación. Me encanta.

La mujer me ofrece una amplia sonrisa. La sigo, cruzamos una puerta y pasamos junto a un hombre uniformado que está leyendo el periódico en una mesa. Le muestro mi billete puesto que ella lo hace. La sala está llena de mesas y sillas, y hay una pantalla de televisión en lo alto de una pared con un programa silenciado con subtítulos. La mujer se encamina directa a la máquina de café. Ambas ponemos un vaso grande y blanco en sendas bandejas que me recuerdan, con un sobresalto, una taza que a veces usa Sam en casa.

–Así que es tu primer día –dice mientras nos sentamos a una mesa.

Hay comida, pastelitos, plátanos y galletas en grandes platos pero, como ella, no tomo nada. Doy un sorbo al café. Tiene razón. Es perfectamente aceptable.

–¿Y eso? ¿Has estado de baja por maternidad o algo parecido?

Una vez más, todo el mundo quiere hablar de bebés.

–No. Es largo de contar. Me mudé a Cornualles con mi esposo. Dejé mi trabajo, a él le salió uno allí. –Dudo, reacia a compartir nuestra historia con una desconocida–. Él se ha quedado. Me ofrecieron un puesto similar a mi anterior trabajo, con un contrato de seis meses, y como necesitábamos algo de dinero aquí estoy.

–¿Vas a ir y venir durante seis meses?

–Sí. ¿Tú lo haces? ¿Vas y vienes?

–Más bien sí. No siempre, pero me verás la mayoría de los viernes y los domingos por la noche. Somos unos cuantos, a veces nos juntamos para tomar algo en la cafetería del tren. Los viernes son los mejores días. Me llamo Ellen.

–Lara.

–Lara –repite, escrutándome con la mirada–. Es un nombre muy glamuroso. Te pega.

–Vaya, gracias. Bueno, no tenía ni idea de que hubiera más gente que hiciera este viaje para ir a trabajar, pensaba que solo sería yo. ¿En qué trabajas?

–En la banca, ya sabes… En Londres soy una odiosa banquera, aunque en realidad nadie nos odia. Y en Cornualles no soy más que una mujer que trabaja en Londres.

–¿Por qué no vives en Londres?

Se encoge de hombros.

–Me gusta Cornualles. Me gustan los fines de semana allí. Es magnífico. Y te acostumbras a los viajes en tren. Prefiero vivir así antes que tener un aburrido piso en Clapham como todo el mundo. Mi pareja está en Cornualles. Es agricultor, difícilmente podría serlo en la gran ciudad. Puede resultar agotador, pero en general me gusta. –Sonríe y mira a su alrededor–. No hay nada como este ajetreo. La gente odia las mañanas de los lunes, pero yo no. –Levanta una mano para saludar a alguien–. A mí me entusiasman.

–Me alegro por ello. Oye, este café no es exactamente maravilloso, ¿verdad?

–Oh, Dios, no. No comparado con el café de verdad, pero tiene cafeína y está casi recién hecho. Si tiene cafeína ya me vale.

–A mí también.

Pienso en Sam, y en que radicalmente dejamos la cafeína como parte de nuestro compromiso para concebir. Los dos actuábamos bajo la solemne convicción de que la ausencia de productos relacionados con el café en nuestros cuerpos impulsaría de repente a un espermatozoide perezoso hacia un óvulo recalcitrante y producirían un niño donde antes no había nada.

Siempre supe que aquel sutil realineamiento del universo para hacerlo gris y descafeinado no iba, en realidad, a desequilibrar la balanza, pero lo acepté de todas formas. Por si acaso.

–¿Tienes hijos? –No era mi intención preguntarle eso. Me molesta mucho cuando un desconocido me lo pregunta a mí, y aquí estoy yo, haciendo lo mismo–. Esto, lo siento, no pretendía…

Ellen suelta una risita.

–No, Lara, no tengo. Nunca he querido tener hijos. Estuve casada un tiempo, pero me resistí a formar una familia porque no habría estado bien, y lo sabía, de verdad. Luego, cuando conocí a Jeff, se me había pasado el momento. Me alegro de no haberlos tenido, no habría sido capaz de llevar la vida esquizoide que he llevado. Tú tampoco tienes, supongo.

Contemplo mi café. La espuma de la leche ha desaparecido de la superficie. Esta conversación, aun con una desconocida tan simpática, nunca es sencilla.

–Lo hemos intentado durante años. Aceptar este trabajo ha servido para marcar el hecho de que hemos fracasado. –Observo su cara y rápidamente añado–: De todos modos, no pasa nada. Lo digo en serio; nunca he sido muy maternal ni niñera. Era más por Sam que por mí. Me hubiera encantado tener un bebé, claro que sí, pero si no llega y toda esta historia se adueña de tu vida, termina convirtiéndose en una enorme obsesión. De repente, cada detalle de tu existencia está dominado por inyecciones y ciclos, y todo el mundo te pregunta por el mismo tema continuamente: «Y vosotros, ¿qué? ¿No vais a tener familia?». ¡Como si no fuera ya lo único de lo que hablábamos! Y es que Sam no podía pensar ni hablar de otra cosa. Cuando nos rendimos, lo único que sentí fue un inmenso alivio. Soy feliz por haber pasado página.

–Bueno, pues aquí estás. –Alza su vaso–. Salud, Lara. Bienvenida a tu nueva vida. ¡Que tengas un feliz paso de página!

Nos levantamos, recogemos nuestras mochilas y salimos juntas de la estación de Paddington, en la hora punta de la mañana del lunes, en dirección al metro, al trabajo y a la vida londinense.

4

La jornada de trabajo es la parte sencilla del día. Me paso las primeras dos horas conociendo a gente, enterándome de dónde están las cosas y haciéndome al proyecto. Va a ser una obra interesante, justo detrás de la Tate Modern: convertiré naves industriales en pisos y en un restaurante. Comienzo con las líneas básicas del proyecto, estudiando cada paso en mi cabeza. Es una zona con elevado nivel freático, gran probabilidad de complicaciones arqueológicas y un movimiento vecinal concienciado y atento a todos nuestros movimientos.

Esto es lo que se me da bien, de modo que me desenvuelvo con facilidad y profesionalidad. A pesar de mi inesperada conversación íntima con Ellen de esta mañana –que me dejó con una ligera sensación de desprotección y de la que me arrepentí nada más terminarla–, o quizá debido a ella, me muestro cordial pero distante con mis nuevos compañeros, la mayoría de los cuales son más jóvenes que yo.

Abandono la oficina a las seis y media, satisfecha conmigo misma.

Luego cruzo Covent Garden en dirección a casa de mi hermana. Vive en una calle que es exasperantemente perfecta, si lo que te gusta es vivir en medio de una gran ciudad. Es media tarde, brilla el sol y las calles están abarrotadas de gente que sale del trabajo, turistas, estudiantes y un variado surtido de personas inclasificables. Siento el runrún en el ambiente, y aunque Falmouth y Cornualles me gustan, sé que, en el fondo de mi corazón, soy londinense. Soy londinense y he vuelto a mi hogar, y ni siquiera el hecho de estar a punto de tener que enfrentarme a Olivia consigue hacer mella en mi arrebato de felicidad.

Por un instante, me imagino que estoy en un libro. Es un libro de ilustraciones para niños y se titula *Lara en Londres*. Salgo dibujada muy estilizada, como una mujer de un catálogo clásico de moda de los años treinta, con cintura de avispa y moño, y camino resuelta por la ciudad corriendo aventuras. Estas no poseen un ritmo particular porque, más que nada, *Lara en Londres* es una guía de los lugares emblemáticos de la ciudad. Ahora mismo, mis fabulosos zapatos taconean por el borde del mercado de Covent Garden. Paso por delante de gente que tirita mientras bebe cerveza en las mesas de las terrazas, y de un artista callejero que hace malabares con sillas sobre una alfombra roja ante la atenta mirada de un grupo de personas. Lo saludo al pasar, sintiéndome de pronto tan poderosa que estoy convencida de conseguir que me devuelva el saludo y arruinar su número. Él ni siquiera me ve, por supuesto, pero mi mente al instante lo transforma en su yo ilustrado: su barba incipiente, sombreada; sus redondas mejillas, exageradas.

El supermercado Marks & Spencer, enfrente del metro, es mi primer destino. Compro vino, aceitunas y un tarro de nata que no me preocuparé por fingir que he traído desde Cornualles. Me digo que todo saldrá bien. Me lo digo con tanta convicción que siento que puede ser cierto. Olivia me dijo que podía quedarme con ella durante la semana, indefinidamente. No sería capaz de decírmelo si no tuviera intención de comportarse.

Por desgracia, sí sería capaz, la conozco perfectamente. No veo a mi hermana desde hace año y medio, porque las pasadas Navidades estuvimos en casa de la familia de Sam y para cuando fuimos a casa de mis padres, el 28 de diciembre, Olivia ya se había ido, «por ahí con unas amigas».

Sofoco mis temores con tópicos. Como llevamos tiempo sin vernos, lo más seguro es que no pase nada; un descanso era justamente lo que necesitaba nuestra relación. Nunca fuimos amigas de niñas, ni de adolescentes, y como adultas jóvenes nos llevamos fatal: todo esto es innegable. Olivia no sabe nada del mayor incidente de mi vida, pero mi marido tampoco. Nunca hemos sido amigas, ni siquiera en el sentido más superficial. Mi hermana nació odiándome; supongo que algo debí de hacer desde tan temprana edad para provocar su animadversión, pero no fue a propósito. Su odio es inquebrantable y sincero, y Olivia se comporta de un modo que no me deja más opción que corresponder a su rencor.

Siempre me he mostrado escéptica ante la tan cacareada complicidad entre hermanas que veía en los demás. De hecho, no puedo evitar sospechar que es todo una farsa, que por debajo de cada pareja de queridísimas hermanas se oculta una copia de Olivia y de mí, alimentando constantemente agravios que comenzaron a acumularse desde el día en que la segunda hija fue concebida.

Ahora, sin embargo, podríamos construir una nueva relación. Las dos estamos en la treintena, y podemos hacer que funcione. Hay una oportunidad de que esto ocurra, insisto para mis adentros mientras pago con la tarjeta. Quizá pronto sea capaz de decir las palabras «mi hermana» sin el pinchazo de amargo disgusto que las acompaña siempre. Este pensamiento me hace salir disparada hacia un mostrador a por un ramo de rosas blancas. Las pago por separado, con dinero suelto. Pido disculpas con la mirada al hombre que tengo detrás en la cola, preguntándome si técnicamente debería haber regresado al principio de la fila para hacer una segunda compra. Es un hombre de aspecto nervioso, de unos cuarenta años, que asiente y dice «Bonitas flores» con un acento de las antípodas. Le sonrío agradecida e intento quitarme de encima la súbita sensación de haberlo visto antes. Esto es Londres: por supuesto que no lo he visto.

Olivia solo me ha pedido perdón una vez en su vida. Poco después, retomamos nuestro habitual desprecio mutuo. Se olvidó de su fechoría con bastante rapidez. Fue la única ocasión en que me hizo algo concreto, algo que todo el mundo supo, algo con lo que podía señalarla y decirle: «Has sido tú». Aunque si ahora yo sacara el tema, se reiría de mí.

Encuentro su calle muy cambiada desde la última vez que estuve aquí. Es perpendicular a Long Acre, y se ha vuelto tan moderna que dan ganas de llorar. Hay unos enormes almacenes de ropa *vintage*, un centro de yoga, la entrada a unas nuevas galerías comerciales llenas de tiendas de lujo. Camino hasta el final y diviso un pub. Parece agradable. La casa de al lado tiene millones de geranios en maceteros, con enredaderas trepando entre ellos. Un chupito rápido de vodka me dará ánimos.

No lo hago, por supuesto, por mucho que me gustaría ser ese tipo de mujer. Regreso al bloque en el que vive Olivia, sintiendo en las mejillas el sol de la tarde despejada, que de repente me resulta fría. Han limpiado la fachada del edificio desde la última vez que estuve, y reluce con sus ladrillos rojos y su estilo clásico. Mi hermana tuvo suerte al comprarse esta casa cuando consiguió su primer trabajo, en una época en que Londres estaba en la cumbre de sus precios prohibitivos.

Unos pájaros pasan volando por encima de mi cabeza con un inesperado graznido. Un hombre camina en mi dirección, y lo miro desesperada, como si pudiera salvarme de tener que apretar el botón del telefonillo. Pasa lentamente por el otro lado de la calle, hablando por teléfono.

–Sí, claro que sí –dice–, pero tendrás que aguantar tú la reacción de Goddard, colega. Yo no me hago responsable.

Me gustaría preguntarle quién es Goddard y cuál va a ser su reacción, pero en vez de eso aprieto el botón y la puerta se abre sin que salga una palabra por el interfono.

Olivia me espera en el descansillo. Han cambiado la moqueta, pero las paredes siguen estando mugrientas.

Respiro hondo.

–¡Olivia! –exclamo con entusiasmo, con cuidado de no fijarme en el desprecio de su mirada pétrea–. ¡Cuánto me alegro de verte! –Me acerco a ella en busca de un abrazo, pero luego me retiro al notar su gesto gélido–. Muchas gracias por dejar que me quede aquí. ¿Cómo estás? Tienes un aspecto estupendo.

Toma, te he traído unas cositas. Flores y alguna contribución a la casa.

–Sí –dice–, cómo no. Gracias.

Se pasa los dedos por el pelo, que lleva teñido de negro. Hacía mucho tiempo que no se lo veía tan corto. Le queda bien, con un corte estilo *garçon* que le da un toque juvenil y francés, un estilo implacable que pocas sabrían llevar.

Su casa es un piso pequeño pero bonito, con ventanas al fondo que inundan de luz todos los rincones del salón y del dormitorio principal durante gran parte del día. La cocina, el cuarto de baño y otra habitación más pequeña son oscuras en comparación con el resto, pero me fijo en que, con su típico toque extravagante y provocador, ha colgado lamparitas de colores por todos lados para contrarrestar la oscuridad.

Olivia deja la bolsa de las compras en la lúgubre cocina sin mirarla, y la sigo al salón, donde observo cómo se derrumba sobre el desvencijado sillón de cuero que forma parte de esta estancia desde que vive aquí, aunque ahora está cubierto de cojines púrpura y plata. Tomo asiento en el sofá de color crema y dirijo una sonrisa falsa y desesperada en su dirección.

–Así que aquí estás –me dice, jugueteando con una uña–. ¿Cómo ha ido tu primer día de regreso a tu gran carrera profesional?

–No ha estado mal –respondo, e inevitablemente, empiezo a balbucear–. La verdad es que ha sido genial. De vuelta al lío. Me he pasado el día repasando los permisos del proyecto, lo que hacía antes. Ha sido todo igual que entonces. Y tú, ¿qué tal, Olivia? ¿Cómo te va en el trabajo? ¿Y en todo lo demás?

–Bueno, lo de siempre, nada interesante. Rutinario.

Me río.

–Tienes la vida menos rutinaria del mundo, y lo sabes.

–Pues no lo parece desde dentro. Pero da igual. Nuestros padres quieren verte. Van a venir a cenar el miércoles. Papá ha reservado mesa en Pizza Express, como era de esperar, como si no existiera otro restaurante en Londres…

–Ah, vale.

Me reclino en el sofá y sonrío nerviosa. Ella levanta los pies para enroscarse en el sillón como una gata. Me fijo en que está muy delgada. Intento calcular cuánto se ofendería si traigo el vino que acabo de comprar, lo abro y sirvo un buen par de copas. Lo ha ignorado a propósito. Me pone una sonrisa sarcástica.

Soy la hermana mayor. Soy, como se ha empeñado en llamarme desde que tengo recuerdos, «la niña de oro». Los niños de oro son los que mandan.

–¿Tienes hambre? –sugiero–. He comprado algo de comer. Puedo prepararlo, si quieres.

Va a decir que no, pero ya tengo una excusa para ir a la cocina.

–La verdad es que voy a salir esta noche.

–¡Ah! Genial.

–¿Genial? Sí, es «genial», ¿verdad? Un bonito piso todo para ti solita.

–No quería decir eso. He dicho genial porque me parece bien. ¿Adónde vas?

–Nada, solo salgo. –Intenta enroscarse un mechón en el dedo, pero no lo tiene lo bastante largo y se ríe por lo bajo.

Me pongo de pie.

–Vale –digo. Este momento nunca tarda en llegar, aunque creo que en esta ocasión hemos batido el récord.

Un enorme reloj de mesa de madera, el típico trasto del que yo me desprendería en un mercadillo por demodé pero que en cierto modo queda bien en este decorado, me dice que son las ocho menos diez. Todavía hay luz en la calle.

–Entonces voy a preparar algo para mí, si no te importa. Y a tomarme un vino. –Respiro hondo y hago un esfuerzo por mostrarme amistosa de nuevo–. ¿Te sirvo una copa antes de que te vayas?

–Claro. –Parece aburrida como una ostra.

Mi dormitorio es el cuarto trastero, también conocido como el estudio. Durante años ha alojado a varios de los súper amigos de Olivia que nunca nos presentaba, y en los períodos entre inquilinos se convierte en un espacio para dejar tirada cualquier cosa que mi hermana no quiera ver.

Abro la puerta, y como tengo tantas ganas de llevarme bien con Olivia, me conmueve sinceramente que lo haya ordenado y limpiado para mí. Me esperaba casi con toda seguridad encontrarme el suelo cubierto de papeles, cajas y trastos preparados para tirarlos a la basura. En vez de eso, el suelo de madera está perfectamente limpio, la cama individual –en esta habitación no cabría una cama de otro tamaño–, cubierta con un edredón blanco bordado y dos almohadas. Hasta hay una toalla rosa claro doblada sobre la cama. También un perchero con perchas para colgar mi ropa y un armario empotrado para el resto de mis cosas.

–¡Gracias por la habitación, Olivia! –grito.

Me gustaría poder llamarla Liv, o Oli, como sus amigas. Algunas la llaman Libby, Libster u Ols, y cuanto más se aleja el apodo de su nombre real, más complicidad implica. Yo nunca he sido capaz de probar otra cosa que no fuese el Olivia completo.

A la inversa, no es un dilema. No existe un apócope obvio para Lara. En toda mi vida, solo una persona intentó ponerme uno. Rachel me llamaba Laz. Trago saliva y aparto de mi mente ese recuerdo.

Incluso mi madre nunca ha ido más allá de La –lo cual, la verdad, suena estúpido–. Tampoco Sam. Soy Lara, la gente me llama Lara, y eso es todo. No soy mi hermana y, al contrario que ella, no puedo usar mi nombre como arma.

–De nada –responde desde alguna parte, justo cuando abro el armario y me cae encima una avalancha de papeles, prendas sueltas, objetos varios y lo que solo se podría describir como «mierdas diversas».

Me pregunto si debería retirar las gracias, pero con el fin de mantener la paz me arrodillo y lo meto todo debajo de la cama.

Un hombre larguirucho con barba y una chaqueta de *tweed* se asoma a la puerta. Se parece un poco a Jarvis Cocker, y ante su saludo cariñoso me muestro agradecida y algo patética.

–¡Ajá! –dice, apuntándome desde la puerta–. ¡Tú eres la famosa hermana! ¡Dándole al vino! La cornuallesa que se viene a trabajar a la ciudad, ¿no?

–Eso es. –No quiero saber lo que le habrá contado mi hermana sobre mí.

–Encantado de conocerte –dice agachando la cabeza–. Soy Allan.

–Hola, Allan. –Me mira expectante. Es evidente que mi hermana no le ha dicho cómo me llamo–. Soy Lara.

Estira su largo brazo y nos estrechamos la mano con una extraña formalidad.

–Lara. –Da vueltas a la palabra en su boca–. Lara. Siento robarte a tu hermana tu primera noche, Lara. ¿Quieres venirte con nosotros, Lara?

Estoy tentada a aceptar, solo para ver la cara de mi hermana.

–No, pero gracias de todos modos. Tengo un montón de cosas que ordenar. Pasadlo bien.

–Esa es nuestra intención.

Allan me lanza un adiós cortés cuando se marchan. Olivia hace como si yo no estuviera al pasar a mi lado y salir a la moqueta nueva pero sucia del descansillo.

Hablo con Sam durante media hora, fascinada por el hecho de que todavía no llevo ni veinticuatro horas fuera de casa. Mientras conversamos, me paseo por el piso, entrando y saliendo del salón que tiene luz incluso por la noche, pues las farolas de la calle lo iluminan. Entro a la cocinita, donde me como una aceituna y un trozo de pan de pita untado de humus, y luego, tras mi tercera vuelta por el piso, me relleno la copa de vino.

–¿Qué has hecho, entonces? –pregunto, odiando mi tono paternalista. Sam no parece darse cuenta.

–Bueno, ya sabes –dice–. He dormido mal sin ti, la cama es demasiado grande, y no hay nadie que se queje cuando tiro del edredón. No es divertido sin ti.

–Oh, ya lo sé –le digo–. Lo mismo por aquí. Yo también.

–Sin ti soy una basura –empieza a decir muy rápido, libera su frustración contenida que sale como un torrente–. Ojalá no estuviéramos haciendo esto, Lara. Es un error. Ojalá pudiéramos reírnos de ello y considerarlo una idea ridícula. Ojala estuviéramos, tú y yo, nosotros, por encima del dinero y de todo lo demás. Ojalá estuvieras aquí, a mi lado. Esto no está bien.

–Lo sé.

No lo digo solo para que se sienta mejor. Aunque hoy Londres me ha resultado excitante, y el trabajo es estimulante y me fascina, de repente deseo estar en Falmouth, en nuestra casita con vistas al puerto, junto a Sam. Mi marido me hace sentir segura. Él y nuestra casa de pronto parecen un puerto en muchos sentidos. Podríamos haber salido adelante sin el dinero.

–El sábado estaré allí –le recuerdo.

–¡Pero si solo estamos a lunes!

–A finales del lunes. Y estaré allí a primera hora del sábado. Se pasará rápido. Te acostumbrarás. Puedes ver *Man v. Food* todo lo que quieras. Puedes dejar la tapa del retrete levantada... –Lo dejo porque sé lo lamentable que suena esto.

–Sí.

Ninguno de los dos hablamos durante varios segundos.

–Bueno –dice él justo al mismo tiempo que yo digo «por».

Nos callamos, incómodos, cada uno esperando a que el otro continúe.

–Adelante –dice Sam.

Los dos nos reímos y se va la tensión.

–Solo iba a decir que por lo menos tú no tienes que vivir con Olivia. Al menos tú estás en casa. Este sábado vamos a salir a comer por ahí. A uno de los pubs buenos.

–Sí. –De repente se le ve decidido. Me gusta cuando pasa eso–. Sí, voy a reservar mesa en el Pandora, o en el Ferryboat.

Son dos pubs con vistas al mar que hay cerca de Falmouth y que nos encantan. El Pandora Inn está a orillas del estuario de Restronguet Creek: un pub que en su día fue una casa de campo, que se quemó y milagrosamente volvió a abrir casi exactamente como estaba al principio. Tiene un embarcadero en donde los días soleados los marineros amarran sus barquitos y piden la comida, y en donde los niños recogen cangrejos y los meten en cubos de plástico.

El Ferryboat, por su parte, está situado en el condado de Frenchman's Creek, en el estuario de Helford, una playa fluvial de aguas tranquilas y barcos anclados hasta donde alcanza la vista, mientras el *ferry* que le da nombre lleva y trae a gente. Los dos son remansos de paz: lugares donde nada malo puede pasar. Son mundos ilusorios, pacíficos, poblados exclusivamente por gente con dinero y seguridad. La última vez que fuimos al Ferryboat miré a mi alrededor, a las familias de playeros de clase alta, con sus hijos sanos que pelaban gambas con destreza y bebían limonada orgánica, e intenté pensar que todo el mundo tiene sus penas, que algunos de esos adultos serían terriblemente desgraciados en sus matrimonios, que esas personas tendrían amantes, o beberían demasiado, o andarían enganchados al juego, que sus vidas estarían al borde de descalabrarse, las familias, de romperse, y sus negocios, de caer en bancarrota.

Al final me convencí de ello, sobre todo tras mirarnos a Sam y a mí con los mismos ojos. Para los de fuera, debíamos de parecer perfectos: una pareja en la treintena comiendo en un pub a orillas del mar. Nadie habría supuesto, con esa fachada que mostrábamos, que nuestra tercera ronda de fecundación in vitro acababa de fracasar, que estábamos intentando aceptar que jamás podríamos tener un hijo, que acumulábamos deudas por varios miles de libras, y que uno de nosotros estaba más en paz con la idea de no tener hijos que el otro.

Después, al mirar de nuevo a mi alrededor, capté la desesperación en los rabillos de los ojos de la gente, sus miserias, las sonrisas falsas que intercambiaban. Vi a personas intentando mandar mensajes por debajo de la mesa, a escondidas, frustrados por el hecho de que no se recibían. Me entraron ganas de llorar, y deseé haber mantenido el botón del cinismo apagado.

–Eso será genial –digo–. Al que tú quieras. ¡Qué ganas tengo!

–¿Qué tal te ha ido con Olivia? –pregunta, y me encanta el hecho de que sea la única persona del mundo, aparte quizá de Leon, que se preocupa de verdad por esto–. ¿Te lo está haciendo pasar mal?

Fuerzo una risa.

–Oh, nada que no pueda manejar. Lo superaremos evitándonos. Sí, la reconciliación entre hermanas que me esperaba no va a suceder. Esta noche ha salido con un tipo delgaducho y guapo que ha sido amable conmigo. Está bien.

–No te tragues ninguna de sus mierdas, ¿vale?

–Vale.

–Te amo, Lara. Eso es lo único que cuenta, en serio, ¿verdad? Todo lo demás son detalles sin importancia.

–Sí, lo es.

Cuelgo. Luego me doy una ducha, porque sé que si me meto en la bañera gastaría mucha agua, y si Olivia regresaba a casa, me vería allí y protestaría. Tiro el resto de la copa de vino por el fregadero, la friego con esmero y a continuación me encierro en mi cuartito y duermo bastante mal. Me despierto de golpe en cuanto mi hermana mete la llave en la cerradura. Oigo su estruendo por la casa. Huelo la tostada que se prepara y desearía levantarme y acompañarla.

Solloza, un ruido repentino y desagradable que intenta contener. Oigo su respiración entrecortada. Está intentando no hacer ruido. Compruebo mi reloj: son las tres de la madrugada. No quiero escuchar, quiero volver a dormirme, pero estoy paralizada. Olivia está llorando, cada vez más alto. Es conmovedor, desgarrador.

Mi hermana odiaría que yo acudiese a su lado, así que no lo hago. Me tumbo en la cama, escucho su llanto y finjo que estoy dormida.

5

Octubre

Los viernes por la noche en la estación de Paddington son los únicos momentos en que soy, simple y llanamente, feliz. Me paso toda la semana esperando que llegue el viernes, y cuando me bajo del tren en Truro empiezo a pensar en el viaje de vuelta del domingo. Esa realidad provoca que se me tuerza el gesto mientras me abro paso entre la multitud. No debería ser así, pero lo es.

La estación está distinta los viernes: el ambiente se encuentra cargado de ilusiones. La gente regresa a casa del trabajo, y al día siguiente no tiene que volver. O salen de fin de semana, con sus mochilas y dispuestos a pasarlo bien. Cruzo en diagonal el vestíbulo, tengo ganas de ver a mis amigos.

De repente, me detengo. Por un instante me parece que hay alguien detrás de mí, con intención de hacerme daño, tan cerca que podría tocarme si alargara el brazo. Esa presencia malévola es casi tangible: de hecho, creo que algo me ha tocado de verdad, tan suavemente que casi ni lo he sentido. Me vuelvo y miro a las personas que conforman la multitud, escruto sus rostros, pero no hay nada. Nadie está ni siquiera especialmente cerca de mí. La mayoría camina en distintas direcciones, o están parados mientras yo paso apresurada a su lado. Sin embargo, había alguien ahí. Había algo.

No, me digo. No había nadie. Estás siendo ridícula. Esto ya me ha pasado otras veces. Siento algo, unos ojos que me observan, y me estremezco, totalmente convencida de que hay alguien y de que está a punto de suceder algo catastrófico. En esos momentos me siento como una equilibrista caminando por la cuerda floja, como Philippe Petit entre las Torres Gemelas, y me tambaleo.

Avanzo directa a la sala de espera de primera clase, muestro mi billete a una mujer que está leyendo el *Metro*, me sonríe brevemente y me uno al resto de los pasajeros que aguardan el tren nocturno.

Soy la primera del grupo en llegar, así que compro un botellín de agua con gas y un paquetito con dos galletas y me siento a esperar. Sigo asustada, a pesar de que no ha sucedido nada, y saco el teléfono para entretenerme.

Envío un mensaje a Sam contándole dónde estoy, añado y borro luego unas pestes sobre la última cabronada de Olivia –dejar el microondas roto tirado en mi cuarto– y leo los titulares de las noticias, que aparecen en unos subtítulos chapuceros en la parte inferior de un televisor con el canal de noticias de la BBC silenciado.

–Lara –me saluda Ellen.

Se sienta a mi lado, toquetea su iPhone, se coloca el pelo detrás de las orejas y ordena algo en el bolsillo de su bolsa de viaje; las tres cosas a la vez.

–Buenas tardes. ¡Feliz viernes! –añade.

–Hola –digo, abriendo mis galletas, contenta de verla–. ¿Has tenido una buena semana?

–Ha estado bien, gracias. ¿Y tú? ¿Cómo se porta esa hermana tuya? –Me mira entornando los ojos.

Como solo ha oído mi versión, tiene a Olivia por una bruja de cuidado. Constantemente intento matizar mis historias añadiendo cosas del estilo «Estoy segura de que si le preguntases a ella, tendría un punto de vista completamente diferente», pero a Ellen y a Guy les da igual.

Echo un vistazo rápido a mi alrededor, buscando a Guy con la mirada.

–Bueno, sin más.

–¡Búscate un sitio para ti sola! Voy a seguir diciéndotelo hasta que lo hagas, ya lo sabes. Trabajas, ganas dinero. Tienes derecho a alquilarte un estudio; no tiene por qué ser algo súper caro. Así podrás escapar de esa relación envenenada, ¿no?

Suspiro. Me he dado cuenta en el poco tiempo que la conozco que Ellen dice exactamente lo que piensa. Tiene razón, lo admito.

–Si le digo que me voy de su casa, se encargará de que nunca me olvide de ello.

Se encoge de hombros.

–¿Y qué? Vives en su trastero, te putea siempre que puede, te hace sentir como una mierda. No tienes por qué seguir allí. Reordena tu vida.

–Lo sé. Me lo pensaré durante el fin de semana.

–Habla con Sam del tema. En serio. Sabes que él te dirá lo mismo que yo.

Miro a mi alrededor de nuevo, buscando al tercer miembro del grupo. Guy, Ellen y yo somos los únicos que hacemos todas las semanas el trayecto en dirección oeste hasta Cornualles. Él vive cerca de Penzance, con su esposa y sus hijos adolescentes. Durante los dos últimos viernes, los tres hemos tomado demasiados gin tonics en la cafetería del tren mientras avanzábamos rumbo al oeste.

–¿Guy viene esta noche? –pregunto.

Ellen asiente.

–Eso dijo. ¿Quién sabe? Igual su familia ha venido a pasar el fin de semana a Londres o algo parecido. ¿Ves? Ese es otro motivo por el que deberías irte de casa de Olivia. Si vivieras en un estudio, Sam podría venir a pasar algún fin de semana contigo. Un sitio pequeño en el norte de la ciudad bastaría; te saldría muy barato. Así podríais dedicaros a hacer la ruta de teatros-galerías-restaurantes.

Decido no rebatir el concepto que tiene Ellen de «muy barato».

–¿Vosotros hacéis eso? ¿Jeff viene a Londres?

Sacude su mano de perfecta manicura, rechazando de plano la idea.

–Ay, ¡Jesús!, no. Jeff odia Londres. Y, de todos modos, no me apetece hacer esa mierda. Lo tengo ya muy visto. Para mí, una excursión de fin de semana es un paseo hasta el pub en Zennor, no pelearme por cruzar Leicester Square. Estoy hablando de ti, Lara. Tienes que disfrutar de la ciudad. Habéis vivido aquí. Por lo que me has contado de Sam, creo que le gustaría pasar un fin de semana en Londres a todo trapo y con todos sus lujos.

–¿Sabes qué? Que sí.

Pienso en ello. El cumpleaños de Sam es a finales de julio. Queda demasiado lejos; tal vez podría hacerlo para Navidades. Nos imagino mirando las luces de Oxford Street, patinando en Somerset House, refugiándonos del gélido frío en un cine. Podríamos alojarnos en un hotel con encanto. Decido prepararlo cuanto antes.

–Gracias, Ellen, buena idea. En diciembre estaría bien.

Una azafata de la First Great Western entra en la sala de espera y anuncia: «Damas y caballeros, prepárense para subir al tren». Ellen y yo nos levantamos y nos unimos a la masa que avanza lentamente hacia la puerta. Saludamos a algunos hombres mayores trajeados cuyos rostros nos resultan familiares, y sonrío a una mujer que me es desconocida: treinta y muchos, con minifalda, un abrigo de estampado brillante y una horquilla con forma de flor. Seguro que es diseñadora o escritora. Ellen dice que esa es la gente a la que le gusta conocer en la cafetería, los que hacen que el tren sea interesante.

Nos montamos a las diez y media, aunque el tren no sale hasta justo antes de la medianoche. Una revisora a la que nunca había visto, una joven seria con coleta rubia, nos conduce a nuestros compartimentos, en el coche F, separados por cinco puertas. Deshago mi bolsa lo imprescindible, dejo el pijama sobre la cama y mis artículos personales de aseo junto a la tapa que cubre el lavabo. A continuación agarro mi bolso y me voy directamente a la cafetería.

Ellen, no me lo explico, ya está allí, sentada en una de las sillas lujosamente grandes, hojeando la revista gratuita. En la mesa de al lado hay dos hombres trajeados, y va entrando más gente.

–Me he tomado la libertad de pedirte lo de siempre. Todavía no están listos del todo, pero cuando lo estén nos servirán las primeras.

Me siento enfrente de ella.

–Qué detalle –digo–. Gracias, Ellen.

–De nada. La primera copa. El principio del fin de semana. En Londres casi no bebo. El gin tonic del tren es algo especial.

–¿Verdad que sí? Yo ahora en Londres bebo casi todas las noches. Tengo que hacerlo.

Pienso en Olivia, en la maliciosa guerra de palabras y actos en la que nos hemos enzarzado. Estamos constantemente picándonos. Trato de suavizar el ambiente todos los días, y eso la enciende aún más que cualquier otra cosa que pudiese hacer. La próxima semana podría tratar de suavizar el ambiente siendo más beligerante.

–Lo sé, cariño.

–Buenas noches, señoritas.

Se me acelera el corazón e intento que no se me note. Manteniendo un gesto lo más neutro posible, me incorporo ligeramente cuando Guy se sienta a mi lado.

Me crucé con él en el pasillo del tren durante mi primer viaje a Londres, la noche antes de empezar mi trabajo; hablé por primera vez con él cuando Ellen nos presentó en la sala de espera de Paddington el viernes siguiente. Es atractivo, de esos que llaman la atención, al estilo Clooney: uno de esos hombres que llegan bien a la madurez. También es una excelente compañía.

–Llegas tarde, colega –comenta Ellen–. Pensábamos que ibas a dejarnos colgadas.

–Lo siento –se disculpa–. Tuve que resolver un asunto de trabajo. ¿Habéis pedido? Apuesto a que no os habéis acordado de mí. Vengo de una fiesta de despedida. Champán y toda esa mierda en una estúpida vinoteca de London Bridge. Me alegro de haber tenido una excusa para marcharme. –Sonríe a Ellen, y luego a mí–. Prefiero agua y paquetes de galletas en la sala de espera con vosotras dos antes que champán en una vinoteca con mis compañeros de trabajo. Que lo sepáis.

–Espero que así sea. –Ellen se levanta para añadir una tercera copa a la comanda.

Cuando ella está lejos, Guy se vuelve hacia mí, yo intento no disfrutar de su atención. Estamos sentados tan cerca que nuestros muslos casi se rozan, y soy muy consciente de la distancia tan pequeña que nos separa. Su cabello es espeso y oscuro, salpicado de gris, y algunas arrugas asoman en las comisuras de sus ojos.

–¿Cómo te ha ido esta semana? –pregunta–. ¿Todavía no te has largado de casa de tu hermana?

–Me lo estoy pensando –le digo–. Jesús, suena patético, pero es un paso adelante, y es lo mejor que puedo hacer por hoy.

Es muy raro, pero con Guy y Ellen, en el tren, puedo ser yo misma de un modo que no consigo con nadie más en ningún otro sitio. Si los conociera en cualquier otro contexto, estaría a la defensiva. Aquí, en este tren, bajo la guardia. Les contaría, y les cuento, cualquier cosa. Pienso en comentarle a Guy la extraña sensación que tuve en la estación, pero me lo pienso mejor.

–Bueno, es un avance. –Asiente.

Se quita la chaqueta, revolviéndose. La cuelga en el asiento vacío junto a Ellen y se sube las mangas.

–Barack Obama hace lo mismo. –Señalo hacia sus brazos.

Me fijo en que son musculosos y peludos en su justa medida. Aparto la mirada rápidamente, sonriendo. Este es un enamoramiento de lo más inofensivo, dado que los dos estamos felizmente casados.

–¿Barack Obama hace qué? –pregunta confundido, y no es para menos.

–Se quita la chaqueta y se remanga la camisa. Queda bien, sin más. Me gusta que los hombres hagan eso.

–¿En serio? –Se mira los brazos, apoyados en el borde de la mesa–. ¿Esto funciona con las mujeres?

–Conmigo sí.

–¡Vaya, Lara! Es bueno saberlo. No es que entre en mis planes, ni que me sienta tentado de aprovecharlo…

Ellen regresa, seguida por una camarera a la que reconozco que trae una bandeja con tres gin tonics.

—Gracias, Sarah —dice Guy, guiñándole el ojo a la camarera—. Te debemos la vida.

—De nada —responde Sarah—. Tengo muchos más.

—Bien. —Tomo uno y lo remuevo con el palito de plástico.

—¡Salud! —dice Ellen.

Brindamos con los vasos de plástico y me relajo. Ha sido una semana frenética. Espero que este fin de semana sea menos difícil que el anterior. La presión, después de que Sam se pase de lunes a viernes esperando sin consuelo mi regreso, puede provocar que discutamos sin parar. El pasado fin de semana acabamos los dos llorando toda la tarde del domingo, mientras se acercaba la hora de la inminente separación, para más inri, empeorando las cosas un millón de veces.

Tres copas más tarde, Guy está reclinado en su asiento, bostezando. Su rodilla se apoya de modo casual sobre la mía.

—¿No os parece...? —dice, mirando primero a Ellen y luego, durante más tiempo, a mí—, ¿A veces no os parece que los fines de semana son más agotadores que la semana? Me explico: llego a mi casa el sábado por la mañana, más cansado que la hostia, y entonces empieza el «Papá, haz esto. Guy, haz lo otro... Sé divertido. Sé simpático... Arregla esto. Ve a comprar aquello... Ayuda con los deberes... No tienes ni idea de lo que es tener que quedarse en casa toda la semana. Tú has estado en Londres... Podrías poner la lavadora por una vez...».

—Pues no —responde Ellen al instante—. Ya sabes que Jeff es agricultor. Nuestros trabajos no podrían ser más distintos. El campo no cierra los fines de semana, aunque él procura escaparse todo lo posible para que podamos pasar más tiempo juntos. Me encantan los fines de semana. Pero claro, estamos solos, así que nunca voy a sentir ese agobio. Si fuera madre, bueno, sería una historia totalmente distinta. A ninguno de los dos nos importa quién pone la lavadora. Se pone, de una forma u otra.

Se vuelven hacia mí.

–Mmm... –La ginebra, seguida por vino, me ha relajado–. A mí me cuesta –admito, esforzándome por dirigir mis palabras a Ellen, porque Guy me desconcentra–. Ya sabéis que Sam y yo estamos empezando en esto. Pero si no estoy animada, cariñosa y afectiva, si no tenemos un fin de semana magnífico y maravilloso, luego me siento fatal. El pasado fin de semana fue un infierno. Seguro que lo notasteis al verme el domingo en el tren. No puedo echarle la culpa a Sam: para él, estoy inmersa en mi exigente trabajo y sufro a mi hermana el resto del tiempo. Pero luego estoy en este tren, y él no tiene ni idea de lo que me divierto, o de que me paso la mayor parte de la noche bebiendo. Piensa que me dedico a aguantar el chaparrón, lo cual es cierto, mientras añoro nuestra tranquila vida en Cornualles, lo cual me temo que, por lo general, no es cierto.

–Probablemente, él vive esperando el momento de tu regreso, Lara –comenta Guy–. ¿A qué se dedica? ¿Va al pub y tiene vida social? ¿O se pasa toda la semana sentado en casa mirando el reloj, suspirando y contando las horas con los dedos?

–Sí –añade Ellen–. Me intriga este Sam tuyo. ¿Por qué no lo traes a la estación el domingo para que podamos verlo?

Esto me hace reír.

–¡Pero si los dos estaréis ya en el tren desde Penzance! Si Sam estuviera conmigo en el andén, tendríais suerte de poder verle un segundo por la ventanilla.

–No –dice Guy–, nos acercaremos a la puerta antes de llegar a Truro, y en cuanto el tren se detenga abriremos la puerta y me bajaré a ayudarte con las maletas. Los dos. Un doble acto caballeresco.

–Lo asustaríais.

Ellen asiente.

–Eso pensaba. Venga, pues. ¿Cómo es? ¿Cómo lo conociste?

–Es adorable –digo con mi voz más firme, pues su divertida curiosidad por mi marido me hace sentir infiel. Aparto mi pierna de la de Guy y él no intenta restablecer el contacto–. ¡Vaya si lo es! Es el hombre más adorable del mundo, y si he dicho cualquier cosa que os haga pensar lo contrario, entonces es culpa mía, que soy estúpida. Lo conocí cuando tenía veinticuatro años; hace ya doce. Estuve viajando por Asia una temporada. Las cosas... –Lo último de lo que me apetece hablar es sobre mi experiencia en Tailandia, así que me muerdo el labio y salto a lo que estaba a punto de contar–: Cuando volví me alejé de un montón de cosas. Estaba lista para sentar la cabeza, como Dios manda. De hecho, me moría de ganas de llevar una vida estable, convencional. Tenía un título en Desarrollo Inmobiliario. Mi padrino y mejor amigo de mi padre, Leon, me ayudó a conseguir un trabajo. Me animó a no quedarme todo el día en casa de mis padres sin hacer nada. Empecé a currar, y trabajé duro. Alquilé un pequeño estudio, luego me compré una casa. Y conocí a Sam.

–¿En aquel entonces tampoco te llevabas bien con tu hermana? –interrumpe Ellen.

–Nunca –reconozco–. Ella ya vivía en el mismo piso, y tenía su primer empleo, de relaciones públicas. Olivia, que siempre me ha parecido la mujer menos adecuada para las relaciones públicas; una tía que haría cualquier cosa para dejarte claro que no le caes bien. Pues resulta que solo es conmigo; con los demás es una brillante profesional de la labia. En fin. Mi padre me animó a comprarme una casa en cuanto pudiera, y encontré una casita adosada en Battersea. De nuevo, ahora, una década después, parece imposible, pero lo hice. Tenía trabajo, una hipoteca, amigos... Solo me faltaba un novio. No lo necesitaba, claro, pero me moría por tener uno.

–¿Y lo conociste...?

–Y lo conocí. En un café de Soho. Fue como uno de esos encuentros de las películas. Llovía a mares, me había refugiado a tomar algo, un café, creo. Era una tarde de sábado, y deseé no haber bajado al centro. Con las bolsas de mis compras a los pies, pensé en ir a ver lo que echaran en el cine Curzon, porque estaba al final de la calle y quería sentarme en algún sitio cálido y seco durante un par de horas sin aburrirme. La cafetería estaba a reventar, las ventanas llenas de vaho. Yo me encontraba junto a una ventana, tan aburrida que me puse a dibujar con el dedo en la condensación del cristal sin darme cuenta.

»De repente, alguien me pregunta con mucha amabilidad si puede sentarse en mi mesa, y esto me fastidia, como es normal. Me apetecería decirle que no, pero sé que tengo que aceptar. Entonces lo miro. Es difícil de explicar... Igual no para vosotros, porque los dos tenéis pareja desde hace mucho. Simplemente, en cuanto lo vi, supe que él era la persona que buscaba.

–¿Amor a primera vista?

Miro a Guy, preguntándome si se burla de mí, pero no me lo parece. Su rodilla choca con mi pierna, y luego se retira.

–Amor, no. Seguridad, certitud, convicción a primera vista de que ese era el hombre con el que iba a pasar el resto de mi vida, la pieza que faltaba en el puzle. Y lo fue. Era alto, fuerte, y ambas cosas me gustan. Rubio, fornido, ojos bonitos. Y un aire de... bueno, corrección. Se sentó conmigo, nos reímos de lo que había dibujado en la ventana.

–¿Qué era? –pregunta Ellen.

–Nada, un dibujito infantil. Una casa con cuatro ventanas, una puerta y un árbol al lado. Creo que también había un monigote muy grande, desproporcionado con respecto a la casa.

–Eso sería cosa de la perspectiva –me asegura Guy–. El monigote estaría más cerca del espectador.

–Exacto. Gracias. Así que lo miramos, me tomé mi café solo, él se tomó la espuma de su capuchino con la cucharilla y nos metimos en el cine Curzon a ver una película genial de Almodóvar. Luego fuimos a cenar. Estuvimos juntos. Eso fue todo.

–¿Él también tenía veinticuatro años?

–Veintiocho. Había tenido una novia, evidentemente. Se habían separado hacía seis meses. Los dos estábamos en el lugar apropiado. Nos casamos un par de años más tarde.

–Vaya –dice Ellen–. Soy muy escéptica con las bodas, la verdad. Me ponen de los nervios más que cualquier otra cosa. Toda esa terrible misoginia subyacente, la entrega de la novia que hace un hombre a otro hombre. Sin embargo, voy a ir contra mis principios, Lara, y decir que apuesto a que fuiste una novia preciosa. ¿A que sí, Guy?

Guy parece extrañamente incómodo.

–Bueno –dice, jugando con su vaso de plástico–. Dado que Lara es una mujer que estaría guapa aun vestida con una bolsa de basura, estoy convencido de que fue una novia preciosa.

Me apresuro a seguir con mi relato:

–Suena a la típica historia de fueron felices y comieron perdices, pero no fue así. Los niños no llegaron. Nos mudamos a Cornualles, y ahora me dedico a esto mientras él está en casa esperándome. Quiere que adoptemos un niño, y yo no. Y respondiendo a la pregunta que me hiciste hace siglos: no, Sam no va al pub. Tiene amigos en el trabajo, pero no son amigos de verdad. Es conmigo con quien quiere estar.

–¿Y con nadie más? –dice Ellen.

–Solo con otra persona, o quizá dos o tres. Pero resulta que no han nacido todavía. Sam vive para los fines de semana, estoy casi convencida de ello. Igual en realidad se dedica a recorrer la ciudad tonteando con una mujer distinta cada noche, o yendo a clubes de bailarinas, o Dios sabe qué. Pero, sinceramente, tengo serias dudas.

–Sí –dice Guy–. Yo también lo dudo. Bueno, espero que pases un buen fin de semana, Lara. Espero que no haya demasiada presión esta vez.

–Eh, señor Thomas –dice Ellen, volviéndose hacia Guy–. ¿Cómo va tu búsqueda de trabajo? ¿No se suponía que andabas buscando algo más cerca de tu pueblo?

Guy se ríe.

–Sí, se suponía. Ahora que lo mencionas, voy a pedir otra ronda. ¿Lo mismo, chicas?

–¿Por qué no? –Me gustaría quedarme despierta toda la noche, bebiendo con mis nuevos amigos. Debería estar durmiendo para asegurarme de estar fresca y con energías para el sábado. Una copa más, sin embargo, no me hará daño, y luego me tocará a mí pedir otra ronda porque es mi turno. Pero después sí que me iré a dormir.

Antes de salir dando tumbos hacia la cama, a las dos de la madrugada, doy las buenas noches a Ellen y a Guy con un beso. Ellen me da un fuerte abrazo, masajea mi espalda y me besa en la mejilla. Guy roza rápidamente sus labios con los míos, y luego me posa las manos en los hombros y me mira a los ojos. Me doy cuenta de que tengo las manos en su cintura, y las dejo ahí, disfrutando mucho del contacto.

Miro sus ojos marrones. Él sostiene mi mirada. Ninguno de los dos dice nada. Tal y como están las cosas, podríamos besarnos de verdad, pero justo cuando pienso que eso podría estar a punto de suceder, me aparto.

–Buenas noches –digo apresurada.

Guy se ríe con calma y retrocede un paso.

–Buenas noches, Lara. Que duermas bien.

Es todo cuestión de química, me digo en la cama mientras siento cómo el tren me conduce entre traqueteos hacia el Oeste. Son las feromonas, nada más. Estoy casada, y él también, y esto pasa a veces. Solo tienes que ser consciente de ello y asegurarte de tenerlo todo bajo control.

Para cuando caigo dormida, ya casi es hora de despertarse de nuevo y fingir que nada ha pasado.

6

Es una de esas mañanas despejadas de Cornualles, y cuando bajo del tren al andén, una brisa me acaricia el rostro y me agita todos los mechones del pelo. Esta mañana no he tenido energías más que para peinármelo con los dedos.

Miro a mi alrededor, medio esperando que Sam esté allí, aunque le dije que se quedara en casa y preparara café. Mi cabeza flota entre los restos del alcohol, y mi mundo mañanero está borroso e impreciso en los contornos. Sé que tengo un aspecto terrible, con el pelo lacio y sin maquillar, con la ropa del trabajo del día anterior porque era la que tenía más a mano.

Anoche estuve a punto de besar a Guy. Vuelvo la mirada al tren estacionado, esperando ver su cara en la ventanilla, pero no hay nadie. Otras personas se bajan aquí, la mayoría con maletines de trabajo, algunos con bolsas de viaje. Me gustaría preguntar a todos y cada uno de ellos por sus vidas, ver quién más está metido en un lío tan gordo como el mío.

La luz del sol de otoño ilumina la piedra gris negruzca de los edificios de la estación de Truro hasta el punto de resultar cegadora. Sonrío ante la pequeña estación, pienso que este es el principal nudo de comunicaciones de Cornualles, y a la vez su tamaño es un diminuto trocito de Paddington o de cualquier estación londinense. Apenas es mayor que una estación de metro: dos andenes y medio, dos puentes, un pequeño vestíbulo, un ineficaz sistema de barreras y la inevitable franquicia de la cafetería Pumpkin.

El tren de Falmouth sale a las 7.14, dentro de ocho minutos. Me giro y camino hacia el pequeño andén, el 1, concentrándome en eliminar mis náuseas, preparándome para ir a casa y ser la esposa que Sam se merece. Debería haberme vestido con ropa adecuada. En el siguiente tren, por lo menos, me arreglaré el pelo e intentaré ponerme algo de base de maquillaje.

El tren nocturno arranca, continuando su ruta hacia el oeste. Vuelvo a mirar, pero Guy sigue sin aparecer.

Nada ha sucedido entre nosotros. Solo fue un momento, o una velada llena de momentos que culminaron en nada. No hay peligro.

La estación de Falmouth Docks, al final de la línea, queda justo debajo de nuestra casa. Alzo la vista mientras mi trenecito, que solo me lleva a mí y, que yo pueda ver, a otras dos personas –una mujer que venía en el tren nocturno y un joven que se montó en Penryn– se acerca a la estación. Sam no está. Le pedí que me esperara en el balcón, saludándome, con el desayuno listo.

Al bajarme, suelto un gemido cuando Sam se abalanza sobre mí y me abraza con fuerza. Casi no puedo respirar, así que intento soltarme, riendo.

–Hola, Sam –digo, esperando no oler a bebida. Él huele a limpio: está claro que se acaba de duchar y de afeitar. Me obligo a saborear la confianza y seguridad que desprende. Tengo suerte de tener a este hombre aguardando mi llegada.

–Oh, Lara. –Acaricia mi pelo–. Ya estás aquí, cariño. Ha vuelto la vida unos días. El sol ha salido por ti.

–Sí –comento, sonriéndole–. He vuelto. Vamos.

Miro la casa, fea y sólida, y me alegro de estar aquí. En serio.

–¿Hay un café con mi nombre ahí arriba? –pregunto.

–¡Pues claro que sí! Hay un café con la palabra *Lara* en el centro, como esos caramelitos con letras dentro. No puedes leerlo, porque está escrito con café, pero está.

–Magnífico. Métemelo en vena.

De un modo apenas perceptible, Sam ya casi parece decepcionado.

–Pues claro –dice–. Venga. Vamos a inyectarte ese café.

Cruzamos el aparcamiento, Sam arrastrando mi maletita.

–¿Qué tal la semana? –pregunto, con un extraño tono formal–. El trabajo y todo eso. ¿Qué has hecho por las noches?

Aunque hablamos todos los días, tengo que preguntárselo.

–No ha estado mal –dice mientras levanta la maleta para llevarla por las escaleras que salen del aparcamiento de la estación hasta nuestra casa–. De hecho, ha sido de un aburrimiento mortal. Te prohíbo terminantemente que sigas con este trabajo más de los seis meses del contrato, ¿vale, corazón? No puedo soportar estar sin ti. ¿Sabes?, en cuanto veo tu tren entrar en la estación, todo cambia. Me aburro tanto cuando no estás... Estamos hechos el uno para el otro, siempre ha sido así. Odio tener la cama para mí solo. Odio estar tirado jugando solo al Scrabble del móvil.

Me río, aunque no era mi intención.

–¿A eso te dedicas? ¿A jugar al Scrabble contra ti mismo en el móvil?

–Lo sé, es muy de tíos, ¿a que sí? –Se detiene, se vuelve hacia mí y se muerde el labio–. ¿Quieres saber lo peor de todo? Ahí va: el motivo por el que juego con mi teléfono es para contar con una excusa para tenerlo en la mano y mirarlo, porque en realidad lo único que hago es esperar tus llamadas.

–¡Sam! ¡Dime que no es verdad!

–Vale, no es verdad.

–Sí que lo es, ¿no?

Quiero apartarme de él. No debo.

–Bueno, ¿qué tal el viaje? Pareces cansada.

Está abriendo la puerta de casa. Miro su espalda y me imagino la expresión de dolor que aparecería en su cara si le contase la verdad: «Estoy cansada porque he estado bebiendo ginebra y vino hasta las dos de la madrugada con mis nuevos amigos, y hablándoles de ti con todo lujo de detalles. ¡Ah! Y, por cierto, un hombre guapo rozaba su rodilla con la mía y me gustaba. Luego he estado a punto de besarlo». Sin embargo, digo:

–Nunca duermo bien en el tren.

–Lo sé. Pobrecita mía. Podríamos mirar vuelos alguna vez, si quieres.

–No, si me gusta. En serio, un poco de café y estaré perfectamente. Y un desayuno. No tenía estómago para tragarme el cruasán que me han dado en el tren esta mañana. Me muero de hambre.

–Bueno, eso es una buena noticia, porque voy a prepararte el mejor desayuno que hayas tomado en toda tu vida –dice, dejando mi maleta en el suelo y quitándome el abrigo antes de acercarse a la cafetera para servirme una taza de café.

Estoy en casa.

Por la tarde, salimos a un pub. Todavía hace sol, pero ha refrescado y el viento sopla desde el Atlántico. Llevo mi uniforme de Cornualles: unos vaqueros ajustados, blusa a rayas azules y blancas y una chaqueta que me compré hace cinco años en Nueva York, antes de gastarnos todo nuestro dinero en inútiles tratamientos de fertilidad. Sam parece el típico estibador de Cornualles, con su enorme forro polar, vaqueros y unas grandísimas botas Timberland, también compradas hace años, cuando teníamos pasta.

–¡Salud! –digo con una amplia sonrisa, levantando mi vodka con coca-cola y un chorrito de Red Bull, brebaje que habría despertado a un muerto, pues me pareció la mejor combinación de estimulantes que podía meter en un vaso. El olor del alcohol me marea, viniendo, como viene, después de una contundente resaca llevada en silencio, pero me obligo a tomarlo, y pronto me siento un millón de veces mejor.

–¡Lara!

Me vuelvo, agradecida por esta interrupción venga de quien venga, y me encuentro con Iris. No la veía desde que la eché apresuradamente el día que vino a tomar té. Todavía me siento mal por aquello.

–¡Hola! –Doy unas palmaditas en el asiento de madera, a mi lado. Nos sentamos a una enorme mesa redonda también de madera, y Sam y yo estamos, como es natural, el uno al lado del otro. Hay hectáreas de mesa libre, kilómetros de banco–. Ven, siéntate. Sam, ¿te acuerdas de Iris?

–Sí –dice Sam, rozando la brusquedad–. ¿Cómo estás?

–Bueno, ya sabes –responde Iris.

Parece más extravagante que nunca, o quizá me lo parece a mí, acostumbrada ya al Londres de los negocios. Lleva unas medias a rayas, una faldita de terciopelo fino que, tengo que admitir, le queda estupendamente, y un jersey esponjoso. Su pelo sigue oscuro en las raíces y rubio en las puntas y le cae suelto por la espalda.

–Bien –añade–. ¿Y tú? ¿Ahora trabajas en Londres?

–Sí, eso es. –No me apetece entrar en detalles–. Vuelvo los fines de semana. ¿Y tú? ¿Qué haces?

Sonríe.

–Poca cosa. Trabajar. Quedarme en casa con mis gatas. Bailar por la cocina. Nada tan interesante como lo tuyo.

Recuerdo que tenía un novio a quien describía como un ermitaño y que apenas salían de casa.

–¿Cómo está tu pareja? –pregunto.

–Genial, gracias. Está bien. Echo de menos Londres, la verdad. A veces.

Sam suelta una risa irónica.

–¡Venga ya! Si vives aquí, en el mejor sitio del mundo.

–Ya lo sé. Pero es fácil echar de menos la vida de la gran ciudad cuando no estás allí. Oye, Sam, debe de ser bonito tener a Lara en casa.

Sam asiente.

–Pues sí.

–No os molesto más –dice Iris poniéndose de pie–. Os dejo solos.

–¿Estás segura? –pregunto–. Tómate algo con nosotros.

Sam comienza a levantarse.

–¿Qué te pido? –pregunta, con un tono que deja claro que prefiere que Iris se marche.

Capta la indirecta y mueve la mano con un gesto teatral.

–No, no. Gracias de todos modos. Además, tengo que irme. Y no puedo montar en bici borracha otra vez. Eh, pasadlo bien. Disfruta de Londres. Si alguna día vas por Budock, búscame.

–Gracias –digo.

Observo cómo se abre paso entre la multitud de clientes y desaparece. Ojalá hubiera venido con su novio: podrían haberse sentado con nosotros y nos habríamos tomado algo juntos, así se habría diluido un poco la tensión. Habríamos sido una pareja normal, con amigos.

–¿Disfrutar de Londres? –Sam parece confuso–. ¿Cómo se puede decir una cosa tan absurda?

–Oh, la chica solo estaba siendo amable. Oye, Sam, ¿quieres venir a Londres un fin de semana?

De pronto, organizarle un viaje sorpresa en Navidad ya no me parece tan buena idea.

–Podemos salir de copas, ir al teatro Globe y cosas así. Alojarnos en un hotel bonito. ¿Y si un fin de semana haces tú el viaje? Haremos las compras de Navidad y tal.

–Mmm, por qué no.

Detesta la idea.

–No te preocupes. Solo es algo que se me había ocurrido.

Sam levanta la vista.

–Vaya, ya estamos otra vez… ¿Qué tal, Adrian?

Un hombre con un jersey azul claro de cuello de pico se sitúa entre nosotros.

–¡Mira qué dos! ¡Cuánto me alegro de veros por ahí! Hola, Lara. Gracias por poner una sonrisa en la cara de este tío. Ha estado depre desde que te fuiste.

–No me he ido –le digo. Nunca me ha caído bien este hombre, un compañero de trabajo de Sam–. Como puedes ver, aquí estoy.

–Sí, sí, pero durante la semana está hecho un llorica: echa de menos a su mujercita. ¡Qué tierno! El resto de nosotros aprovecharíamos la oportunidad, tú ya me entiendes. Pero nuestro Sam no. Has cazado a uno de los buenos.

–Lo sé –digo, mirando para otro lado, olvidándome de aparentar cortesía.

–Sí –dice Adrian–. Bueno, pasad un buen fin de semana. No hagáis muchas cochinadas… Ya me entendéis.

En cuanto no puede oírnos, digo:

–Ese tío es un capullo.

Sam parece herido.

–Es majo, y lo sabes. Él y su mujer no paran de invitarme a cenar.

–Entonces deberías ir, ya que te cae tan bien.

Observo cómo una gaviota se posa en la mesa de al lado, que se acaba de quedar vacía, y empieza a sacar patatas de una bolsa medio abierta que al instante sale volando.

–No. Tú lo odias.

–Pero yo no voy a estar.

–¿Quieres que esté entretenido?

Lo miro.

–Pues claro que quiero que estés entretenido, tonto. En Londres yo no paro ni un instante. Así llega el viernes sin darme ni cuenta. Quiero que tú hagas lo mismo. De esa forma todo es mucho más sencillo.

Sam da vueltas a su pinta y unas gotas se derraman por el borde del vaso y le caen en la mano. Veo cómo se las chupa, y me siento aliviada porque, por fin, me ha invadido la ternura.

–¿Vamos al cine esta noche? –propongo, recordando el día que nos conocimos.

–¿Al cine? –Se lo piensa–. ¿Echan algo interesante?

–Algo habrá.

–¿Nos lo podemos permitir?

–Sí, ahora nos lo podemos permitir.

–¿Estás segura? Lo último que necesitamos es que, después de aceptar este trabajo, nos gastemos todo el dinero y volvamos a estar como al principio.

–Sam, ya hemos pasado por esto. Ni siquiera vamos a ir a cenar a un sitio más caro que el Harbour Lights hasta que hayamos pagado nuestras deudas. Lo que nos vamos a gastar es…

¿cuánto? ¿Quince pavos? Ver una película y alguna libra más en tomar algo. No pasa nada.

Con mi chaqueta ligera, me entra un escalofrío al pensar en el dinero que me gasto en Londres sin darme cuenta. El martes empieza noviembre. El pasado mes ha sido tempestuosamente otoñal: cinco minutos de sol, luego de repente granizo, luego sol otra vez. Cuando he estado en Falmouth, en el cielo había un arcoíris tras otro. Seguro que también los hay en Londres, pero nunca los veo. Siempre hay un edificio en medio o algo que mirar a la altura de la calle.

–¿Tienes frío? –Pregunta mi marido, y asiento–. Vámonos a casa.

–Ya casi ha pasado un mes –le recuerdo mientras cruzamos el puerto deportivo.

Usamos el código de cinco dígitos para atravesar el gran portón metálico. Se supone que no debemos hacerlo, pero cada vez que cambian el código, Sam se entera del nuevo en el trabajo y lo usamos siempre de atajo. Nos ahorra unos cuantos minutos, pero además de eso, siempre es interesante. Hoy, por ejemplo, hay unas cuantas personas vestidas de *sport* –aunque resulta evidente que son ricos– en el embarcadero de madera, armando alboroto cerca de un yate pequeño pero majestuoso. Levantan la vista al oír el ruido del portón cerrándose a nuestras espaldas y alzan las manos en un saludo de reconocimiento. Si tenemos el código del puerto deportivo, es que pertenecemos a su círculo y nos merecemos su saludo. Nuestros pies repiquetean mientras cruzamos el puente de metal, y hay, como siempre, un charco al otro lado que requiere un diestro rodeo.

Cuando la segunda puerta se cierra detrás de nosotros, Sam me da la mano. Me gusta su contacto. A pesar de todo, seguimos encajando como siempre. Comprendo de pronto que estaremos bien. Se amarga él solo en casa, no únicamente por mí, porque eso sería patético en un hombre que ronda los cuarenta, sino por la vida familiar que debería existir a su alrededor. Nunca hemos hablado de ello, pero sé que en cada esquina de la casa lo asaltan escenas de esa vida-que-nunca-fue. Me lo imagino en casa, por la noche, probablemente comiéndose un tazón de cereales, con la televisión puesta. Con el rabillo del ojo le parece ver a un niño serio de cuatro años, el hijo que habríamos tenido si hubieran salido las cosas del modo en que tan a la ligera pensamos que saldrían, antes de que se torcieran. Hay un bebé dormido en el dormitorio pequeño del piso de abajo, y los hermanos de dos y cuatro años comparten el grande.

En vez de eso, Sam está completamente solo. Últimamente no hemos hablado de adoptar, pero sé que se lo está pensando. Por el momento, yo prefiero evitar el tema.

–¿Pedimos una pizza? –Uso mi voz más animada para enmascarar el hecho de que me muero por comer, por la resaca.

Sam está de pie en la galería, que sobresale de un costado de la casa y, dependiendo de mi humor, me da la sensación de estar suspendida sobre un abismo, o de flotar mágicamente sobre todo el mundo. Da al puerto y al agua, a las mansiones al otro lado del estuario, a la curva de la ciudad que envuelve la desembocadura del Fal.

Sam no responde. Me acerco a él. Rodea mis hombros con un brazo, sin volverse.

–Podemos pedir de Domino's –dice, y mientras lo miro parece recomponerse, recobrar su atención de dondequiera que estuviese y centrarla en mí–. Es tu única noche. Antes hablamos de ir al cine. ¿Qué te apetece? Puedo cocinar cualquier cosa. O podemos volver a salir y hacer algo.

Contemplamos el paisaje. Está lloviendo en Penryn, río arriba. Las nubes que ocultan parcialmente la localidad son del gris plomizo que anuncia un chaparrón. En primer plano, los mástiles y los edificios que se apiñan alrededor del puerto están iluminados por la brillante luz del sol. La iluminación hace que parezca una resplandeciente obra de arte renacentista. Por un instante, estoy en el cuadro de un gran maestro, en la National

Gallery de Londres, una figura en primer plano para hacer que el fondo parezca más enfocado.

–Mejor nos quedamos y no nos mojamos –digo, sabiendo que esto es lo que quiere oír.

Sonríe al escuchar mis palabras.

–¡Bien pensado! Voy a hacer algo para cenar. Y hablas conmigo mientras lo preparo. Luego podemos echar una partida de Scrabble.

Me entran ganas de reírme. Suena al colmo del aburrimiento, pero me encanta el Scrabble, desde siempre.

–Suena como una velada perfecta –respondo, y esta vez, por fin, lo digo en serio.

7

–¡Lara! Por lo visto, has estado brillante. –Jeremy me sonríe–. ¡Muchas gracias! ¿Ves? Por cosas como esta te hemos traído desde el Devon profundo.

–Cornualles –le corrijo en voz baja, pero él me ignora, menea la cabeza y sonríe para sus adentros.

–Lara, sabes que de ningún modo vamos a dejar que te marches pasados estos seis meses.

Salgo feliz del trabajo. Creo que aquí está mi sitio. Esto es lo que se me da bien. Me encanta realizar un trabajo que me exige esfuerzo. Me he pasado casi toda la noche en vela, preparándolo, y la gente lo aprecia. Jeremy es quien decidió traerme para este proyecto, y que esté tan contento conmigo hace que me sienta radiante. He acudido a una reunión para explicar nuestro proyecto, me he plantado ante una sala llena de gente que detesta el concepto de «apartamentos de lujo» y me los he ganado a todos, así que hemos reducido considerablemente el grado de oposición vecinal.

Hasta me siento bien con Olivia. Se lo voy a contar, lo juro. Esta noche vamos a estar ocupadas. Mañana le diré que voy a marcharme de su casa y a buscarme un sitio para vivir yo sola.

Iré directamente al restaurante. No necesito cambiarme, pero entro un momento al lavabo antes de salir, me quito las horquillas del pelo y lo sacudo para dejarlo suelto. En realidad lo tengo más corto de lo que piensa la gente, me llega solo a la altura de los hombros. Por un instante, pruebo cómo estaría con flequillo, como una niña experimentando nuevos estilos. Estiro un mechón de cabello sobre mi frente y hago que la punta caiga. Me queda fatal.

Tras peinarme y dejar el cabello lustroso, me lo vuelvo a recoger. Esto del moño se ha convertido en mi marca personal. Ahora, cualquier otro peinado me resulta raro. Comencé a hacérmelo cuando empecé a trabajar, con veinte años, porque me hacía sentir adulta, y la verdad es que nunca lo he dejado. Enroscar el pelo hasta ponerlo en su sitio y sujetarlo con seis horquillas se ha convertido ya en algo instintivo. Me lo peinaba mucho más informal cuando no trabajaba, pero ahora ha regresado a su máximo esplendor profesional. Para mí, es fundamental tener un aspecto impecable en el trabajo. Y lo disfruto mucho más de lo que me atrevería a confesar.

Mis zapatos de trabajo son los mejores que tengo: rojos y altos, se me da genial caminar con ellos. El resto de mi atuendo es tan soso como de costumbre, pero mis zapatos siempre son especiales. Ahora tengo dos pares rojos, además de un par negro y otros amarillos. La gente se queda mirando mis pies, y eso me gusta. Me costó mucho aprender a andar de puntillas, y es una habilidad que tengo en mucha estima. A Sam le parece ridículo y, sin duda, tiene razón. Pero me da igual, a mí me gusta.

Me retoco el maquillaje de los ojos, me pinto los labios y tiro a la papelera el pañuelo con manchas de besos de color rojo oscuro. Como estoy sola, repaso rápidamente mi bolso: siempre llevo dinero, por si acaso, y mis reservas están a salvo y creciendo. Pienso en que nunca voy a necesitar usar ese fondo de emergencia, pero no importa, me hace sentir segura. Nunca se lo he dicho a nadie, sonaría como una locura.

Desde hace años, sé que corro peligro. Nadie consigue hacer lo que yo hice y escapar indemne. Él ha salido de la cárcel, y algún día vendrá a buscarme; porque yo fui la única que se libró.

Me gustaría poder contárselo a Sam, o a Guy, o a cualquiera. Pero ya es demasiado tarde para hablar con Sam de mi pasado, y jamás me creería aunque lo intentase. Y, si mi marido no lo sabe, no puedo contárselo a nadie. Estoy atrapada.

Cuando estoy aquí, me imagino ojos siguiéndome de un modo que nunca me sucedía en Cornualles. Me digo, una vez más, que no debo ser paranoica. Ya tengo suficientes problemas en mi vida real como para añadir los imaginarios.

Papá nos invita a Pizza Express, otra vez. De todos los restaurantes de Londres, es su preferido. Desde que éramos niñas, nos ha llevado a Pizza Express siempre que había algo que celebrar, como la primera semana que empecé con este trabajo: me pasé aquella tarde mostrándome simpática y agradable mientras Olivia, como después descubrí, se dedicaba a retransmitir la velada entera por Twitter con variantes de «bostezo» y «zzz» seguidas de la etiqueta #familia.

Antes, Olivia y yo nos quejábamos por lo bajo de la miopía de nuestro padre en cuestión de restaurantes. Protestar porque siempre teníamos que ir a Pizza Express nos proporcionó algunos de nuestros escasos momentos de complicidad entre hermanas.

–¿No podríamos ir a un indio? –mascullaba Olivia.

–¡Pero en los indios no hay panecillos! –susurraba yo, sintiéndome malvada y transgresora.

–¡Ya! Y no le servirían su American Hot. Le servirían… otra cosa. Otra comida más interesante.

–Eso no funcionaría.

Aquello no tardaba en degenerar en críticas maliciosas, pero esas conversaciones me traen algunos de los recuerdos más felices de la infancia. Intenté volver a hacerlo esta mañana.

–Pizza Express, ¿verdad? –comenté, mirándola expectante–. Hace semanas que no vamos.

Se encogió de hombros.

–Si invita él, allí estaré.

Mi hermana tenía la persiana echada. No la abría nunca, ni siquiera una rendijita.

Llego la primera al local. La joven camarera me sonríe, tacha nuestra reserva en su agenda y me conduce a una mesa junto a la ventana. Me siento y contemplo la calle Charlotte, preguntándome por cuánto me saldría un piso en esa zona de Londres, Fitzrovia. Más dinero del que me podría permitir, eso seguro. Intento imaginarme diciéndole a Sam que voy a gastarme –tengo que inventarme la cifra de la nada– mil quinientas libras al mes, más impuestos municipales y facturas, en el alquiler de un estudio en el centro de Londres. No es una conversación que me veo capaz de empezar.

Me encanta esta calle porque hay casi un restaurante detrás de otro. Si de mí dependiera, iríamos al indio vegetariano de más arriba, pero no es así, y tampoco pasa nada. Compruebo mi teléfono. Sam me ha enviado un mensaje deseándome buena suerte para esta noche. Escribo una respuesta rápida y al pulsar Enviar veo a mis padres pasar delante de la ventana y entrar en el restaurante.

Me levanto y dibujo una enorme sonrisa en mi rostro. Ojalá pudiera estar cómoda con mi familia, dejar de fingir, ser yo misma. Pero soy mucho más yo misma cuando estoy en el trabajo. Y sobre todo soy yo, pienso de repente, cuando estoy bebiendo en el tren nocturno de regreso a casa. Guy se cuela de nuevo en mis pensamientos, y procuro ignorarlo.

–Ahí está –dice mi padre.

Al verlo me doy cuenta, como siempre, de lo viejo que está. En mi cabeza sigue rondando los cuarenta, y cada vez que lo veo tengo que avanzar rápido en el tiempo, veinticinco años, hasta el día de hoy. Es alto, de espaldas anchas y camina algo encorvado. Su pelo es gris y ligeramente más largo de lo que debería, en (creo) un intento por conservar la hermosa cabellera de la que siempre se sintió tan orgulloso. También tiene obesidad mórbida, pero nunca hablamos de ese tema.

Sus ojos, sin embargo, son tan penetrantes como antaño. Todavía me infunden respeto. Lo miro anhelando su aprobación.

–Hola, papá –digo, y le doy un beso en la mejilla.

–Lara. –Sonríe–. Tienes un aspecto magnífico. Tu hermana no ha llegado todavía, ¿verdad?

–No. Hola, mami.

Mi madre es rubia y guapa, pero también es opaca, inescrutable, y la mujer menos maternal que pueda existir. Rara vez dedico tiempo a pensar en ella. Toda la vida la he visto hacer lo que le decía mi padre. No tengo ni idea de qué hay en su cabeza ni de cómo es su relación de puertas adentro. Es una mujer que acata las normas. A mí no me cae demasiado bien, mientras que Olivia directamente se burla de ella de un modo abierto y grosero.

–Hola, querida –dice, y nos sentamos todos.

Absolutamente predecible, mi padre pide una botella de Montepulciano d'Abruzzo, su vino oficial en el Pizza Express.

–Pareces más alta –comenta mi padre, y se inclina para mirarme los pies–. ¡Lo sabía! ¿Cómo demonios puedes andar con eso?

–Estoy acostumbrada. Me gusta.

Niega con la cabeza.

–¡Mujeres! A tu madre nunca le han ido esas cosas. Todos los genes de «señorita con zapatitos» se la saltaron por completo. Y te los has llevado tú, querida, vaya que sí.

–Lara se lo lleva todo –comenta mamá, con el mismo tono apacible de siempre.

–Pues sí. –Papá me sonríe–. ¿Qué? ¿Lista para dejarlo todo y volver corriendo a Cornualles? ¿O lista para traer a Sam a rastras a la ciudad?

Tuerzo el gesto mientras sopeso sus palabras.

–Estoy a gusto en el trabajo –le digo–. Sam odia tenerme lejos, pero no se vendría a vivir aquí. Por ahora estoy contenta con cómo están las cosas, pero sé que es egoísta por mi parte, porque Sam no es feliz. Terminaré este proyecto y luego regresaré a Cornualles, probablemente.

–¡Ajá! –Me mira con sus ojos penetrantes, pero no tiene intención de continuar con el tema–. Por cierto, luego vendrá Leon –añade, y eso me anima.

–Perdón por el retraso. –Olivia se sienta en la silla vacía de nuestra mesa redonda.

La tengo justo enfrente, entre nuestros padres. La miro y luego aparto rápidamente la vista. Se ha hecho algo en el pelo, está un poco levantado por delante. Con su camiseta de rayas rojas y blancas y unos vaqueros negros ajustados parece, como siempre, sacada de una revista. Se ha pintado los ojos con *kohl* y los labios de rojo brillante.

–Olivia… –dice mi padre.

Ella impide que se levante sentándose muy rápido, pero él se apoya en la mesa y planta un beso incómodo en la mejilla de mi hermana.

–Me alegro de verte. Toma una copa de vino.

–La verdad –dice– es que prefiero una cerveza Peroni. Si se me permite.

–Pues claro que se te permite.

No dicen nada, pero su contacto visual es desafiante y particular. Esto nunca tarda en llegar.

Ahora que está Olivia, la conversación se vuelve tensa. Papá se encarga de mirar los zapatos de mi hermana, comparando en silencio sus Converse andrajosas pero molonas con mis resplandecientes tacones rojos. Olivia se molesta. Mamá bebe rápido y juguetea tanto, y tan ansiosa, con el tallo de la copa, que termina tirándola y se rompe. Papá arde de rabia y llama a voces a la camarera para que venga a limpiarlo. Intento suavizar las cosas, con él, con mamá, con la camarera. Es un microcosmos perfecto que reproduce el modo en que siempre ha funcionado nuestra vida familiar.

De niña vivía en un estado constante de intensa ansiedad. Sabía que, para Olivia, yo era la elegida, y ella, por eliminación, la descartada. Me dedicaba a intentar agradar a mi padre, pues temía hacer algo malo por error algún día y que Olivia y yo cambiáramos nuestros roles ante sus ojos.

Mi padre, sin embargo, siempre lo ha tenido claro. Siempre le he caído bien, ha aprobado mis actos y valorado mi trabajo. Siempre le gustó lo que yo hacía con mi vida.

Nadie sabe, ni siquiera mi madre, que fui yo quien hace años salvó el negocio de mi padre. Nunca hablamos de ello. Nunca me devolvió el dinero. Y nadie, ni siquiera él, sabe que, precisamente por eso, ahora vivo inquieta y asustada, imaginándome todo el rato que alguien me espía. Mi padre jamás me preguntó de dónde había salido el dinero. Siempre he supuesto que su instinto le decía que era mejor no saberlo.

Yo tendría que rendir cuentas, algún día.

Miro a Olivia, al otro lado de la mesa, con su boca petulante y su gesto malhumorado, y vuelvo a tener catorce años.

Aquel día volví a casa del colegio como de costumbre. Nunca me retrasaba, deshacía el camino de un modo sensato con mis amigas sensatas porque, aunque mi padre estaba en el trabajo, esa era la actitud que él esperaba de mí. Al llegar, di la vuelta a la casa y entré por la puerta de atrás como siempre.

–¡Estoy en casa! –exclamé, y encendí la tetera. Estaba haciendo un esfuerzo consciente por empezar a beber té. Tomé una taza y la caja del té–. ¿Quieres un té? –grité.

–Sí, por favor –respondió la voz de mi madre desde algún punto de la casa.

Vivíamos en Bromley, en la casa que todavía hoy es el hogar de mis padres, un feo edificio eduardiano. Por fuera no parecía gran cosa, pero por dentro era extrañamente enorme. Preparé dos tazas de té, y me llevé la mía a la mesa del comedor, donde me puse a hacer los deberes.

–¡El té está en la cocina! –grité–. ¿Te lo llevo?

–No, querida. Ahora mismo bajo.

Olivia tiene razón, debí de haber sido una niña insufrible. Estaba tan desesperada por agradar constantemente que nunca, ni una sola vez, me arriesgué a ninguna forma de transgresión.

Mamá bajó, me sonrió ligeramente y se llevó su taza.

–¿Todo va bien? –dijo.

–Todo bien –la tranquilicé.

–¿Sabes algo de tu hermana?

Mis padres se refieren a Olivia como «tu hermana» cuando hablan conmigo de ella. Siempre lo han hecho. Una vez, Olivia me dijo que eso es porque no pueden soportar lo íntimo que resulta pronunciar el nombre que ellos mismos le pusieron. Puede que tenga razón.

–No, no la he visto.

Yo iba dos cursos por delante de Olivia. Nuestros caminos apenas se cruzaban, y cuando lo hacían poníamos esmero en ignorarnos. Por lo general, ella iba por la zona del colegio, fumando con la gente guay. A mí se me encontraba fácilmente en la biblioteca.

–Mientras esté de vuelta para las cinco… Hoy tu padre volverá pronto a casa. Ha llamado para decírmelo.

Las dos miramos al gran reloj colgado en la pared. Eran las cuatro y cuarto. Ninguna dijimos nada.

Las llaves de papá sonaron en la puerta principal a las cinco menos tres minutos. Seguí con mis deberes, sentándome más tiesa en mi silla, como una buena chica, pero no estaba concentrada en lo que hacía. Estaba empezando a preocuparme, no solo por la ira de mi padre y sus consecuencias, sino por el bienestar de Olivia.

Papá entró sonriendo. En aquel momento sí que tenía cuarenta años, y era alto y fuerte y estaba en plena forma; solo un poquito gordo.

Me dio un beso en el pelo.

–¿Haciendo los deberes? ¡Buena chica! ¿Qué es? ¿Algo en lo que te pueda ayudar tu viejo papi?

Hablamos un rato sobre divisiones de varias cifras antes de que mi padre mirara al techo, refiriéndose al piso de arriba, y dijera:

–¿Dónde está esa hermana rebelde que tienes?

Olivia solo tenía doce años. Tenía prohibido hacer otra cosa que no fuera volver directamente del colegio a casa.

–No estoy segura. –No me atreví a mentir por ella.

–¿No está en casa?

–Esto…, no lo sé. Creo que no.

–¡Victoria! –Así se llama mamá. Le pega. Necesita un nombre formal, que no se pueda abreviar. Igual que su tocaya real, raramente se divierte.

Una vez que papá comprobó que mi hermana no había regresado del colegio, se fue derecho al coche. Veinte minutos más tarde estaba de vuelta, trayendo a rastras a una doceañera enojada.

–Sube a tu cuarto y quédate allí –le oí decir, de pasada, cuando cruzaban la puerta–. Pero primero, ven a ver esto.

Entonces entraron al comedor. Olivia miraba al suelo, la viva imagen del berrinche.

–No voy a molestarme en reprocharte tu actitud, jovencita –le dijo–. Te quedarás en tu cuarto hasta mañana, pero no se va a quedar ahí. –Sacó su cartera, la abrió y extrajo un fajo de billetes–. Esta es tu asignación para el resto el año, Olivia. Veinte libras al mes, por nueve meses: ciento ochenta libras. ¿Por qué voy a darte dinero si te portas así? ¿Voy a darte una paga por ignorar las reglas más sencillas? Evidentemente, no. Lara, por el contrario, ha vuelto directa a casa y se ha puesto a hacer los deberes. Como siempre. La paga de Lara no solo se va a quedar como está, sino que le voy a sumar esto.

Dejó el dinero sobre la mesa, a mi lado. Recuerdo que lo miré, consciente de que las cosas nunca habían llegado tan lejos. No me atreví a rechazarlo. Podría no haberlo aceptado. Ahí estaba la pasta, junto a mis libros de mates, al rojo vivo e imposible de ignorar.

Olivia se dio la vuelta y se marchó enfadada, conteniéndose para no dar un portazo. Mi padre me puso la mano en la cabeza, me acarició el pelo y también se marchó. Mientras oía las pisadas de Olivia en las escaleras, comprendí que mi hermana me odiaría para siempre por aquello.

Y así es. No solo por aquello, pero en parte.

–Quiero una Giardiniera –pido con una sonrisa a la camarera–. ¿Y nos podría traer agua del grifo, por favor?

–¡No fastidies! –se burla Olivia–. ¿Una Giardiniera? Seguro que hay una foto tuya en todas las sucursales de Pizza Express con tu comanda escrita debajo: «Esta mujer solo ha consumido Giardiniera durante los últimos veinte años. No os toméis la molestia de preguntarle qué quiere». Me alegro de ver que expandes tus horizontes, hermanita.

Intencionadamente, mi hermana se pide una pizza nueva, una con un agujero en el medio relleno de ensalada, solo para demostrarme lo abierta de mente e impulsiva que es.

–Buenas noches a todos.

Levanto la vista, encantada y aliviada al oír la voz de mi padrino.

–¡Leon! –exclamo.

Me levanto y le doy un abrazo. Está justo al lado de la mesa; ha entrado sin que ninguno nos diéramos cuenta. Ahora ya no me preocupa Olivia. Leon es el mejor amigo de mi padre de la universidad y, aunque resulte extraño, también es mi mejor amigo. Siempre mostró por mí un interés de padrino distante pero amistoso, hasta que lo necesité de verdad. Entonces estuvo a mi lado como nadie ha estado nunca. Leon es la única persona que lo sabe todo.

–Me alegro de verte –comenta con calma–. ¿Estás bien?

–Mejor ahora que has venido –le digo, y siento la mirada burlona de Olivia, pero no me importa.

Leon tiene, como mi padre, sesenta y muchos. Pero, al contrario que él, que cada día parece estar más cerca de sufrir un infarto; es un hombre que resulta más atractivo y elegante a medida que envejece. Lleva el pelo gris peinado hacia atrás, le llega casi hasta la nuca, mientras que su complexión, en cierta forma, se ve realzada por su piel envejecida. Su ropa también ayuda: siempre va vestido de un modo impecable, y estos días se parece al típico europeo chic que podrías ver en las calles de París o Milán. Olivia nunca lo ha expresado de forma explícita, pero por las sonrisitas que pone cada vez que surge el nombre de Leon, sé que mi hermana piensa que hemos estado liados, o quizá que seguimos estándolo. Se equivoca, aunque nada de lo que yo dijera podría convencerla de su error. Leon y yo compartimos un vínculo mucho más fuerte que ese.

Leon se vuelve hacia el resto de la familia.

–Olivia –dice, con una sonrisa afectuosa–, estás espectacular esta noche, con mucha clase, como siempre, pero hoy hay algo más.

Mi hermana no contesta, pero inclina la cabeza en su dirección, un gesto de una persona con clase hacia otra. Me siento de nuevo mientras Leon da un beso a mi madre en ambas mejillas, luego estrecha la mano de mi padre y coloca una silla entre mi asiento y el de mi madre, que lo observa con una leve sonrisa antes de tomar un panecillo y empezar a desmigarlo. Papá rellena las copas. En la sala resuena el eco de las animadas conversaciones de otros clientes.

–Bueno, ¿cómo está la familia Wilberforce? –pregunta Leon, mirándonos a todos.

–Bien –se apresura a responder Olivia, algo inusual en ella.

Ha dejado a un lado su vaso de cerveza, y me doy cuenta de que no ha bebido nada.

–La verdad es que tenemos noticias –añade.

Cierro los ojos. Sea lo que sea, por su tono puedo adivinar que no me va a gustar. Ahora empezará a contarles que soy una inquilina terrible. Me veré obligada a defenderme, y la sangre llegará al río.

Olivia se fija en mi gesto y dice:

–Lara, no hace falta que cierres los ojos. No voy a pegarte.

–Lo sé. Mira, ya los he abierto. ¿Así mejor?

–¡Dios santo! Escuchad todos, no es nada grave. Ya lo tengo asumido y en realidad es positivo.

En la otra punta del restaurante se cae algo, y por un instante el local entero permanece en suspenso por lo que deben de ser varios platos rompiéndose en el suelo. Luego retorna la normalidad, los camareros circulan de un sitio para otro y las conversaciones se reanudan. Excepto en nuestra mesa, donde todos tenemos la vista fija en Olivia, con evidente temor.

Mi hermana entorna los ojos y sé qué va a decir justo antes de que lo diga:

–Estoy embarazada.

Observo cómo los presentes dirigen sus miradas hacia mí. Todos, excepto Olivia, buscan mi reacción.

–Felicidades –digo sin mirarla–. ¡Qué bien!

–Sí, brindemos.

–¿Para cuándo lo esperas?

–Abril, el veintitrés de abril.

–El cumpleaños de Shakespeare. Entonces aún falta.

Pues claro que está embarazada. Respiro hondo. Yo ya he dejado todo eso atrás, he decidido pasar página, pero pasan por mi cabeza todos los años de decepciones, mes tras mes, seguidos de inyecciones y molestas pruebas, las facturas, el tormento y las tensiones matrimoniales que cambiaron las bases de nuestra relación, y no consigo quitármelas de la mente.

Papá se inclina hacia delante.

–¿Te importa que te haga una pregunta? –dice, con una voz peligrosamente despreocupada–. ¿Quién es el padre?

Olivia lo mira con furia.

–Sí, me importa. Me importa que me preguntes quién es el padre antes de darme la enhorabuena o de alegrarte porque por fin vas a tener un nieto. Sí, me importa, así que no voy a decírtelo.

–Vamos, no me jodas, Olivia.

Me pongo tensa. Odio cuando mi padre suelta un taco: siempre significa peligro.

–No me jodas tú –replica mi hermana–. Solo quieres un nieto si es de la jodida santita de Lara, ¿verdad? Como mis genes son mucho peores, no quieres que se transmitan, ¿cierto? Bueno, pues Lara no te ha dado esa buena noticia y parece que yo, sin quererlo, sí. Eso es todo. Acostúmbrate a ello. Las cosas cambian.

Cosa rara, es mamá la que responde; papá todavía está tomando aliento.

–Olivia –dice, inclinándose hacia delante y recogiéndose un mechón de pelo detrás de la oreja. Resulta tan extraño verla tomando la iniciativa, que estoy patidifusa. Su voz es suave, y como rara vez habla, todos escuchamos–, no estás siendo justa con Lara. Nos has sorprendido, eso es todo. Danos un poco de tiempo para asimilarlo, por favor.

Mi hermana se ríe.

–¡Es verdad! Claro. Porque aquí lo importante sois vosotros.

–Sí –contesta mi madre, con una calma absoluta. Nadie tiene ni la más remota idea de qué piensa en realidad, así que solo podemos basarnos en lo que dice–. Por supuesto, esto va contigo, y más aún, con el bebé. Será maravilloso tener de nuevo un bebé en la familia.

Me doy cuenta de que todos menos Olivia siguen mirándome, aunque intentan disimular.

Observo a mi hermana, que sostiene mi mirada, triunfal. Aunque la he oído llorar –ahora entiendo por qué– y aunque sé muy bien que no lo había planeado, me ha ganado en algo. Y está disfrutándolo.

Yo quería ser madre. De corazón. Por mucho que haya decidido pasar página, cualquier cosa que no sea tener un hijo es un plan B, y siempre lo será.

–¿Estás bien? –me pregunta Leon en voz baja.

–No –respondo–. ¿Vamos a tomar algo?

Mi padrino mira al resto de la mesa.

–Claro.

Procuro mantener la calma.

–Olivia –digo–, me alegro por ti. De verdad, enhorabuena. Pero ahora mismo voy a irme a tomar una copa, lejos de aquí. Y también me voy a marchar de tu piso. Hace tiempo que lo estaba pensando, y además vas a necesitar espacio.

–Vale. –Se encoge de hombros, como si eso para lo que tanto tiempo llevo preparándome no le importara lo más mínimo. Aparto la vista, pues si la miro vería su sonrisita, la estuviera poniendo de verdad o no.

–Lara, ¿estás segura? –pregunta mi padre.

Ya estoy de pie, recogiendo mi bolso.

–Sí.

–Me voy con ella, Bernie. –Leon pone un instante su mano en mi hombro.

–Gracias, Leon –asiente mi padre.

Mi madre me mira con una débil sonrisa y da un trago de su copa sin pronunciar palabra.

Salimos a Charlotte Street, donde la gente avanza apresurada bajo la luz del atardecer. Todo el mundo tiene un sitio adonde ir, un abrigo bien abrochado, una bufanda. El septiembre suave de hace seis semanas, cuando empecé a trabajar, ha dado paso a un invierno implacable.

Es casi de noche, y las farolas están encendidas. Aunque no llueve, da la sensación de que en el ambiente haya agua que moja mi rostro y mi pelo al caminar.

–Aquí.

Leon me conduce a un pub pequeño, que está lleno pero no demasiado. Encontramos una mesita en una esquina y me invita a sentarme. Luego se dirige a la barra sin preguntarme qué quiero.

Vuelve con cuatro bebidas: dos pequeñas y dos grandes y claras.

–Primero esto.

Es un líquido ámbar. Whisky (creo) o quizá brandy. Doy un sorbo y fuerzo una sonrisa. Siento el calor inundando mi cuerpo.

–Estas bebidas son geniales –le digo–. Las que son tan ardientes que te queman por dentro. Todo el mundo debería tomarlas. Sientan bien en invierno.

–Acábatelo.

Lo miro y doy otro trago.

–Gracias por todo.

–Siento que no hayamos podido vernos demasiado desde que estás aquí. No lo has pasado bien en casa de tu hermana, lo sé. ¿Adónde vas a ir? Puedes usar mi cuarto de invitados, pero estoy seguro de que prefieres más independencia.

–Gracias. Hay un sitio cerca del trabajo, una especie de hotel para gente de negocios. Igual alquilo una habitación por un tiempo hasta ver qué pasa.

–¿Un hotel? Lara, no parece la mejor forma de pagar tus deudas.

Me encojo de hombros y dejo el vaso vacío en la mesa.

–Necesito espacio. Solo por un tiempo, encontraré algo más razonable en un par de semanas.

–¿Y cómo están las cosas en Cornualles?

Me doy cuenta de que ni siquiera he pensado en Sam.

–Oh, van bien.

Nuestros ojos se encuentran. Leon me dijo hace años que no debía casarme con Sam porque acabaría aburriéndome. Con una sola mirada le reconozco que tenía razón y señalo que no me apetece hablar del tema.

Tomo la segunda bebida y le doy un sorbo.

–Vodka y tónica light –dice.

–Gracias.

–Tu hermana es venenosa, pero ni siquiera ella haría algo así a propósito.

–Lo sé, sé que no lo ha hecho aposta. La he oído llorar por las noches, y cuchichear por teléfono. No tengo ni idea de quién es el padre. Y, aunque tuviera novio, no me lo diría. Podría ser el tipo alto y delgaducho, Allan. Parece simpático. Pero no es cosa mía, sino suya. No puedo impedir que todo el mundo que me rodea se quede embarazado. Es solo…

–Que todavía te hace daño.

–¿Sabes qué? Que sí. Y no era consciente de cuánto me dolería. Me he estado diciendo que estoy medio curada, que Sam es quien peor lo lleva y que yo estoy muy contenta de haber pasado página. –Acabo mi segunda copa de un trago–. Pero no es tan sencillo. Y creo que esto ha destruido lo que tenía con Sam. Te pedí que me consiguieras este trabajo porque estaba desesperada por alejarme de él, desesperada del todo. ¿Eso qué significa? Nada bueno. Estamos acabados, lo sé, pero no puedo decírselo porque él no tiene ni idea.

Leon levanta una ceja, esperando el resto.

–Y –continúo, porque él es la única persona a la que puedo contárselo–, digamos que he conocido a otra persona.

Lo miro.

–Ajá. –Asiente–. Es una situación difícil, querida, pero no me sorprende.

–Ay, Dios, Leon, no sé qué hacer. Tengo que seguir lejos de Sam.

Mi padrino vuelve a asentir.

–Las cosas serán mucho menos complicadas si sigues lejos. Piensa qué quieres. ¿Te apetece hablarme de él?

Pienso en Guy, en sus ojos cálidos, su pelo espeso, los músculos de sus brazos. Pienso en la realidad que representa y niego con la cabeza.

–No –contesto–. Solo ha sido algo que me ha infundido valor.

Entonces me doy cuenta de lo que realmente quiero preguntarle.

–Leon –añado–, mira, eres el único que sabe lo que hice. –Hago una pausa, preguntándome si debo decirlo, porque me cuesta que esas palabras salgan de mis labios. Él lo sabe–. En Asia... –Es todo lo que puedo añadir como explicación–. Esto suena estúpido, pero a veces pienso que me persigue. Ya sabía que no podría librarme tan fácilmente. Hice cosas malas a gente temible. Eso me aterroriza.

Entorna los ojos y me clava una mirada seria.

–¿Ha sucedido algo?

Intento sonreír.

–No, es solo que..., no me siento segura. Creo que me observan. No sé qué es peor, que de verdad haya alguien espiándome o que tenga ataques de angustia y me lo imagine todo. –Miro a Leon y al instante me siento mejor, y un poco tonta–. ¿Me lo imagino?

Leon se inclina hacia delante.

–Yo diría que sí. Vives con mucha presión, Lara, pero no por el pasado. Eso hace tiempo que sucedió y se acabó. Es por el presente, por el futuro. Tú no quieres adoptar un hijo, y Sam, sí. Es un conflicto que estallará, y lo sabes. Ese hombre nuevo que has conocido, sea quien sea, es una distracción. Igual que esos recuerdos de Tailandia, aunque estate alerta. Si pasara algo de verdad, debes actuar. Pero, si te soy sincero, creo que estás intentando provocar otras crisis para evitar hacerle frente a la que está ante ti.

Suspiro.

–Tienes razón –le digo, y me obligo a centrarme en el presente en lugar de en el pasado–. Sé que tienes razón.

Me acabo el resto de la copa de un trago e intento pensar en cómo voy a contarle a Sam la noticia de Olivia.

8

El viernes por la noche solo me apetece beber y charlar. Las únicas personas con las que tengo ganas de hablar son Ellen y Guy. Llego pronto a la estación, pero como en la sala de espera de primera clase no sirven alcohol, tomo las escaleras mecánicas y subo al pub de la planta superior.

Huele como un pub normal, y parece un pub normal. Me sorprende un poco que sea posible estar en una estación sin tener la sensación de estar en una estación. Hay un hombre sentado en una mesa leyendo un artículo sobre el cáncer en un tabloide, y una pareja, uno enfrente del otro, con grandes maletas y una bolsa de patatas fritas abierta sobre la mesa; él tiene delante una pinta de cerveza; ella, media pinta. Nadie levanta la cabeza mientras me acerco a la barra, me siento en un taburete y pido un vodka con tónica a un camarero rubio con marcas de acné y de una juventud inverosímil.

Me acabo la copa de un trago. No pienso ni hablo. Luego, pido otra y hago lo mismo.

Me pasé la noche de la revelación de Olivia, la noche de la sorpresa, en su trastero, y procuré evitarla al día siguiente mientras metía en la maleta suficientes cosas para aguantar hasta que tuviera arrestos para volver y llevarme lo demás. Anoche dormí en un hotel en St Paul. Es un hotel para hombres de negocios, muy aceptable, pero completamente inadecuado desde el punto de vista económico.

De todos modos, es mejor que regresar a ese lugar que mi padre insiste en llamar «mi casa» y venir todos los días a trabajar a Londres, mejor que vivir en casa de mis padres a pesar de ser una mujer adulta.

–Vamos, Lara –me dijo aquella tarde por teléfono–. Es tu casa. Siempre lo será. Deja que cuidemos de ti.

Negué con la cabeza.

–No puedo, papá –le dije. Me mostré más firme de lo que nunca había sido con él–. Vivo en Londres para no tener que andar yendo y viniendo todos los días. Necesito estar cerca del trabajo para rendir al cien por cien durante la semana. Y es lo que hago. Necesito quedarme hasta tarde, entrar pronto... Gracias, de todos modos. Ya me buscaré un pequeño estudio o algo así.

–Tu hermana... –musitó, y me puse tensa, desesperada por calmarlo.

–No pasa nada –me apresuré a decir–. No es culpa suya. Me alegro por ella, de verdad. Solo necesito estar lejos de Olivia una temporada.

–Sí que pasa –me corrigió–. No debería ser tan cruel. Bueno, ¿estás segura? Alegrarás esta casa si te vienes con nosotros y, para serte sincero, podría aprovechar tus sensatos consejos en algunos asuntos.

Me concentré en que mi voz sonara neutra mientras mi corazón se encogía por el temor.

–Para eso podemos quedar cuando quieras –dije, deseando con todo mi ser que no sucediera nunca–. No suelo tener tiempo a la hora del almuerzo, pero podemos quedar algún día cuando salga del trabajo, aunque tiene que ser cerca de la oficina.

Con un enorme alivio, vi que aceptaba. Desde entonces, me mantengo lo más alejada posible de todos los miembros de mi tóxica familia.

Solo cuando estoy sentada en el tren, con el gin tonic habitual de los viernes en la mano, Ellen a mi lado y Guy enfrente, empiezo a hacer algo cercano a relajarme. Reclino la espalda y escucho una historia que cuenta Ellen sobre una conversación vía Skype con Singapur, y acabo suspirando y quitándome los zapatos.

Me río cuando termina de contar la anécdota.

–¿Estás bien, Lara? –pregunta Guy.

Alzo la vista y veo que me está observando con cierta curiosidad. Levanto mi muralla, intentando mostrarme distante.

–Estoy bien –le digo–. Solo un poco… tensa.

–¿Tu hermana? –pregunta Ellen.

–No…, bueno, sí. Sí. Menuda semanita. Un numerito con mi familia. Prefiero no hablar de ello. –Veo la expresión de mi amiga y me río–. No porque esté traumatizada, sino porque estoy hasta los cojones del tema.

Casi nunca digo tacos. Me gusta cómo ha sonado. Doy un sorbo a mi copa.

–Entonces, hablemos de otra cosa –se apresura a decir Guy–. ¿Queréis que os hable de lo que me traigo entre manos?

–Oh, sí, por favor. –Me inclino un poco hacia delante, acercándome a él–. ¿Qué te traes entre manos?

–Déjame adivinar –dice Ellen, con tono seco–. Te ha salido un trabajo en el suroeste.

Guy se ríe, y se forman arrugas alrededor de sus ojos. Me gusta.

–¡Tú y yo hace mucho que somos colegas de tren! –dice Guy, y Ellen alza su copa para brindar con él. Guy se vuelve hacia mí–. Pues sí. Sabes que vivimos en las afueras de Penzance, ¿no? Más allá de Penzance, cerca de Sennen, lo más cerca que se puede estar del fin del mundo.

–Te mudaste allí para estar cerca de la familia de tu mujer.

–Eso es. El padre de Diana murió de repente, hace tres años; una larga historia. Acabamos mudándonos para que mi mujer pudiera cuidar de su madre, que en cierta manera es frágil pero en otra es más fuerte que una manada de bueyes. Los chicos acababan de empezar la secundaria, así que pusieron el grito en el cielo por tener que cambiarse de ciudad y, para ser sincero, yo los incitaba a escondidas. Cambiar Surrey por Cornualles es algo fuerte con trece años, y a cualquier edad. Pero teníamos que hacerlo, era evidente. La pobre abuelita Betty no podría cuidarse ella sola, y una cosa estaba clara: no se iba a venir a vivir a nuestro suburbio de Londres, así que tuvimos que irnos con ella. Diana siempre decía que era una forma de compensar la infancia feliz que tuvo, y puede que lo fuera. En realidad, a Diana le encantaba lo de regresar a su tierra.

–Pero no es que haya mucho trabajo por la zona.

Guy asiente.

–Precisamente, Lara. Allí no hay nada para mí. Literalmente, tendría que buscar un trabajo en Tesco, McDonalds, Argos... Así que decidimos que yo haría esto y estaría atento por si surgía algo más cerca de casa. Me gusta la vida que llevo. Me volvería loco si tuviera que pasar todo el tiempo en el Cornualles occidental, en una casa llena de adolescentes. Solo son dos, pero llenan la casa. Y con mi suegra reordenando todo constantemente. Así que me he acostumbrado a funcionar así, y estoy bastante contento. Entre semana, yo solo, en un cuarto de una pensión cochambrosa; no me importa. Y ahora va y me sale un maldito trabajo en Truro. ¡En Truro! ¡¿Desde cuándo hay buenos empleos en Truro?!

–¿De qué ese trata? –La voz de Ellen suena suave, cuando la miro veo que está contenta. Me pilla observándola y me guiña el ojo.

–En un bufete, pero para casos gordos. Y conllevaría adquirir participaciones y entrar como socio.

–Vaya, Guy, eres el hombre indicado para ese trabajo.

–¡Lo sé! Voy a tener que aparentar que me esfuerzo por conseguirlo, y luego asegurarme de que la cago. ¿Otra copa, señoritas?

A la una de la madrugada, Ellen se levanta.

–Bueno –dice–, la compañía es agradable, pero tengo que irme a la cama. Nos espera un fin de semana ajetreado. Os veo el domingo, chicos.

–Buenas noches, Ellen –me despido.

–Buenas noches, señora Johnson –dice Guy–. Yo no tardaré.

–Yo también debería ir a acostarme enseguida –admito–. Dentro de seis horas estaremos en Truro.

–¡Seis horas! Vaya, eso es mucho tiempo… –comenta Guy, pensativo–. Creo que podemos quedarnos un poco más. ¡Ya sé! Iba a enseñarte a usar Twitter, ¿verdad? ¿Cuál es tu dirección de correo electrónico?

Me río ante este patético pretexto mientras Guy se pone a toquetear su móvil, y le digo mi dirección. Pasado un rato, me da el teléfono.

–Aquí la tienes: tu cuenta de Twitter. Venga, escribe algo. Tu contraseña es Laraencanto.

–Oh, gracias. Una contraseña con clase.

–Lo sé. Si estuviera sobrio, tendrías una mejor.

Tecleo en su móvil hasta que escribo: «Intentando aprender a usar Twitter». Luego se lo devuelvo.

–Una cosa que tachar de la lista, entonces –le digo–. He escrito mi primer, y último, tuit. Otra cosa que se le da mejor a mi hermana, pero al menos lo he intentado. Ahora, me voy a la cama.

Pienso en Sam en casa, esperando ansioso mi regreso, depositando toda su felicidad en la expectativa de un fin de semana perfecto. Si consigo dormir seis horas, estaré en un estado aceptable. Aceptaré lo que mi marido tenga planeado y podré hacerlo bien.

Estoy a punto de levantarme cuando me doy cuenta de que mi pierna está pegada a la de Guy debajo de la mesa. Me fijo en que lleva así un buen rato. La dejo ahí.

–Bueno –digo en voz baja.

El bar está abierto toda la noche, pero ahora no hay nadie bajo sus luces brillantes, solo nosotros dos. Todo ha cambiado.

–Lara –dice Guy, y abre la boca para añadir algo, pero cambia de idea y se calla.

–¿Sí?

–Esto es…

–Lo sé.

Evidentemente, no lo sé. No tengo ni idea de si quiere decir «Esto es peligroso», o «Esto es repentino, diferente, emocionante y excitante de un modo salvaje y total». Esto último es bueno. Lo primero, es malo.

El ambiente entre nosotros dos está cargado de electricidad. Guy se inclina hacia delante y toma mi mano. La suya es cálida; la piel, seca. Dirijo la vista a nuestras dos manos entrelazadas. No deberían estar así, pero quedan bien juntas. Nos tomamos de la mano derecha, para que nuestras alianzas no formen parte del cuadro.

–¿Puedo sentarme a tu lado? –me pide.

Miro sus ojos oscuros y solo veo calor.

–Sí –susurro, y observo cómo se desliza desde su asiento.

Después lo tengo a mi lado, con su mano en mi cintura. Me vuelvo hacia él, aunque no debería, y alzo la cara para enfrentarme a la suya.

Es extraño besar a un hombre que no es tu marido. Solo hay una persona en el mundo a la que se me permite besar así, y el hecho de que no se trate de esa persona hace que esté tan alterada, tan desesperada por aferrarme todo lo posible a estos momentos antes de que la realidad me atrape, que siento un hormigueo en cada terminación nerviosa de mi cuerpo.

La boca de Guy es nueva. Sus labios son suaves y su lengua dulce mientras explora mi boca. Estoy haciendo algo tremenda y totalmente prohibido. Hace muchos años que no hago algo que me esté completamente vedado. Mi lado malo, largo tiempo oculto, asoma alegre a la superficie y disfruta cuando las manos de Guy suben por mi cintura. Una mano se posa en mi pecho y luego entra en mi blusa y se abre camino por mi sujetador.

Mi yo sensato triunfa por un segundo y me aparto. Guy retira su mano.

–Ay, Dios –dice–. Lara, eres fabulosa. Perdón por pasarme de la raya.

Este es el instante; lo reconozco mientras tiene lugar. Este, lo sé, es el momento en que podría echarme atrás, decir que ha sido un error, olvidar que sucedió, y evitar a Guy durante las siguientes semanas.

O podría hacer lo que en realidad hago.

–No te has pasado de la raya –digo en voz baja–. O, en todo caso, nos hemos pasado los dos.

Sonríe, y toda su cara se ilumina. Se acerca a mí.

–¿Estás segura? A ver, seguro que has notado cómo te miro. Lo supe en cuanto te vi, que posiblemente fue la primera vez que viajabas en este tren. Solo porque… A ver, porque uno esté casado, no significa que no se fije en los demás. Y luego te conocí. Ay, Dios, cualquiera que me oiga… No sabía que a los cuarenta y cuatro todavía se pueden sentir estas cosas. ¿Será una crisis de madurez? Lo es, ¿verdad?

–Calla, Guy. Solamente somos dos personas que se conocen en un tren.

Su brazo rodea mis hombros. Me acurruco contra él y siento que besa mi cabeza.

–Quiero llevarte a mi compartimento y quitarte la ropa –dice en voz baja–. ¿Qué te parece?

Hago un esfuerzo por controlarme.

–Sí –le digo–. Sí, pero...

–¿Sí, pero…?

–Pero sería ir demasiado lejos. –No debería decir la siguiente parte, pero la digo–. Y me encantaría, por supuesto. Todo mi cuerpo pide a gritos que lo haga. Pero no podemos, Guy, porque estamos casados. Un beso es una cosa, pero ya sabes lo que pasaría si estuviéramos en un cuarto cerrado.

–Lo sé, lo sé muy bien. Vale, tienes razón: seamos sensatos. –Noto la reticencia en su voz.

Ser consciente de que ahora mismo podría estar haciendo el amor en un tren con un hombre atractivo que no es mi marido, y de que mi decisión es no hacerlo, despierta en mí una sensación de tremendo poder.

Pienso en Sam. Pienso en Diana, en su casa cerca de Penzance. Carga con su anciana madre y sus dos hijos adolescentes y espera a que su marido regrese para pasar el fin de semana. Me la imagino desesperada por que él consiga ese trabajo en Truro y vuelva a vivir con ella. Sé que Guy no tiene intención de aceptar el trabajo. Me pregunto si ella lo sabrá.

–En serio, no podemos hacer esto –digo–. Llevo nueve años casada, y nunca he hecho algo así. Me desconciertas, Guy. No me había sucedido antes con nadie. Bueno, solo con una persona, una vez, en el pasado. Pero no voy a meterme en tu cama.

–Vale –dice–. A la fría luz de la mañana, sin duda apreciaré tus escrúpulos.

Se inclina sobre mí y volvemos a besarnos. Decido no dejarle ver con qué facilidad podría hacerme cambiar de opinión. Estoy entusiasmada. En este momento, no me preocupan ni Olivia, ni mis padres, ni mi matrimonio, ni mi extraña vida transitoria. Guy hace que me olvide de todo. Es algo transgresor pero, en resumidas cuentas, el hecho de que él me haga feliz suprime todo lo demás.

No consigo dormir. Permanezco tumbada en mi camita, contemplando el techo en el tenue brillo de la luz que nunca termina de apagarse, y no puedo pensar en otra cosa que no sea en Guy. Intento, contra mi voluntad, averiguar cómo hacerlo en el diminuto compartimento del tren nocturno. No es posible que dos personas compartan una de estas camas. El sexo aquí dentro tendría que ser algo más práctico que cómodo. Nos imagino a ambos de pie, me imagino encima de él en la pequeña cama. Intento pensar en otras cosas más sensatas, pero no puedo.

Desciendo en Truro, consciente de que la magia se está rompiendo. Voy a tener que reunir fuerzas para que Sam tenga el fin de semana que se merece. Beberé todo el café que pueda, y no flaquearé.

Me quedo en el andén a esperar el tren de Falmouth, y veo la cara de Guy en una de las ventanillas. Es una imagen tan breve que me resulta imposible leer su expresión.

Para cuando llego a Falmouth Docks, ya he comprendido que he hecho una locura.

Veo a Sam saludándome desde la galería de casa, en la mano una taza de café, y forzando una sonrisa le devuelvo el saludo. He besado a otro hombre. Me odio. Sam es un buenazo y jamás me creería capaz de cometer un acto así. Yo siempre he sido una buena esposa, pero ahora soy mala, y nada podrá hacer que eso cambie.

Avanzo lentamente hasta el final del pequeño andén. Una grúa gira en el puerto a mi izquierda, y de repente suenan una sirena y los pitidos de las fábricas. Frente a la estación hay un bloque de pisos de estudiantes –extraña ubicación– y veo a una muchacha encaminándose hacia él por el aparcamiento. Resulta evidente que lleva la misma ropa con la que salió anoche; se pelea con las llaves para abrir la puerta.

Me paro y respiro hondo. Debo fingir que nada ha ocurrido. Sam no puede enterarse: le haría muchísimo daño. Cierro los ojos y me digo que tengo que ser amable.

–¡Cariño!

Doy un respingo y suelto un grito ahogado. Cómo no, mi marido ha bajado corriendo a la estación. Cómo no, aquí está. Lleva cinco días esperando verme bajar de este tren. Yo andaba perdida en mis preocupaciones mientras este hombre intachable ha estado triste porque no me tenía a su lado. Sin embargo, él se encontraba –debo reconocerlo– muy al final de mi lista de prioridades.

Siento un pinchazo de culpa en el estómago. Sam me da un abrazo. Hago un esfuerzo consciente por calmarme. Deliberadamente, relajo todos mis músculos, y solo entonces me doy cuenta de lo tensa que estaba.

–Hola, cariño –digo, apoyada en su hombro. Jamás volveré a hacer algo así. Amo a Sam. Sin él, no sería nada–. Lo siento –musito–. Tenía la cabeza muy lejos de aquí.

–¿En serio? –Parece entretenido, más que preocupado–. ¿Dónde estabas?

–Estaba pensando en lo maravilloso que es estar en casa.

–Más maravilloso es para mí que hayas vuelto. El café está listo. Voy a hacer unos huevos escalfados, ¿vale? ¿Te apetecen? –Agarra mi mochila–. ¿Cómo demonios puedes andar con esos zapatos? Vamos.

Sonrío.

–Son mis zapatos de Londres. Me los cambiaré por unas botas.

–Así se hace. ¿Cómo estás? ¿Qué quieres hacer hoy?

Procuro no torcer el gesto mientras doy la respuesta que él espera.

–Me gustaría hacer lo que tú quieras. ¿Salimos por ahí? –Me giro y contemplo las vistas de Falmouth a nuestra espalda. El cielo está gris, pero gris clarito. El sol intenta abrirse paso–. Igual se queda un día bonito. Podríamos ir a dar un buen paseo o algo así.

–Sí. –Sam está feliz–. Deberíamos salir, disfrutar a tope de Cornualles. ¿Te apetece? ¿En serio? ¿Qué tal a Zennor?

–Zennor será genial. Solo necesito un café y estaré bien.

Hago un gran esfuerzo para caminar por la senda de los acantilados. Mientras andamos, pienso que debería contarle lo de Guy. Si lo admito, si lo confieso y digo cuánto lo siento, quizá lo olvide. Sam es, al fin y al cabo, mi mejor amigo. Contárselo, en este punto, evitará que vuelva a hacerlo. En el futuro me quedaré en mi compartimento e ignoraré a Guy cuando lo vea, y no pasará nada. Sé que necesito contárselo.

Todo se retuerce en mi interior. Tengo que concentrarme mientras camino bajo este cielo encapotado, porque podría caerme fácilmente de lo agotada que estoy. En algunas zonas, un paso mal dado bastaría para mandarme acantilado abajo. No hay muchos sitios donde podría pasar eso, pero los que hay son aterradores y magnéticos a partes iguales.

–¡Sam! –grito entre el viento, detrás de él. Las gaviotas vuelan en círculos a nuestro alrededor, graznando.

–¿Sí?

Su espalda es ancha y tranquilizadora. Es más bajo que Guy, pero más ancho, como un jugador de rugby.

–Verás –grito–, tengo que contarte algo. Es...

Tomo aire y me fuerzo a seguir hablando, pero cuando las palabras salen de mi boca sé que no puedo hacerlo. No tengo agallas para contárselo. No puedo soportar infligirle este sufrimiento, pero principalmente no tengo coraje.

–Es algo un poco difícil, Sam. Olivia está embarazada.

No se lo dije por teléfono, temiendo que se molestara más incluso que yo, y estaba en lo cierto. Reduce el paso mientras le cuento a su espalda la historia del numerito en Pizza Express, entre el viento. No reacciona mientras grito:

–¡No creo que papá haya hablado con ella desde entonces! Y luego, claro, esto me hace sentir mal por ella. Sé que no lo ha hecho a propósito.

–Igual sí, igual no.

Se vuelve para esperarme, posa sus fuertes manos sobre mis hombros y me atrae hacia él. Cuando me besa la cabeza, me apoyo en él, y me odio.

–¿Por qué no me lo habías contado, Lara? ¿Por qué no me lo dijiste por teléfono?

–No quería decírtelo. Simplemente recogí parte de mis cosas, pasé una noche en un hotel y me volví a casa.

–Quizá deberías quedarte aquí. Mandar a tomar viento lo de Londres.

–Tengo un contrato. No puedo dejar el trabajo en este punto, Sam. En serio, no puedo. Pero encontraré un lugar más adecuado para vivir. Podría ir a casa de mis padres, no sería el fin del mundo.

Supongo que se reirá, pero, cosa rara, no lo hace. Sam nunca se ha llevado bien con mis padres, porque mi padre considera que ningún hombre es lo suficientemente bueno para mí: el yerno aceptable no existe.

Contemplamos el mar. Las olas son negras, intransigentes. El agua sube y baja como una criatura que respira.

–Igual sí –dice–. Así no gastarías dinero. Y me gusta la idea de que alguien cuide de ti.

Seguimos caminando, casi sin hablar, por los límites del continente, sobre los riscos, alrededor de peñascos, descendiendo a calas y ascendiendo a lo alto de acantilados.

Las nubes se vuelven más oscuras y tapan el sol por completo. Un viento amenazador sopla desde el mar, revolviéndome el pelo y pegándomelo a la cara.

Sam se detiene.

–Va a llover –grita–. Deberíamos regresar.

Siento el agotamiento extendiéndose por mi interior, y con un gran esfuerzo lo esquivo y me doy la vuelta.

Las primeras gotas empiezan a caer pasados un par de minutos. Es imposible correr, porque la senda tiene zonas tan traicioneras que un mal paso podría enviarte de cabeza a una muerte segura. Quiero agarrar a Sam de la mano, pero la pista no es lo bastante ancha para que caminemos juntos.

Cuando llegamos a la cala, estamos empapados. Tengo el pelo pegado a la cara y se me han caído todas las horquillas. Me he guardado un par en el bolsillo, el resto están diseminadas como pequeños residuos por los acantilados. Me pregunto cuánto tiempo llevamos paseando. Parece como si fueran horas. Espero que solo hayan sido veinte minutos o algo así.

El mar sube y baja amenazador, rompiendo con duchas de espuma blanca. El cielo oscuro descarga agua sobre nosotros. Le doy la mano a Sam y corremos a los pies del acantilado, a un extremo de la playa donde una roca saliente ofrece un refugio mínimo.

–Esto se está poniendo interesante –grito entre la tormenta.

Sam me atrae hacia él. Me apoyo en su cuerpo familiar.

Me mira a los ojos, y fuerzo una sonrisa, imitándolo. Permanecemos contemplando cómo las cortinas de lluvia golpean la arena y dejan agujeritos por toda su superficie. El agua está salvaje. El viento arrastra un enorme trozo de madera sobre la playa. Oigo un trueno.

–No podemos quedarnos aquí en medio de la tormenta –decide Sam–. Deberíamos volver al coche, con cuidado.

Me gustaría quedarme a contemplar cómo la naturaleza arrasa con todo.

–De acuerdo –acepto, y lo sigo, corriendo sobre la arena mojada, y comenzamos nuestra temerosa ascensión hacia lo alto de los acantilados.

Sam enciende el motor del coche y gira el botón de la calefacción al máximo. Encuentro un jersey suyo en el asiento trasero y lo uso para secarme la cara y el pelo. Después se lo paso.

–Ha sido divertido –digo, mirando cómo se seca las orejas con un dedo envuelto en el jersey.

–Sí, de alguna manera lo ha sido –concuerda–. Ahora ya pasó. Me molestan los vaqueros.

–A mí también.

Arranca.

–Vámonos a casa, entonces. Pareces cansada, cariño. Duerme algo si puedes.

Asiento con la cabeza, agradecida y dando pena. A pesar de mi ropa calada, a pesar del cóctel de cafeína y adrenalina que se suponía que iba a mantenerme despierta todo el día, noto que se me cierran los ojos en cuanto descanso la cabeza en el viejo jersey mojado de Sam que he apoyado en la ventanilla. Dormito durante el trayecto de vuelta, aunque mi sueño se ve interrumpido por desconcertantes pesadillas en las que Sam y Guy se entremezclan, convirtiéndose en una persona compuesta.

9

A las siete en punto de la mañana del lunes, cuando estoy pensando que he superado satisfactoriamente el viaje y me dispongo a sumergirme en Londres, Guy me alcanza. La estación de Paddington rebosa vida, con el bullicio de los primeros viajeros que se dirigen a sus trabajos, e intento abrirme paso hacia el metro cuando oigo que me llama por mi nombre.

Me planteo salir corriendo hacia la estación de metro. Una vez que esté en el tren, ya no podrá seguirme. Pero, en vez de eso, me doy la vuelta.

–¡Lara! –No soy capaz de leer su gesto.

Mi reacción al verlo es una enorme traición. Todo lo que he estado repitiéndome a lo largo del fin de semana se ve superado de repente por un escandaloso ataque de deseo físico.

–¡Hola! ¿Estás bien? Pensaba que te vería anoche.

Me recompongo y confío en que mis facciones muestren una expresión inteligente y despreocupada. Debo aparecer digna, no dejar que él note mi deseo.

–Perdona, Guy, es que… No puedo verte.

La estación no está tan llena como cabría esperar a esa hora de la mañana, pero de todos modos soy consciente de que la gente pasa a nuestro lado, avanzando con la resolución necesaria en una gran estación de tren a primera hora de un lunes. Permanecemos quietos, más cerca el uno del otro de lo normal, mientras el mundo se mueve a nuestro alrededor.

Todo en su cara es perfecto. Me recuerda a un hombre al que conocí hace mucho. Guy hace que me sienta segura. Puedo contarle cualquier cosa. Aparto de mi cabeza la idea de que está casado y claramente dispuesto a ponerle los cuernos a su mujer.

–Mira, lo siento –dice–. No debería haber pasado, eso no hace falta decirlo. Ninguno de los dos estamos en situación para meternos en este tipo de cosas. Pero somos amigos, ¿verdad? Por favor, no me evites, Lara. No volverá a ocurrir, ¿vale? Las cosas pueden volver a ser como antes. Nunca estaremos solos sin Ellen, puede ser nuestra carabina. Así nos sentiremos tranquilos.

Posa una mano en mi brazo y, sin querer, copio su gesto y lo toco. Al instante me arrepiento y aparto mi mano, y luego intento sonreír al pensar en lo rara que debe de haber parecido mi actitud.

–Lara, te aprecio mucho, ya lo sabes. Me paso toda la semana esperando el momento de verte. Los dos nos dejamos llevar tras beber demasiado. Sigamos siendo amigos, ¿vale?

Asiento.

–Vale.

–Bien. Bueno, te dejo marchar, pero te veo el viernes, ¿sí? Sin preocupaciones ni complicaciones.

–Gracias. Que pases una buena semana, Guy.

–Tú también.

Los dos titubeamos. Me pregunto si él, como yo, estará pensando en despedirse con un beso. Decido rápidamente que sería demasiado peligroso, así que me doy la vuelta, levanto la mano y me marcho por la estación hacia el metro. Quiero volverme, pero me obligo a no hacerlo.

La mañana del viernes abandono el hotel y llevo mi maleta con ruedas al trabajo. A lo largo de todo el día –que me paso ocupada al teléfono, halagando a concejales que todavía no han tomado la decisión de conceder los permisos de edificación–, intento no pensar en él. Soy mala. No voy a hacerlo. Mi conducta me da asco. No quiero ser ese tipo de persona, hace años que decidí no ser ese tipo de persona.

El día pasa lento. Los concejales exhiben su poder, haciéndome sufrir.

Llego a la estación completamente convencida. El paseo bajo la lluvia que di con Sam el fin de semana pasado fue precioso, y me alegra estar de camino hacia Cornualles. Mi marido me envía un mensaje mientras tomo las escaleras mecánicas en el vestíbulo de Paddington: «¿Qué te parece una excursión al cabo Lizard esta vez? ¿O la playa de Kynance? Vuelve pronto y buen viaje. Bs». Le respondo con todo el afecto y entusiasmo que es posible comprimir en un mensaje de texto, y me dirijo a la sala de espera, con un nudo traicionero en el estómago.

Guy llega antes de lo acostumbrado. Ellen entra justo después, y me pregunto si de algún modo se las habrá apañado para llegar con ella de carabina, como dijo. Intercambiamos comentarios intrascendentes sobre lo que hemos hecho estos días, comparamos las agendas del fin de semana que nos espera, y soy feliz. Lo estoy haciendo bien.

En el tren nos tomamos nuestros habituales gin tonics, nos comemos las patatas fritas que inesperadamente nos ofrecen gratis, y somos totalmente formales. Consigo manipular la forma de sentarnos para que Ellen se ponga junto a la ventanilla, yo, a su lado y Guy, enfrente de ella. Esto nos sitúa lo más lejos posible. Incluso tras dos copas, me siento triunfadora porque reprimo mis deseos, aprendo de mis errores y soy la mujer casada y sensata que debo ser.

Hay una vocecita que protesta, que me obliga a buscar contacto visual con Guy para luego apartar la mirada, que insiste en recordarme las sensaciones de la pasada semana. Resulta irritante, pero no le hago caso. Estoy por encima de eso.

–Bueno –les digo a ambos tras dos copas–, siento dejaros tan pronto, pero estoy hecha polvo. Me voy a la cama. Os veo el domingo.

–Nos veremos el domingo, ¿verdad, Lara? –pregunta Ellen–. La semana pasada no saliste a jugar.

–Lo siento –digo, evitando los ojos de Guy–. Fue un fin de semana duro. Nunca tengo tiempo para mí; necesitaba caer redonda en la cama.

Ellen asiente y aparta su pelo rizado de la cara.

–Muy bien. Todos hemos tenido fines de semana de esos. Venga, que descanses. Nos vemos pronto, querida.

Todo lo que hago es normal. Estoy en pijama, en la cama, con la mirada en el techo y negándome a hacer caso al deseo que está a punto de superar todo lo demás. Estoy haciendo lo correcto: vuelvo con Sam. Hacer cualquier otra cosa sería horrendo, impensable. Aunque no totalmente impensable, porque, si lo fuera, yo no pensaría tanto en ello.

La llamada leve a mi puerta me pilla por sorpresa; estaba esperándola y temiéndola a partes iguales.

Me levanto, de pronto temblorosa, y levanto una rendija de la puerta.

–Guy –digo.

Entra y cierro el compartimento. Luego echo el pestillo. Lo miro. Tiene el pelo negro alborotado, como si hubiera estado pasándose los dedos por él. Estoy tentada de estirar el brazo y peinárselo, pero me contengo.

–Lo siento –se excusa en voz baja–. No debería estar aquí. No iba a hacer esto, pero no podía soportar no hacerlo.

–Yo solo he intentado hacer lo correcto. Pero me moría de ganas de que aparecieras. ¿Cómo has sabido dónde encontrarme? No habrás preguntado a nadie, ¿verdad?

Se ríe.

–Claro que no. Miré tu billete cuando estábamos en la sala de espera.

–¡Qué gran detective!

–Solo hizo falta un poco de lógica elemental. ¿En serio esperabas que viniera? No iba a hacerlo. Pero tenía que hacerlo, aunque fuera únicamente para hablar, porque quería verte, Lara. Esta noche he estado de los nervios. Dios sabe lo que se habrá pensado Ellen. Apuesto a que se huele algo.

–No es tonta.

Seguimos de pie, mirándonos a los ojos, y el ambiente cambia. La reacción de mi cuerpo ante Guy me traiciona: se está preparando apresurado para lo que espera que vendrá. Noto que me reblandezco, toda yo.

Siento una extraordinaria atracción física por Guy. Ahora, aquí delante de él, lo único que importa es tocarlo. No pienso en Sam. Soy incapaz de pensar en otra cosa que no sea el hombre que tengo enfrente, y cuánto lo deseo. Lo quiero obsesivamente, y de repente eso me encanta.

Avanzo un paso, rodeo su cuello con mis brazos y lo atraigo hacia mí. Nos besamos y luego empezamos a arrancarnos la ropa. Este compartimento no estaba pensado para el sexo, pero eso ya no importa. Guy se sienta en la cama y yo me monto encima. Le quito el cinturón. Él desliza una mano en mis bragas y me levanto solo un momento, el tiempo que me cuesta quitármelas, para luego sentarme de nuevo encima de él. Vuelvo a besarlo. Actuamos con torpeza, como adolescentes.

Nos damos cuenta al mismo tiempo, y nos apartamos.

–Esto, yo…, no sé… –dice Guy, torciendo la boca–. ¿No tendrás un condón?

Me río.

–No tenía planeado esto, ni siquiera era una posibilidad remota. No suelo llevar condones en el bolso.

–Yo tampoco. A pesar de haberme presentado en tu puerta como un granuja, después de que te excusaras con tanta cortesía de mi compañía. No estaba tan preparado.

–Quizá podemos arreglárnoslas sin condón –digo vacilante, y me arrodillo en el suelo delante de él.

Hemos cruzado tantas líneas que pronto me olvido por completo de mi marido, de su mujer, y de todo lo que no sea el movimiento del tren y la realidad de que tengo a Guy dentro de mi boca.

Más tarde, un buen rato después, estamos apretujados en la diminuta cama, los dos desnudos. Me siento exultante, disfrutando tanto del momento que no siento ni un fugaz pinchazo de culpa.

–En serio, no deberíamos hacer esto –digo, acariciando con la nariz su cuello–. Por cierto, me encanta tu olor.

–Vaya, gracias. Yo adoro el tuyo. Me vuelve loco.

–Bien. –Sonrío y paso los dedos por el pelo de su pecho–. ¿Qué era eso que me has hecho? –Me callo, azorada de pronto–. Bueno. Sabes lo que haces. Eso es todo.

–No soy yo, Lara, eres tú. Somos los dos. Juntos hacemos que funcione como nada que haya vivido antes.

–Sí que lo has vivido, seguro. Sé realista. Lo que pasa es que hace mucho que no te excitabas con alguien nuevo. –De pronto, comprendo que probablemente me equivoque–. Quiero decir, que yo no... Sabes que yo no. Puede que tú sí. No estoy suponiendo nada, pero si soy la última de una larga lista de conquistas, no importa.

–Oh, Lara. –Me besa en la cabeza–. No eres la última de una larga lista. Pero no tengo por qué no serte sincero: es cierto que no siempre he sido un buen esposo.

–¿Eso es un eufemismo para no decir que eres un mujeriego?

–Me gustan las mujeres, pero no soy un mujeriego. He tenido un par de historias estos años. Soy un cabrón. Mi mujer es una santa.

–¿Y ella lo sabe?

De repente me lo imagino contándole que una mujer se la ha chupado en el tren, y que él correspondió con entusiasmo. La idea me da escalofríos. Noto que me pongo tensa y me aparto de él. Su mujer podría dar conmigo, presentarse en la puerta de mi casa. Podría contárselo a Sam.

–No, me parece que no. Nunca hemos tenido una escenita. Siempre he pensado que seguramente lo sabe, pero es una de esas cosas que, si no hablas de ella, no tienes que hacerle frente. Lo cual probablemente nos sirve.

–¡Guy! Para ti es muy fácil decirlo. ¡Tu pobre mujer!

Siendo objetiva, puedo ponerme de su parte y compadecerla. Y esto a pesar de estar tumbada junto a su marido, de que nuestros cuerpos se tocan por todas partes, y de que los dos estamos desnudos. Estaría casi dispuesta a dejarme llevar y jugármela con la marcha atrás como método anticonceptivo. De todos modos, no me voy a quedar embarazada; pero dado el historial de Guy, no es la preocupación principal.

–¿Eso crees? –pregunta–. ¿Piensas que quiero nadar y guardar la ropa?

–¡Sí! ¿Y si tu mujer estuviera haciendo lo mismo? Y si, ahora mismo, estuviera en brazos del lechero?

Se lo piensa.

–No tenemos lechero. ¿Todavía quedan? Los lecheros son algo obsoleto. Pero comprendo tu punto de vista. Si ahora mismo ella fuera la mujer en este escenario, y el hombre fuera algún mamón guaperas, entonces obviamente me sentiría ultrajado. Pero si lo ha hecho en el pasado, y quién soy yo para asegurar que no haya sucedido, pues podría ser. Es poco probable, pero a veces ocurren cosas raras. Si resulta que me ha sido infiel, pues lo acepto y prefiero con mucho no saber nada, muchas gracias.

–Ajá. Lo cual, curiosamente, es una posición moral cercana a darte carta blanca para hacer exactamente lo que te apetezca sin decirle ni pío.

–Un poco, ¿verdad? –Me besa–. Lo siento, soy una mierda, lo reconozco y lo admito. Pero al menos tú sabes que no se lo contaré a Diana, y ella no se presentará en tu casa.

–¡Joder! Eso es exactamente lo que me preocupaba. Supongo que ya es algo.

–¿Y tú? Cuento con que no vas a bajarte del tren en Falmouth, derrumbarte y confesar.

–No quiero ni pensar en el fin de semana, la verdad. Estoy bien aquí, ahora. Todo se derrumbará a mi alrededor en cuanto salgas de mi cama. No, no voy a contarlo. No podría hacerle eso a Sam. El anterior fin de semana me agobié un montón. Y esta vez tengo cosas mucho más graves con las que agobiarme. De hecho, me espera un agobio intensivo.

Me estrecha entre sus brazos, a la altura de la cintura y los riñones, acercándonos más. Me encantan sus dedos sobre mi piel. Nadie me toca esa zona de la espalda, ni siquiera Sam.

–Lara. –Suena dubitativo–. Mira, mándame a la mierda si quieres, pero ¿sabes? No tienes por qué pasarlo tan mal. Estas cosas ocurren. La mitad de las personas que conoces lo hacen en secreto. Sam podría estar haciéndolo, estando solo en Falmouth toda la semana. Como ya te he dicho, Diana también podría, aunque está tan ocupada que requeriría un impresionante nivel de planificación. Igual solo es una manera de vivir. Igual este tipo de cosas son el secreto de las parejas duraderas.

–¡Guy! Déjalo. No funciona.

–Ya lo sé. Lo siento, solo quería oír cómo sonaba. Podría haber funcionado.

–Pues no ha funcionado, pero… –No quiero decirlo, aunque al final lo hago–: Verás, no pierdas el tiempo intentando convencerme de que no está mal: no soy capaz de echarte de mi cama. Sé que está mal, pero aun así lo hago. Debería haber cortado con Sam hace siglos. Esto solo es la prueba que necesitaba.

10

Víspera de Navidad

Iris vive al final de una carreterita, cerca de un bosque, en una cabaña que, vista de lejos, da la sensación de ser algo a medio camino entre lo cutre y lo bohemio. Llueve ligeramente, ese tipo de lluvia que permanece como suspendida, que te permite caminar sin problemas y que no molesta. La carretera está empedrada, y tiene una línea de césped raquítico en medio; al final está la casa, con un montoncito de tiestos vacíos y una bicicleta contra la pared. Parece la prima lejana y zarrapastrosa de una casa señorial con amplio jardín.

Desciendo desde el principio de la carretera, donde he dejado el coche, siguiendo las instrucciones que me dio Iris, algo nerviosa, cuando la llamé.

«No tiene que ser en mi casa», se apresuró a decirme, ofreciéndose a venir ella a la mía o quedar en una cafetería, un pub o cualquier otro sitio menos este. Insistí, porque necesitaba hacerlo. Me siento mal por lo que estoy planeando hacer, pero algún día la compensaré.

«Por favor –le supliqué al final–. Necesito salir. Me gustaría conocer tu casa. No me quedaré mucho rato, solo quiero estar lejos de Falmouth. Llevaré bizcochos.»

Guardó silencio, y luego se rio antes de aceptar: «Bueno, si traes bizcochos…».

Supuse que Iris no invitaba a nadie a su casa, nunca, y esto me dejó particularmente intrigada.

A medida que me aproximo a la casa, veo que se está en peor estado de lo que parece desde lejos. La madera de los marcos de las ventanas está podrida. El enlucido blanco se cae en algunas partes.

Un gato que merodea junto a unos árboles a mi izquierda se acerca y se restriega contra mi pierna. Me detengo a acariciarlo. Tiene el pelo largo y el típico aire enigmático. Su pelaje negro parece esponjoso, pero lo que ocurre es que está mojado.

Me quedo en la puerta, con el gato a mis pies, y tiro de una cadena que hace sonar una auténtica campana de las antiguas, al otro lado de la puerta. Repica una y otra vez, algo totalmente distinto a los timbres del resto de la gente. Mientras espero a Iris, me permito disfrutar de la soledad.

Estoy siendo lo más atenta que puedo con Sam. Él lo nota y se aferra a mí con más fuerza si cabe. Está constantemente a mi lado, trayéndome té, preguntándome qué me apetece hacer y poniendo mala cara si no respondo algo que implique que los dos estemos exclusiva e interminablemente juntos, de la mano y sonriendo. Sé que se merece toda mi atención, y la ha tenido desde que volví del trabajo el viernes por la noche. Pero a veces una necesita salir.

Tengo un amante. Esas palabras rondan con tanta frecuencia por mi cabeza y son tan impactantes y transgresoras que temo pronunciarlas mientras duermo. Constantemente pienso que algún día voy a llamar a Sam con el nombre equivocado, o que se me va a escapar, o que voy a equivocarme en algo.

Como es Navidad, y Guy y yo estamos con nuestras familias –o, mejor dicho, Guy está con su familia y yo, con Sam–, hemos decidido no comunicarnos hasta que volvamos a Londres después de Año Nuevo. Me porto resuelta e incansablemente bien con mi marido. No mando mensajes a Guy, ni lo llamo, ni me presento a su puerta aunque sé exactamente dónde vive, en un pueblo cerca del fin del mundo.

Sam y yo tenemos un árbol de Navidad, postales de felicitación y la casa llena de comida. Pasaremos las Navidades mirando la lluvia por la ventana, comiendo, bebiendo y viendo la tele. Nadie viene a visitarnos: Sam insistió para que la frágil de su madre y el agresivo de su hermano se quedaran en su casa de Sussex, aprovechando la baza de nuestra separación semanal para mantener lejos de la fortaleza a cualquier intruso potencial.

«Este año queremos pasarlas tranquilos», le oí decir por teléfono. No tenía ni idea de con quién hablaba, pero me daba igual. «Solo Lara y yo. Es el mejor regalo que podría tener.»

Mis pensamientos me traicionan. El sentimiento de culpa hace que sea buena con Sam, y él es feliz en su inocencia.

Hoy, sin embargo, he salido. Quería ver a Iris, principalmente para escapar de la agobiante compañía de mi marido, pero también por una segunda razón, igual de reprobable. Oigo pasos acercándose a la puerta, y me pregunto si a Iris también la agobia su pareja, o si su relación es más oscura todavía. Instintivamente, creo que sí, y espero conocer a su novio en esta visita.

–¡Lara! Hola. Me alegro de verte.

Iris me hace un gesto invitándome a pasar. Lleva unos vaqueros negros ajustados y un jersey grueso que no puedo evitar acariciar al pasar a su lado porque parece maravillosamente suave.

–¿Es de cachemira? –pregunto.

Se ríe.

–Ya me gustaría. Es imitación de cachemira, de H&M, comprado por Internet. ¿Cómo estás? ¿Quieres un té? ¿Café? ¿Algo más fuerte?

De repente siento que me gustaría haber venido en bici, como ella.

–Un café está bien, gracias. Si no hubiera venido en coche, preferiría algo más fuerte.

Le entrego una tartera llena de *brownies*.

–Ya, por eso te dije de quedar en el centro; pero no pasa nada. Marchando un café. ¿*Brownies*? ¡Gracias!

La sigo a una cocina de aspecto agradable y acogedor, menos cochambrosa de lo que podría deducirse viendo el exterior de la casa. El suelo es de madera y está muy deteriorado; la cocina es vieja pero con encanto.

–Me gusta tu horno. ¿Es un Aga de leña? –comento.

–No es auténtico –responde, apartándose el pelo de la cara–. Es eléctrico. Básicamente, es un horno eléctrico disfrazado de Aga. Pero sí, es bonito. De hecho, tengo unos *mince pies* dentro. Espero que te gusten.

–Pues claro, gracias. A todo el mundo le gustan los *mince pies.* ¿Está tu novio en casa? Se llama Laurie, ¿verdad?

Iris vierte agua caliente en un extraño artilugio formado por dos cilindros de plástico y se pone a apretarlos encima de una jarra.

–Me temo que está muy lejos. Una pena. Es muy casero, pero ha tenido que irse para cumplir con una visita familiar. Ya sabes, las Navidades. Su familia es... complicada.

–¡Qué me vas a contar! Me costó años entender que todas las familias son complicadas: siempre pensé que era solo la mía. Luego comprendí que si rascas un poco sobre la superficie, lo normal no existe. O al menos, lo normal es ser raro.

–Muy cierto. Me alegro de haber conseguido librarme de acompañarlo y quedarme en casa. Yo, y las gatas.

–Pero no vas a pasar sola el día de Navidad, ¿no? ¿Y tu familia?

–Bueno, no me relaciono mucho con ellos. Viven en Putney, pero hace años que no voy, y ellos tampoco vienen por aquí. Pero no, no estaré sola, Laurie regresa esta noche a última hora. Estoy impaciente por oír el taxi al final de la calle. Laurie solo sale en esta época del año, y únicamente porque es un compromiso ineludible.

Se arrodilla delante del Aga y con una manopla de cocina saca una bandeja de *mince pies,* con un gesto que, puedo percibir, pone fin a la conversación. Me gustaría preguntarle por su familia. Me intriga el hecho de que no hable con ellos, en particular ahora que tengo dudas de que Olivia y yo volvamos a dirigirnos la palabra alguna vez. Quiero saber qué se siente.

En vez de eso, digo:

–¡Caramba, Iris! *¡Mince pies* caseros! Te has tenido que pasar horas.

Sonríe.

–Me encanta. Se me da muy bien la repostería; tengo buena mano. Si alguna vez me entran ganas de irme a vivir a París o a cualquier otro sitio, podría trabajar de aprendiz en una pastelería. A otros se les dan bien las matemáticas, o son unos genios en, no sé, física cuántica. Pero yo puedo ganarles en pastelitos rellenos de confitura.

–Y siempre habrá gente que necesite pastelitos rellenos de confitura.

–Claro. Aunque venga el Apocalipsis, solo tengo que reunir harina, manteca y fruta y podré cambiar mis dulces por lo básico para vivir.

Me ofrece una taza de café, y pone mis *brownies* en un plato y sus *mince pies* en otro. La taza es grande y robusta, con un diseño de rosas en el costado. La suya es como la mía, pero está desportillada en el borde.

–Tiene que ser un alivio –digo; alcanzo el plato de *brownies* y la sigo por un pasillo oscuro hasta un salón con ventanales franceses que dan a un jardín trasero desnudo pero bien cuidado. El césped está cortado, la tierra de las jardineras, limpia y sin hierbajos– eso de saber lo que harás cuando la sociedad se colapse.

Me señala un gran sillón y ella se sienta en un sofá, apartando antes un ejemplar del dominical de *The Guardian*. Una gata se materializa de la nada y se instala en su regazo.

–Puedes quedarte, *Desi* –le dice con tono maternal–, pero solo si no intentas chupar mi *mince pie,* ¿vale? Tú tampoco tendrías problemas, Lara. Sabes construir casas. Serías la mujer más popular en lo que quede del mundo.

–Te construiré una casa a cambio de cualquier cosa que salga de tu horno –ofrezco–. Estos pastelitos están riquísimos.

–Gracias.

–La verdad es que no sé construir. Necesitaría una cuadrilla de obreros a mi mando. –Me lo pienso–. Y no harían falta permisos de obra, ¿no? Una parte importante de mis capacidades no serviría para nada.

–No, pero tendrás mano para dirigir. Serás la reina sin darte cuenta.

–¿Eso significa que puedo ordenar a otros que reinventen la electricidad en lugar de intentar hacerlo yo misma? Eso está bien.

Miro a mi alrededor. La habitación es bonita, y puedo ver todo tipo de retazos de las vidas de Iris y Laurie. Puedo deducir que uno lee *thrillers,* y el otro, novelas sin más. Compran *The Guardian*, sobre todo los sábados. A juzgar por los círculos similares sobre la mesita del café, los dos beben vino tinto. Hay un arbolito de Navidad junto a la ventana, decorado principalmente con bolas plateadas y, en equilibrio precario en la punta, un ángel que parece hecho en alguna comuna de artistas de Guatemala, pero sin regalos debajo. Solo dos postales sobre la chimenea, y si las leyera apostaría a que Iris y Laurie se las han mandado el uno al otro.

–Esta casa es preciosa –le digo–. ¿No te aburres?

–No. –Sube los pies al sofá–. Supongo que soy aburrida. Los dos somos increíblemente felices así.

Siento mi deseo habitual, ese que intencionadamente intento ignorar a cada momento de cada día. Lo suprimo, una vez más, y me centro en el motivo de mi visita. No solo estoy obsesionada con Guy, también estoy tan alterada que no puedo hablar de lo que ocurre sin parecer una loca. Me entran ganas de confiarle mis secretos a Iris.

–¿Sabes qué? –digo, dubitativa–. Igual te suena extraño, pero ¿podrías enseñarme tu casa?

Me mira.

–¿En serio? No es muy interesante, pero si quieres te la enseño. Si no te importa que sea sosa y esté hecha un desastre. ¿Por qué? No puede ser que tengas un interés profesional por esta casa.

Suspiro.

–No puedo evitarlo. Me gusta ver edificios. Ahora mismo estoy transformando un viejo almacén para hacer pisos y una vinoteca. Me encantaría convertir un sitio como este en algo tan distinto que nadie se lo imaginaría.

Iris se levanta.

–De acuerdo. Aunque vivimos de alquiler, dime qué harías si la casa fuera nuestra y tuviéramos un presupuesto ilimitado para convertirla en toda una mansión.

Con nuestros cafés en la mano, recorremos la casa. Resulta que hay muy poco que ver. Una puerta en el salón conduce a un comedor con una mesa grande sobre la que hay algunos libros y montones de papeles.

–Aquí es donde trabajo –confirma Iris–. Este es el escenario de las temidas correcciones.

–Es una habitación bonita. Se podría sacar partido de ella. Tiene mucha luz natural.

Se acerca a la ventana.

–Es bonita, ¿verdad? Fría en invierno, porque la estufa está en la habitación de al lado, pero no tan fría como podría ser si aquí hubiera inviernos de verdad.

Me acerco a la ventana y me pongo a su lado.

–Sí, el invierno lluvioso del suroeste. ¿A que sería precioso tener cielos azules, soles relucientes y nieve ahí fuera? Con carámbanos y charcos helados. Como, no sé, en el Himalaya o por ahí.

Observamos el paisaje lluvioso.

–Aquí hace doce grados todo el año –dice–, sin cambios. Pero al menos es verde.

Sonrío.

–Sí, algo es algo.

Aparte de un diminuto cuarto de baño, ya he visto toda la planta baja. Arriba hay un dormitorio, el de Iris y Laurie, con el edredón a los pies de la cama y ropa de hombre y de mujer tirada por el suelo. La otra habitación, más pequeña, es la que me interesa.

–Esta la usamos de despacho –explica Iris, quedándose en la puerta–. Todos nuestros papeles están aquí.

–Está muy ordenada.

Hay un escritorio, uno de esos muebles que compras cuando buscas lo más barato en una tienda estilo Ikea pero que no es Ikea, porque no hay uno cerca de Cornualles. Está lleno de papeles, pero en montones ordenados. En las paredes hay estanterías con tantos libros que algunos están apilados encima de otros, formando nuevas pilas de libros tumbados sobre los que están de pie. También hay un armario archivador.

–No tanto –dice–. Todas las facturas y demás se acumulan ahí.

Tengo el teléfono en el bolsillo. Me sienta fatal tener que hacer esto, pero es el único plan que se me ha ocurrido. Me acerco a la ventana y miro la pista empedrada delante de la casa y mi coche, mojado, esperando a lo lejos.

–Esta habitación también podría estar bien. ¿Hay desván? Si no lo hubiera, podrías hacer un tragaluz, te llenaría la casa de luz.

Se oye un timbre alto y antiguo, un teléfono en algún punto de la casa inundando la vivienda y reclamando atención. Iris parece sorprendida.

–Es el teléfono –dice–. Qué raro, nadie llama nunca. Creo que voy a contestar. Me molesta mucho cómo suena.

Desaparece, y en cuanto sale de la habitación abro el armario archivador. Me siento fatal, pero es la única opción que se me ocurre. Un día se lo explicaré, o se lo devolveré. Probablemente, ni siquiera se dé cuenta.

Un minuto después, Iris regresa a la habitación, meneando la cabeza.

–¿Todo bien? –pregunto, apartándome de la ventana y acercándome a ella.

–Sí –dice–, eso creo. No era nadie. Cuando di a recuperar la última llamada, no me salió ningún número.

Cruzamos el pequeño vestíbulo y bajamos las escaleras.

–A nosotros nos pasa constantemente. Llamadas *spam*. Llaman a todos los números.

–¿En serio? No me había pasado nunca. De todos modos, qué más da. ¿Tomamos otro café?

–Sí –le digo–. Me encantaría.

11

Enero

Las Navidades, por fin, se acaban. Sam y yo celebramos la Nochevieja saliendo a cenar y de copas por Falmouth; una unidad indivisible de dos. No hablamos con nadie, y regresamos a casa serpenteando entre la multitud poscampanadas, distanciados de toda la fiesta. La primera noche del nuevo año doy un abrazo a mi marido y me marcho, con una alegría traicionera en el corazón y el pulso, también traicionero, acelerado, al tren. Guy me está esperando en la cafetería, como si el parón no se hubiera producido.

La semana se me pasa volando. Estoy obsesionada con Guy hasta un grado demencial. Nunca he conocido algo así: solo tengo ganas de estar con él, de tocarlo, de hablar con él. Es lo único que me importa.

Conozco hasta el último rincón de su cuerpo; él conoce el mío. Observo a extraños y a mis compañeros de trabajo y me pregunto si habrán sentido esta obsesión sexual. ¿Sus matrimonios habrían comenzado con estos fuegos artificiales? ¿Sería por esto por lo que, cuando conocí a Sam, Leon me advirtió de que no me casara con él? ¿Acaso Leon podía ver lo que yo no vi: que algún día sucedería algo así, que me atraparía y me arrastraría?

Llevaba mucho tiempo siendo buena. Hubo un tiempo en que fui mala, y ahora vuelvo a serlo. Pero esta vez es una maldad distinta, hay menos cosas en juego. Quizá por eso consigo hacerlo.

Ni el sentimiento de culpa, ni la mentira, ni la ilusión en la cara de mi marido cuando llego a casa a primera hora del sábado, ni su tristeza cuando me marcho el domingo por la noche, pueden detenerme. Sé que lo que hago está mal. Sé que mi matrimonio está acabado. Quiero ponerle punto final ya. Pero siempre hay algo que me detiene: a veces es la sensación de que esta magia se perderá y regresaré corriendo a Sam para pedirle perdón, preguntándome a qué demonios estaba jugando. Otras veces abro la boca para confesar, pero luego resulta que no puedo. Quiero a Guy, solo a Guy, a todas horas.

Me porto bien con Sam cuando estoy en casa, igual que en Navidades. Soy más agradable que nunca. Atenta y considerada, pongo interés en todo lo que dice, y reúno energías para salir a dar paseos o ir a pubs. A veces hago el amor con él, y me imagino que estoy con mi amante. Me odio por hacerlo, pero también me odiaría si no lo hiciera.

Veo sombras y fantasmas por todas partes. Siento que alguien me observa, sé que corro peligro, aunque no sabría decir si se trata de un peligro real o de mi mente que destila todo su desasosiego y lo exterioriza. Intento convencerme de que esa presencia maligna que me persigue por las esquinas y me acecha tras las puertas no es más que el producto de mi paranoia. La verdad es que me gustaría que hubiera alguien fotografiándonos a Guy y a mí en Londres, porque eso forzaría un cambio. Pero lo que hago es tomar un tren a Hendon y pasarme toda una tarde realizando los últimos preparativos. Después de eso, voy siempre con mi kit de huida a todas partes; me hace sentir un poco mejor. No puedo contarle a nadie lo que he hecho, porque solo lo comprendería alguien que haya sentido auténtico pánico por su seguridad. Espero que nadie lo descubra. Siempre he estado lista para huir si fuera necesario, y este plan es el mejor que he tenido hasta ahora.

Es un día gris oscuro como la pizarra. Estoy de pie bajo la lluvia en el puente de Waterloo. Llevo un paraguas enorme que encontré en el trabajo, que por lo visto no era de nadie. Tiene un estampado escocés y resulta ridículo, y voy todo el rato atenta para no meter sus afiladas varillas en el ojo de alguien, pero me mantiene seca.

Me giro rápidamente, pues siento unos ojos clavados en mí desde la otra acera; no hay nadie. Este es mi secreto: no se lo he contado ni a Guy.

La lluvia cae sobre el turbio Támesis, formando círculos concéntricos que se tocan y mueren. Pasa un barco de turistas, casi vacío, por debajo de mí. El palacio de Westminster, la noria del London Eye y la orilla sur: tengo unas imponentes vistas sin moverme de aquí, mientras espero.

Lo diviso cuando todavía está lejos, una silueta única entre la muchedumbre que sale de trabajar. Casi es de noche, las farolas están encendidas, los autobuses y los taxis forman olas al pasar sobre los charcos. Sin embargo, lo reconozco al instante y me pongo muy tiesa, levantando el paraguas para reducir las molestias a los demás, y observo.

Lo amo, con pasión, con locura. Este es el secreto que no puedo compartir con nadie, y mucho menos con el propio Guy. Si se lo dijera, se asustaría y dejaría de verme, y eso sería el fin de mi mundo. Me gustaría que nos hubiéramos conocido en otra época, cuando ambos estábamos solteros. Me gustaría que sus hijos fueran los míos. Me gustaría poder compartir con él una vida, una hipoteca, unos impuestos que pagar. Me gustaría poder dedicar los fines de semana a leer la prensa y pasar la aspiradora por casa, a discutir. Todo eso sería posible, porque nuestra relación se basaría en un amor y un deseo absolutos.

—¡Wilberforce!

Tiene la costumbre de llamarme por mi apellido, el de soltera. Me gusta. Ya nadie me llama Lara Wilberforce, pero esa es la persona capaz de portarse así de mal. Lara Finch jamás sería tan cruel. Además, como dijo Guy: «Wilberforce es un apellido divertido, gracioso. "Wilber" suena a poca cosa, pero luego viene el "force", la fuerza, como un sopapo. Es un apellido que te da una falsa sensación de seguridad. Como un gatito capaz de sacarte los ojos de un zarpazo». «Vaya, gracias», le dije, y desde aquel día soy Wilberforce para él, y solo para él.

–¡Guy! –Yo solo puedo llamarlo Guy.

Aparto a un lado el paraguas, provocando un exabrupto en un peatón, y dejo que Guy me lleve a las nubes. Me alza entre sus brazos, como suele hacer. A veces intento hacerlo yo con él, pero es tan alto y musculoso que no puedo.

–¡Bájame!

Me devuelve al suelo y me besa, en plena boca. Estamos en el centro de Londres en hora punta, podemos hacerlo.

–¿Qué te apetece hacer hoy? –pregunta.

Las noches de los jueves se han convertido en nuestra noche especial. Intentamos aprovecharlas para repasar las distintas posibilidades que la capital nos ofrece. Le doy la mano y ponemos rumbo al norte, hacia Aldwych.

–He encontrado algo que podría estar bien –le digo–, o que podría ser un poco raro. Lo podemos probar luego. Está en unos antiguos retretes públicos. De caballeros.

–Suena interesante.

Paseamos hasta el pub Lyceum y entramos, escapando de la lluvia. Dentro, encontramos una mesa en el piso de arriba.

Mucho más tarde, estamos dentro de un bar en un sótano, unos metros más allá del pub. El local está, realmente, en unos antiguos servicios de caballeros: según se explica en la carta, estos eran frecuentados por Wilde, Orton y Gielgud, gracias a su ubicación en el West End. Ahora los han transformado en un bar-cabaré, y por fortuna el resultado no es tan hortera como podría suponerse.

El camarero, rubio e indiscriminadamente alegre, nos da la bienvenida como si fuéramos viejos amigos, y dice:

–¡Mirad! Hay una mesa. ¡A por ella, rápido! ¡Vale un potosí!

Nos sentamos a una mesita a picar las palomitas que ofrecen y a bebernos la mitad de su carta de cócteles. El resto de los clientes es una selección aleatoria pero presentable de turistas, parejas y un grupo de mujeres celebrando lo que, a primera vista, parece ser un divorcio. La homenajeada en cuestión no para de llorar, para luego ponerse a besuquear a sus amigas.

–¿Nos tomamos uno con absenta? –decido–. Nunca he probado la absenta, ¿y tú?

–Yo tampoco. Me salté las locuras de juventud. ¡Eh, también tienen rapé! Qué raro. ¿Alguna vez has probado cosas de esas? No me refiero al rapé. Está claro que lo venden como lo más cercano que pueden ofrecer a la cocaína.

–Oh, Dios, no –le digo–. Nunca he probado esas cosas.

–Yo tampoco, la verdad. ¿Martini con absenta?

–Solo uno. Y luego nos vamos.

–¡Hecho!

Una mujer se está preparando en un rincón de la sala, lista para cantar. Lleva un corsé negro y una faldita, tiene una enorme mata de pelo negro, los labios pintados de rojo brillante, y se ríe con las mujeres de la mesa del divorcio, la más cercana a ella.

–Ojalá no tuviéramos que trabajar mañana –comento.

Guy se apoya en la mesa.

–¿Igual podríamos encontrar la manera de quedarnos algún fin de semana en Londres? Podríamos pasar un viernes y un sábado noche como Dios manda.

Podríamos hacerlo. Podríamos hacerlo si dejáramos a nuestras parejas y formalizáramos nuestra vida de Londres. Pero no puedo decirle eso. No puedes pedirle a alguien que abandone a sus hijos.

Tomo su mano por encima de la mesa. Es cálida y reconfortante, como siempre. Mi sitio está contigo, pienso de repente. Te amo. Tengo que poner toda mi fuerza de voluntad para no decírselo.

La mujer empieza a cantar *Sex on fire,* en una versión acústica casi irreconocible. Resulta bonita, de un modo extraño. Guy me susurra algo. Por un instante, creo que es un «Te quiero». Luego me pregunto si no habrá sido «¿El servicio?». Me río, aparto de en medio las copas y me apoyo sobre las palomitas para darle un beso.

Más tarde, paseamos de la mano por Fleet Street, hasta el hotel. Estoy borracha pero no de una forma indecente y soy más feliz de lo que me merezco. Llevo semanas portándome fatal; voy a hacer lo correcto. Aquí se termina todo, para mí. Es hora de que destruya el mundo de Sam.

Raras veces salgo de la oficina a la hora del almuerzo, a menos que sea para acudir a una reunión. Nadie lo hace: los días del descanso para almorzar en el trabajo se han acabado, y por lo general me parece bien. Hoy, sin embargo, me levanto de mi mesa a las doce y media.

–Voy a salir un rato –comento en voz baja a Jeremy–. Tengo cita con el dentista. ¿Algún problema?

Él apenas alza la vista. Está comiéndose un sándwich con aroma a especias, que se ha traído de casa en una fiambrera, mientras teclea en su portátil.

–Pues claro –dice–. Lo que te haga falta. Siempre que estés de vuelta cuando vengan los arquitectos. Tienes razón, arréglate los dientes aquí mejor que en Devon. No queremos que te pongan unos dientes de paleta.

–Vivo en Cornualles –le corrijo, y me largo para encontrarme con Leon para almorzar brevísimamente y contarle que voy a dejar a Sam.

Nos sentamos en uno de esos pequeños cafés con mesitas metálicas tambaleantes y un mostrador de embutidos, bebemos café y agua mientras almorzamos, porque ninguno de los dos tiene tiempo para una inyección de cafeína después de comer. Leon me mira mientras muerde su sándwich.

–Veo que necesitas hacerlo, Lara –dice–. Sam estará bien, lo sabes. Y tú también.

Aspiro hondo. Este es el hombre que me ha salvado el cuello antes, la única persona en la que confío plenamente.

–No entiendo muy bien –añade– qué es lo que te ha estado reteniendo hasta ahora.

Su voz resulta tan familiar, tan reconfortante, que de repente me siento ridícula. Alargo el brazo sobre la mesita y tomo su mano, solo durante un segundo.

–Gracias –digo muy bajito.

Leon es una figura paternal en el sentido más literal de la palabra: cuida de mí como nunca han hecho mis padres. Desde que soy adulta, ha existido entre nosotros un finísimo hilo de atracción jamás comentado, y eso añadió una vertiente nueva a la relación. Es algo de lo más sutil.

–Voy a arruinar su vida –digo, con un suspiro–. Eso es lo que me ha estado reteniendo.

Leon hace un gesto con la mano, rechazando mi temor.

–Las mujeres adoran a los hombres como Sam Finch. Aparecerán un montón de candidatas a salvarlo que lo tendrán en palmitas.

Pienso en ello. Es cierto.

–Pero no te precipites con Guy –me previene Leon–. En serio. Estate sola una temporada, date una oportunidad. Si deja a su mujer y a sus hijos por ti, vuestra relación cambiará por completo. Necesitas echar un poco el freno si quieres algo a largo plazo. ¿No te parece?

Asiento con la cabeza.

–El problema es que estoy tan locamente enamorada de él que no estoy segura de poder levantar el pie del acelerador. Pero, de todos modos, no voy a obligarle a nada; jamás podría hacer algo así. Solo ver qué dice cuando le cuente que pienso dejar a Sam. Igual sale corriendo.

–Igual –repite Leon, aunque yo hubiera preferido que no lo hiciera–. Si lo hace, Lara, no te pasará nada.

Finjo que me lo creo.

El viernes, al salir del trabajo, recorro rápidamente Fleet Street en dirección a Covent Garden. El gélido viento invernal me corta las mejillas, pero el sol brilla y todo está cubierto de hielo. Adoro Londres en días como este. Cornualles también es bonito, a su manera, totalmente distinta, pero no quiero pensar en eso todavía.

Covent Garden está lleno de gente: los bares, los restaurantes y los cafés. Algunos corren apresurados por la calle y otros pasean relajados, mirando las cosas y charlando. El runrún es tan fuerte que casi puedes sentir cómo rasga el aire. Esto es lo que sucede cuando sale el sol, aunque sea en enero. Intento sonreír, parecer una persona normal. Guy ya está en el bar que ha elegido para nuestra copa previa a Paddington. Es un sitio medio sórdido que ofrece jarras de combinados aguados e interminables *happy-hours*. Al acercarme, lo veo en una mesa cerca de la ventana, el último tramo casi lo hago corriendo.

Ha pedido una botella de Corona para cada uno.

–Hola, guapa –dice, y me quedo a su lado mientas enrosca mi cintura entre sus brazos y apoya su cabeza en mí. Acaricio su pelo, que desde este ángulo tiene más canas de las que se ven normalmente.

–Hola.

Me siento frente a él.

–Oye, ¿no bebemos alcohol todo el rato? –me pregunto–. ¿No deberíamos preocuparnos?

–No..., bueno, sí. Bebemos alcohol todo el rato. Pero eso es porque nos pasamos el día entero en el trabajo y el fin de semana en casa. Solo nos quedan las noches. Antes de conocerte, apenas bebía entre semana. Pero solo bebemos hasta arrastrarnos los jueves.

–Eso es verdad. Y a veces en el tren.

Asiente, y se forman arrugas en sus ojos.

–Y a veces en el tren, cierto. Mira, he pensado que la próxima semana podríamos montar una semana de cine. Me contaste lo difícil que es ir al cine en Cornualles. Bueno, se puede, claro que sí, pero uno no se preocupa demasiado por ir. ¿Qué planes tienes? En mi mundo ideal, los dos vamos a estar libres a tiempo para la sesión de las nueve, todas las noches. De lunes a jueves. ¿Qué te parece? Podríamos ver un poco de todo: un clásico, una de acción, una comedia y una de amor.

–Sería genial. Pero no estoy segura, hoy no he rendido mucho en el trabajo. –De hecho, tuve que hacer un esfuerzo colosal para acabar la jornada y dar mi habitual impresión de eficiencia y atención al detalle–. Parece que una resaca de absenta no es lo ideal para trabajar.

–¿Qué te parece esto: al cine sin beber? Nos llevamos agua, coca-colas y chucherías. Como los niños. Sin alcohol.

Me cuesta concentrarme en lo que dice. Estoy demasiado ocupada fijándome en las caras de todas las personas que pasan por la calle. Como ya es de noche, están iluminadas por las tétricas luces de las farolas y todos parecen un poco siniestros. Un hombre merodea ahí fuera, con unos extraños pantalones cortos de bávaro que le dan el aspecto de un turista desventurado o un *hipster* exagerado; no sé cuál de los dos.

–Quizá –digo.

El hombre de los pantalones lleva una rosa roja. No me está mirando, pero yo no puedo apartar los ojos de él.

–O podríamos quedarnos todas las noches en el hotel.

Una mujer se acerca al hombre, que la besa y le entrega la flor.

–Eso sería genial –digo, mientras los dos se alejan de la mano.

De repente entra alguien al bar, y resulta que es precisamente mi hermana. Casi me alegro de verla: los problemas que tuve con ella son muy prosaicos.

Ahora su embarazo es evidente. Además del bombo, hay algo distinto en ella: los contornos afilados de su rostro se han suavizado.

–Lara –dice, lanzándome una mirada calculadora.

–Olivia –respondo, e intento sonreír. Me mira a mí, luego a Guy y después a mí de nuevo. Lo sabe–. ¿Cómo estás? Tienes buen aspecto.

–Sí, gracias. –Se dirige a Guy–. Hola, soy Olivia. La hermana de Lara.

Guy se pone de pie.

–Hola, Olivia. Me alegro de conocerte. Lara me ha hablado de ti. Soy Guy, un amigo de tu hermana.

–Claro, estoy segura de que te ha hablado de mí.

Olivia me mira con una sonrisita. No debería haber sido tan confiada para pensar que podría salir a tomar una cerveza antes del tren en el barrio de mi hermana. Vive a pocos minutos de este bar. Es normal que haya aparecido.

Un silencio pesado se impone durante un momento. Decido hacer lo correcto.

–Eh, lo siento, ¿vale? –le digo–. De veras. No era mi intención largarme así aquella noche, debería haber hablado contigo antes. Me muero por ver al bebé.

–Me alegro –dice con desgana–. Llámame, entonces. Ahora mismo tengo una cita con un amigo, pero estaría bien. ¿Me llamas la semana que viene?

–Lo haré. Gracias.

Y antes de que me dé tiempo a añadir algo, se ha ido.

Guy sonríe.

–¡Vaya! He conocido a tu hermana. No se parece en nada a lo que me esperaba. Ni remotamente se parece a la mujer que tenía en mente.

Casi no le estoy escuchando.

–¿En serio? ¿Qué te esperabas? Ahora va a contarle a todo el mundo que me ha visto con un hombre. Lo ha sabido al instante. Estoy segura.

–¿Acaso importa? –pregunta Guy.

–Bueno, a mí no. Yo no habría elegido que fuese así. La verdad, Guy, no iba a decírtelo, pero… –Me detengo, y decido continuar–: Voy a romper con Sam. No puedo estar así. –Pienso en las palabras de Leon–. No es justo para él, porque no sospecha nada. Si Sam estuviera soltero, habría montones de mujeres peleándose por cuidar de él, se lo merece. No puedo soportar este secretismo y estas mentiras.

–Vaya –dice Guy–. Es curioso que digas eso, Wilberforce, porque, aunque mi situación es más complicada, he estado pensando cosas parecidas. ¿Cómo puedo ser tan mierda? Va a ser difícil, pero se lo voy a contar a Diana. Nuestra relación no puede seguir así, la tuya y la mía. Quiero estar contigo, Wilberforce. Ya está. Todo lo demás ya se arreglará. Es tremendamente egoísta, pero…

–Lo sé.

Casi no puedo hablar. Un futuro con Guy y yo juntos de manera oficial y para siempre se está abriendo ante mí. Va a costar ciertas negociaciones, pero lo haremos. Conseguiremos que funcione.

Quiero contárselo a alguien, pero nadie lo entendería. Solo Ellen y Leon saben lo nuestro, y esta noche veremos a Ellen en el tren. Saco mi teléfono y mando un mensaje rápido porque estoy desesperada por compartir la noticia: «Leon. No puedo contárselo a nadie más, pero Guy acaba de decirme que va a dejar a su mujer. Desde el lunes estaremos juntos. Gracias por escucharme. Esto va a ser complicado pero maravilloso. Solo quería contártelo. ¿Cenas con nosotros la próxima semana? L. Bs.»

Practico lo que voy a contarle a Sam. Se lo diré por la mañana, en cuanto llegue a casa. Luego, comenzaré mi nueva vida.

12

El vestíbulo de la estación está a rebosar, como siempre. Guy y yo esquivamos a la multitud, caminando pegados, hombro con hombro. Me encanta el hecho de que aquí todo el mundo se encuentre en movimiento, incluso la gente que está parada esperando. La estación de Paddington es un lugar de transición: llegas, aguardas tu tren, o corres hacia él, y a continuación estás en ruta hacia tu auténtico destino. O bien llegas aquí en tren y te vas directamente al metro o a un taxi. Es un lugar de paso. Pienso que debe de ser extraño trabajar aquí, tiene que resultar raro ser uno de los puntos fijos entre el trasiego.

Guy se detiene y posa una mano en mi hombro.

–Eh, Wilberforce. Tengo que hacer una parada ahí. Te veo en la sala de espera.

Guy señala hacia la tienda de postales, el lugar que antes ocupaba la papelería Paperchase. Comprendo que esto significa que tiene un cumpleaños en la familia y decido no hacer más preguntas. Ya no importa. En algún momento conoceré a sus hijos, intentaré construir una relación con ellos. Les compraré tarjetas de felicitación.

–Vale –respondo. Guy se desvía y yo sigo andando.

Debería estar ya acostumbrada a Guy. Deberíamos, a estas alturas, haber rascado la superficie radiante y haber afrontado la sórdida realidad que se esconde debajo. Deberíamos habernos despertado de nuestros sueños y haber salido corriendo, aterrados, hacia nuestras parejas, dando gracias al universo por habernos dejado escapar con vida de esto. Pienso, a sabiendas de que es simplista, que, como eso no ha sucedido, estamos hechos el uno para el otro.

Nuestra relación ha crecido hasta ocupar todo el espacio disponible. Guy prácticamente se ha instalado en mi habitación de hotel y los dos llevamos una doble vida con eficacia. Mi relación con él es lo más grande y fascinante que me ha sucedido nunca.

Jamás debería haberme casado con Sam. Lo hice porque lo que necesitaba en aquel entonces era seguridad, la sensación de estar a salvo y de que nada devastador volvería a sucederme.

Hasta ahora nada me ha salido bien. Cuando intenté vivir aventuras, salieron mal. Probé una vida segura y también me ha salido mal. En ambas ocasiones, he hecho sufrir a alguien cercano. Necesito abandonar a Sam, por su bien, y por el mío.

Sueño con la semana que viene. Este fin de semana haremos lo que tenemos que hacer, pero la semana siguiente los dos miraremos al futuro.

Camino por el andén 1, en dirección a la sala de espera.

En mi mano está dejar libre a Sam para que conozca a otra persona: en mi situación actual, es la manera de proceder menos malvada. Conocerá a alguien al instante. Volverá a asentarse con una mujer que lo aprecie, y esta vez tendrá hijos. No se pasará toda la semana esperando a que yo vuelva, y sin saber lo que realmente soy.

Las perspectivas son desalentadoras: Sam puede acabar deshecho. Solo le contaré lo de Guy si me veo obligada.

Sonrío, con un nudo en el estómago de terror y emoción.

Cuando Guy me toca el hombro, me doy la vuelta, pero no está ahí. No hay nadie. Un tren acaba de llegar al andén, y oleadas de gente se bajan de él y pasan a mi lado. No hay nadie parado ni cerca de mí. Sin embargo, estoy segura de que había una mano en mi hombro. Era cálida, me presionó deliberadamente, y luego se fue.

Una familia con pinta de estar perdidos arrastra unas maletas enormes y tres mujeres jóvenes con grandes mochilas caminan con brío sumidas en una conversación en un idioma (creo) escandinavo.

Gente trajeada que viene directamente de la oficina se dirige resuelta hacia la parada de taxis. Nadie se ha detenido. Nadie está interesado en mí.

Decido que simplemente se trata de alguien que me ha rozado al pasar: un accidente. Todavía me persigue aquello de hace años, y me prometo a mí misma contárselo todo a Guy el lunes. Incluso aprovecharé el fin de semana para rescatar mi viejo diario de su escondite, y le dejaré que lo lea. Así podré comenzar con él una relación sin un secreto enorme y absorbente. La idea me resulta maravillosa.

Acelero el paso y entro en la sala de espera de primera clase. Compro dos botellines de agua con gas y un par de paquetes de galletitas y me dejo caer en un sillón.

Una hora después, mientras abandonamos la sala para subirnos en el tren, que nos espera justo a la puerta, en su lugar habitual en el andén 1, oigo a alguien que dice algo desde el extremo del andén. Cuando levanto la vista, hacia el lugar donde termina la estación y arrancan las vías rumbo al oeste, veo una figura.

Durante medio segundo, me quedo helada. La sangre palpita en mis sienes. Mis piernas se tensan, listas para derrumbarse o para salir corriendo. Siento que mi cara se enrojece antes de quedarse sin sangre.

No es nadie que yo conozca, nadie que pueda reconocer. Es solo una persona de pie en una estación. A esta hora de la noche, la estación huele a motores y maquinaria. La temperatura debe de estar por debajo de cero. Tiemblo a pesar de mi abrigo, y cierro los ojos.

Nos sentamos en el tren, en nuestra mesa de siempre, y Guy se acerca a la barra para pedir bebidas y patatas. En la sala de espera, Ellen ha invitado a unirse a nosotros a una mujer, una ilustradora que se llama Kerry y vive en Bodmin. Hago un esfuerzo por resultar animada y simpática, y a Kerry le impresiona lo animado que es el tren nocturno los viernes. Nos cuenta su vida, en la que compagina una joven familia con el trabajo.

–Mis padres tienen que venir y quedarse en casa cuando necesito ir a Londres –dice; se le forman hoyuelos en las mejillas al beber. Lleva un jersey grueso de color mostaza y unas flores blancas en el pelo, lo cual ofrece un aspecto incongruente pero en cierto modo resulta agradable–. Hace falta una organización implacable, pero en cuanto me monto en el tren soy una persona nueva. Me encanta.

–Sí –convengo.

Miro a Guy, que charla con la camarera. El teléfono de Kerry emite un pitido. Ella lo mira y se pone de pie.

–Me piro, vampiro –dice. No sé por qué la gente dice eso, es una frase estúpida–. Tengo que llamar a casa. Vuelvo dentro de un rato, si todo va bien. Guardadme la copa.

Se marcha, apretando un botón de su teléfono y llevándoselo a la oreja. Se porta como una buena esposa.

Guy está recogiendo las bebidas y habla con alguien en la barra. Ellen estira el brazo y posa una mano en mi mejilla.

–¡Eh! –dice–. Lara, ¿qué te pasa?

Doy un respingo. Luego la miro y decido que si hay alguien en quien pueda confiar, es en ella.

–¿A qué te refieres?

–Oh, no me vengas con esas. No eres tú. Estás increíblemente tensa. Venga, cariño, ¿qué pasa?

Me muerdo el labio y contemplo la oscuridad al otro lado de la ventanilla. La estación de Paddington sigue ahí fuera. Solo son las once menos cuarto, el tren no sale hasta dentro de una hora.

–Voy a dejar a Sam –confieso, y se me acelera el corazón al pronunciar esas palabras–. No puedo seguir así. Y Guy va a dejar a Diana. Este fin de semana. Mañana mismo.

Ellen alza las cejas.

–¿Guy? ¿En serio? –Guarda silencio, sopesando sus palabras–. Que no te sorprenda si viene y te dice que no ha podido hacerlo. Buscará una excusa. Que no era el momento, etcétera. Romper una familia es algo muy gordo.

Me avergüenzo de mí misma.

–Lo sé. Puede tomarse el tiempo que necesite, por supuesto, pero yo voy a dejar a Sam de todos modos.

–¿Te mudarás a Londres? ¿Dejaremos de verte en el tren?

–Supongo.

–Pero te seguiremos viendo en Londres. Bueno, Guy seguro, pero espero que yo también.

–Pues claro, Ellen. Siempre. Por cierto, Ellen...

–¿Sí?

–Hay algo más...

Pero me callo, porque Guy vuelve con una copa para cada una. Una botellita de vino blanco para Ellen y un par de gin tonics para nosotros. Aparta a un lado la botellita de vino de Kerry. Hago un gesto a Ellen con los ojos de que no puedo contarle la historia delante de Guy, no ahora, aunque me muero por desahogarme.

–Este es el tuyo –dice Guy, dándome con cuidado el vaso de plástico con el palito negro de remover.

–¿Por qué es este el mío? ¿Cuál es la diferencia?

–Bueno, me tomé la libertad de pedírtelo cargado. El tipo de la barra me comentó que se notaba que necesitabas una buena copa, y cuando te miré me pareció que sí, que te hacía falta un buen reconstituyente para el fin de semana.

Su voz es tan tierna, su preocupación tan sincera, que incluso al recordar que está casado y es un padre que regresa junto a su confiada familia, me siento invadida por el amor. Le deseo con locura. Me muero por estar con él de pleno derecho.

–Gracias –digo–. Le he contado a Ellen nuestros planes. Lo siento, no he podido evitarlo.

–¡Un brindis! –propone Ellen, sirviéndose vino en su vaso de plástico.

Todos alzamos nuestras bebidas.

–Por ti, Lara –dice Ellen, justo cuando voy a dar un sorbo–. Estás haciendo lo correcto. Y por ti, Guy, que tengas suerte y descubras qué es lo correcto.

Oigo que Guy dice: «Buf, y que lo digas», mientras doy un trago a mi copa, y luego otro.

Siento el alcohol recorriendo mi interior, adormeciéndome. Doy otro sorbo. Los bordes de mi campo de visión empiezan a oscurecerse. Estoy más cansada de lo que pensaba.

Me reclinaré y descansaré la cabeza un momento. Sin querer, dejo que mi cabeza caiga a un lado y siento que me deslizo hasta apoyarme en el hombro de Guy.

Casi no oigo sus voces.

–¿Lara? –dicen los dos–. Lara, ¿estás bien?

Oigo a la mujer, Kerry, que ha vuelto, y capto la preocupación en su tono de voz pero no soy capaz de distinguir sus palabras.

–Sí, no es nada –me oigo responder. Abro un poco los ojos–. Estoy bien. Solo cansada.

–Está muy estresada –dice la voz de Ellen, que asume el control de la situación–. Y se ha tomado media copa muy rápido, no me extraña que le haya dado un síncope. Vamos a llevarla a su compartimento y a meterla a la cama. Hoy mejor la dejas sola, ¿vale, colega? La próxima semana será toda tuya, por lo que parece.

–Oh –responde Guy–. Bueno, sí. Vale. Se pondrá bien, ¿verdad? ¿Eh, Wilberforce?

Me cuesta muchísimo lograr que mis piernas caminen, pero hago un esfuerzo, y con uno a cada lado y Kerry rondando cerca nos abrimos paso lentamente hasta mi compartimento, que está en el vagón siguiente al de la cafetería.

Me acuestan. Oigo sus voces, aunque ahora parecen tan lejanas que ni siquiera puedo distinguir palabras sueltas. Alguien me quita los zapatos. Me tapan, apagan la luz y se van.

Siento la oscuridad rompiendo sobre mí como una ola y, mientras el tren rechina sobre los raíles, sucumbo.

El pitido de un mensaje entrante hiere la oscuridad, y me despierto de golpe, como si el ruido hubiera activado mi botón de encendido. Busco mi teléfono sin encender la luz, pero como no me metí en la cama por mi propio pie, el móvil no está en su sitio en la redecilla junto a mi cabeza. Normalmente, lo silencio por la noche aunque lo deje encendido. La luz azulada de la pantalla baña toda la estancia con un ligero brillo mareante, pero no tengo ni idea de dónde puede estar el teléfono.

El tren está en movimiento. No sé cuánto tiempo llevo dormida.

Me siento muy mareada, y me doy cuenta de que necesito darme prisa. Me levanto y llego dando tumbos hasta el lavabo. Forcejeo con la tapa y consigo levantarla justo a tiempo.

Encorvada sobre el lavabo, a la espera de la erupción que no tardará en producirse, oigo un segundo mensaje, y entonces sé que el teléfono está dentro de mi bolso, mientras sigo pegada al grifo, con un mareo tremendo y apremiante que me provoca un vómito de liquido ácido. Confío en que el pequeño lavabo funcione bien. La idea de que no trague me resulta espantosa.

Lo aclaro, me seco la boca con la toallita de la First Great Western y me lavo los dientes, vacilante. Luego hago que mis piernas temblorosas me devuelvan a la cama, donde me siento. Encuentro el bolso y localizo el teléfono en el bolsillo interior delantero.

Entonces me río. Me han despertado dos correos de publicidad, uno de Pizza Express y el otro de www.dotcomgiftshop, a los que compré una lamparita una vez y que ahora me envían más correos que un humano de verdad. Sin embargo, también hay un mensaje de Guy, y veo que llegó hace una hora, cuando estaba comatosa. Apenas he dormido: solo son las doce y media. «Querida Wilberforce –ha escrito–, voy a pasarme toda la noche preocupado por ti, pero sé que Ellen tiene razón y debo dejarte dormir. Si te despiertas y quieres verme, estoy en el 21F. Te amo. De verdad. Haremos que lo nuestro funcione. Bs.»

Me levanto, algo vacilante pero sorprendentemente recuperada, e intento abrir mi puerta, advirtiendo que no está echado el pestillo.

Avanzo a trompicones, feliz, con las palabras de Guy resonando una y otra vez en mi cabeza. Me quiere. Nunca me lo había dicho antes, y yo también me he cuidado de no decírselo. Haremos que lo nuestro funcione. Me quiere. Haremos que lo nuestro funcione.

Recorro el estrecho pasillo, que ya es parte de mi mundo cotidiano, con su olor formal a tren, su reconfortante movimiento constante. En el espacio entre vagón y vagón, me cruzo con un hombre en pantalón de pijama y chanclas que se dirige al baño. Me ofrece una sonrisa de «estamos juntos en esto», y se la devuelvo. Llamo a la puerta de Guy, y como no me responde pruebo con la manija y abro.

Un grito brota de mi garganta. Agarro el marco de la puerta para mantenerme en pie mientras contemplo la escena que tengo delante, una escena que no tiene ningún sentido.

El tren frena, y todo se detiene.

Segunda Parte

Iris

13

Era una de mis mañanas lacrimosas. Cada vez me ocurría con más frecuencia, y las odiaba. Estaba furiosa conmigo misma por comportarme de una forma tan ilógica. Se suponía que esto no debía pasar.

Me desperté en la más absoluta oscuridad, llorando, con hipo, y sintiéndome desamparada. Por un segundo me pareció que Laurie no estaba a mi lado, que se había escabullido durante la noche, pero luego vi que seguía ahí, durmiendo, tranquilo, de costado, con la boca ligeramente abierta. Ni siquiera lo había molestado.

Lo único que podía hacer era salir. Me subí a la bici y me puse a pedalear en la negrura.

Al poco rato me sentí mejor. Resulta reconstituyente salir una mañana seca de invierno con las luces de la bicicleta encendidas –tengo dos delante y dos detrás como un guiño a la seguridad–, mi pelo largo aplastado por el casco, mi chaqueta de piel bajo un enorme chaleco reflectante. En cuanto mis pies hicieron crujir la hierba helada, algo se aligeró en mi interior. Yo solo era una parte diminuta de un universo gigantesco, y en realidad nada tenía importancia. Todas las cosas son temporales, y un día todos nos habremos ido, sin dejar rastro. Era un pensamiento sumamente reconfortante.

Había recuperado mi bici del lugar donde recordaba haberla dejado, escondida en el seto. Aprecié que los ruiditos que hacía al pedalear –los tirones y chirridos de una bici cuando arranca, el crujido de una pista de gravilla bajo los neumáticos– fueran el sonido más fuerte en este recóndito rinconcito del universo.

Sabía que eran más de las seis, pero parecía que fueran las dos de la madrugada. Las lechuzas ululaban cuando salí a la carretera, y criaturas nocturnas invisibles huían hacia la maleza al acercarme. De vez en cuando, oía algún coche a lo lejos, y me gustó la sensación de solidaridad, en particular la conciencia cierta de que quien estuviera en ese coche nunca llegaría a preguntarse si había una mujer en bicicleta por ahí cerca, escuchándolo.

Comprendí, mientras pedaleaba hacia la carretera principal, que algún día tendría que dejar de huir. Las cosas no iban bien entre Laurie y yo, y sabía que, de ser más valiente, ya habría afrontado esa realidad. Algún día, él se marcharía. Tendría que hacerlo. Lo mejor sería que yo asumiera el control y provocara su marcha, en vez de seguir así, renqueantes.

A veces estaba a punto de perder por completo los estribos. Podía sentir que estaba muy cerca de gritarle, de decir barbaridades, de pedirle que saliera de mi cama y de mi cabeza. Cuando se marchó, justo antes de Navidad, me invadió el alivio. Estuve bien. Incluso invité a una amiga a casa como hacen las personas normales, y aunque al principio me entró el pánico cuando ella insistió en venir en lugar de quedar en el centro o en la playa, terminó siendo la interacción más satisfactoria con alguien del mundo real que he tenido en años.

Decidí lo que iba a hacer mientras la luz de las farolas en la carretera principal comenzaba a iluminar el mundo a mi alrededor. Allí estaban la iglesia, los árboles, las casas apartadas de la carretera. Me acercaría a su casa a hacerle una visita. Eso me calmaría y me proporcionaría una buena inyección de realidad para mantenerme activa durante un tiempo.

Me había pasado la tarde anterior sentada frente a la estufa, pintándome con mimo, de color lila, las uñas de los pies, e intentando armarme de valor para pedirle que se marchara de nuevo, que se fuera de viaje, que hiciera algo sin mí. Yo era todo su mundo, y él, el mío, y eso –estaba empezando a sospecharlo– no era sano. El resto de la gente no vive así. Nosotros manteníamos lejos a los demás siendo groseros con ellos. Esa no era la educación que recibí, pero resultaba bastante agradable.

«No pienso dejarte», siguió protestando él. «Nunca más volveré a hacerlo.» Y yo estaba tan airada, tan enfadada conmigo misma por sentirme algo agradecida por su insistencia, que rompí a llorar y me fui corriendo a la cama.

Vivíamos en las afueras de un pueblo que, a su vez, estaba en las afueras de Falmouth, que es (supongo) una ciudad en las afueras de Gran Bretaña. Llevábamos años escondidos allí, cerrados a todos, y nos había servido, por un tiempo. Vivíamos con las gatas, *Ofelia* y *Desdémona*. Yo trabajaba en casa, corrigiendo inescrutables tratados de Derecho que llegaban por mensajería cada pocas semanas. Nuestra vida era reducida, pero, entonces, un día tuve el capricho de comprar un billete de lotería con el periódico del sábado, y ahora todo era distinto, irreal.

No le conté a Laurie que me había tocado la lotería. Él no entraba en mis planes.

Salí a la carretera principal, que estaba desierta, algo muy placentero. Pensé en ir a Falmouth y dar una vuelta, desayunar en una cafetería ahora que podía hacer algo así sin contar hasta el último penique, y luego iría a visitar a Lara. Me gustaba la idea de crear una rutina de visitas entre las dos, sin que Laurie ni el cascarrabias de su marido estuvieran de por medio.

No conocía bien a Lara, en absoluto. Ella vivía en Londres durante la mayor parte de la semana, convertía hermosos edificios antiguos en horribles pisos de lujo, todos iguales, y su esposo, en las dos ocasiones que lo vi, no se preocupó por ocultar su deseo de que me largara. Me esforcé por rebotar hacia él su hostilidad. De cualquier modo, conocer a Lara era como un primer paso vacilante de regreso al mundo. Era, sin ser consciente de ello, mi amiga de prueba. Me esforcé por no pasar de ella, por no ser brusca ni cortante. Al principio me costó, pero luego me gustaba.

Cuando nos vimos la víspera de Navidad, Lara me habló entusiasmada de sus viajes en el tren nocturno. Le encantaba ese tren. Esa misma mañana se bajaba del tren nocturno para tomar, bajo la tenue luz de la mañana gris, el regional de Falmouth. Me presentaría en su casa. A ver qué pasaba: si me decían que me fuese, lo haría; si Lara estaba ocupada, volvería en bici a casa. Solo era una idea.

Encadené la bici a una señal de tráfico enfrente del supermercado Trago's cuando empezaba a clarear. Las farolas seguían encendidas mientras el cielo se volvía rosa. Sentía calor por dentro debido al paseo en bicicleta, pero tenía frío en las mejillas. Quedaba bastante tiempo hasta que pudiera desayunar, así que decidí buscar la senda de la costa y darme un paseíto.

Caminé una hora por los acantilados, hasta donde la pista desciende a la playa de Maenporth. Ese tramo de la senda de la costa crujía a mi paso, por los charcos cubiertos de hielo y subidas y bajadas de barro solidificado y helado. El mar estaba tan en calma como un estanque, y las ramas desnudas de los árboles no se movían ni un ápice. Me crucé con un corredor, un hombre fibroso con la flacura muscular y las mejillas hundidas de quien hace demasiado ejercicio, y con una mujer de cuarenta y tantos años, con los ojos desquiciados por el insomnio que paseaba un perro.

El aire marino resultaba fastidiosamente fresco y me llenaba de ideas y posibilidades. Me perdí en ensoñaciones sobre viajes y me sorprendí al alcanzar tan rápido mi destino. Crucé la playa hasta el punto donde la marea alta tocaba las rocas y depositaba sus algas, contemplé un petrolero solitario en el horizonte, decidí darme la vuelta y regresar por donde había venido. Llegaría hasta el cabo Pendennis y lo rodearía para llegar a casa de Lara.

Sabía que me hacía falta volver a Londres, aunque fuera solo de visita. A Laurie no le importaría. Recorrí rápido el camino de regreso, haciendo planes. De Londres se podía dar el salto a París en mucho menos tiempo de lo que te costaría llegar a cualquier sitio desde Falmouth. En París se podía tomar un tren a cualquier rincón de Europa. O se podía ir a un aeropuerto y elegir un destino. Este dinero, mi dinero secreto, podría llevarme a cualquier parte del mundo, literalmente. Pero no tenía ni idea de dónde encontrar el coraje para empezar.

Durante mi paseo de vuelta fantaseé con destinos exóticos. Intenté imaginarme mirando por la ventanilla de un tren en la India, aprendiendo a bailar tango en Argentina, o haciendo *puenting* en Nueva Zelanda. A veces me parecía que podría ser capaz de hacerlo. Luego recordaba que yo era la persona menos aventurera del mundo, que mis grandes planes nunca llegaban más allá de mi cabeza y que mi pasaporte había permanecido inamovible en el armario archivador los últimos cinco años. No podía dejar tirado a Laurie; no sin contárselo. Si me iba, no tenía ni idea de qué sería de él.

La casa de Lara era pequeña, moderna y extraña. De un blanco reluciente y sorprendente, algo a medio camino entre un edificio *art decó* californiano y un chalé de playa británico. Había un coche en el jardín, el mismo Renault azul que Lara conducía cuando vino a visitarme. Como la casa estaba construida en una pendiente, el verdadero jardín estaba situado más abajo. Me apoyé en una barandilla para descubrir que me encontraba una planta por encima. Era bonito, con césped y con clemátides y camelias esperando con entusiasmo la primavera, y una palmera de hojas marrones irguiéndose sobre lo demás.

Llamé al timbre, con mucha energía después del ejercicio. Estaba muerta de hambre, y de repente recordé por qué: se me había olvidado la parte de mi plan que incluía el desayuno. Al volver a casa me pararía en las tiendas y llenaría la cesta de la bici de comida.

Escuché pisadas fuertes dentro de la casa y la puerta se abrió de golpe.

El marido de Lara era corpulento y rubio, con algunas zonas grises apenas perceptibles en su pelo claro. Llevaba unos vaqueros, un jersey ancho y unas pantuflas de abuelo. Lo observaba mientras advertía que, nada más verme, su gesto se había torcido dramáticamente, y eso que ya de entrada no resultaba demasiado amistoso. Parecía a punto de derrumbarse.

–¡Vaya! –dijo.

Era más bajo de lo que recordaba y tenía un aspecto un millón de veces más descuidado. Incluso estaba menos amable que la última vez. De haber poseído un aura, esta crepitaría y chisporrotearía de hostilidad. Intenté evitar que la mía hiciera lo mismo. Me relajé mentalmente. Permanecí bajo el débil sol de invierno y forcé una sonrisa.

–¡Hola! –Intenté recordar su nombre–. Soy Iris, nos hemos visto antes. Soy amiga de Lara y…

Me interrumpió.

–Ya. Lara, ¿dónde está?

Me quedé mirándolo.

–¿Dónde está?

–¿Está contigo? ¿Me traes un recado suyo? ¿Qué ha pasado? –Alzó la voz–. ¿Dónde está? ¡Dímelo! ¿Dónde está? ¿Qué le ha pasado a mi mujer?

14

–¿Estás segura de que no la has visto? –volvió a preguntar–. ¿No has tenido noticias suyas? ¿Cuándo fue la última vez que hablasteis? ¿Por qué no contesta al teléfono? ¿Por qué has venido si no sabías que algo iba mal?

Me encontraba sentada en el borde del sofá. El salón era muy luminoso, a pesar de la débil luz de esa mañana. Siempre me resultaba extraño el olor de la calefacción central de la gente, porque nosotros solo calentábamos la casa con la estufa. Los radiadores le dan un toque acogedor a las casas que me hace sentir envidia.

–Se habrá retrasado –le dije–. Suele pasar.

Me preguntaba si podría pedirle un café, porque estaba claro que él no iba a ofrecérmelo. Por supuesto, comer algo quedaba fuera de toda posibilidad.

El tren de Lara, según su marido, había llegado a su hora, a las 7.38. Pero Lara no iba en él.

–Siempre viene en ese tren –me dijo–. Bueno, una vez no, porque el nocturno llegó con retraso, pero me llamó para decírmelo y tomó el siguiente. Y ahora ya ha llegado el siguiente tren, y tampoco venía en ese.

¡Sam! Así se llamaba. Estaba casi segura.

–Vale –dije–. Seguro que habrá algún motivo. Igual ha perdido el teléfono. Igual el tren ha llegado con retraso y Lara ha perdido el móvil, o no le funciona. Al mío le ocurre continuamente. Seguro que están parados en Liskeard o por ahí, en alguna zona sin cobertura.

Él miraba por la ventana, hacia la estación, que estaba justo delante de la casa. Era una atalaya privilegiada para observar a la gente que llegaba: nadie podría bajarse del tren sin que Sam lo viera. Se notaba que estaba deseando ver a su mujer bajando del siguiente tren con una excusa que, nada más pronunciarla, tendría perfecto sentido.

–Lara trabaja demasiado. Se pasa media vida en el tren nocturno. Todo para pagar nuestras deudas. Esto se está alargando más de lo que habíamos planeado: su estancia en Londres le sale cara por culpa de su hermana... De todos modos, la necesito. ¿Dónde está?

El hombre estaba a punto de derrumbarse y, por mucho que no quisiera, supe que me tocaría hacerme cargo de él. Temí por Sam: no porque su mujer estuviera en peligro, sino porque no fuera a volver con él. Seguí mirando su teléfono, a la espera, igual que él, de que algo cambiase.

–Sam –dije, y como no reaccionó supe que había acertado con el nombre–. Sam, tenemos que llamar a la compañía ferroviaria, a la First Great Western.

–He mirado su página web. No pone nada en la sección de incidencias. Salen algunas cosas, pero no. ¿Puedes volver a mirarla?

–Pues claro. ¿Puedo preparar café? Parece que lo necesitas.

Lo agradecí. Preparárselo sería una muestra de apoyo y, al mismo tiempo, me permitiría tomarme la inyección de cafeína que tanto necesitaba. Era un plan perfecto.

–Hay café en la máquina, siempre lo tengo listo para su llegada. Pero tíralo, lleva demasiado tiempo hecho.

Su rostro volvió a contraerse, y tuve que ayudarle a sentarse en una silla antes de ir a preparar el café. Me moría por un café. Había cuatro cruasanes en un plato, pero pensé que comerme uno sería demasiada desvergüenza. No quería ser la mujer que se presentó en la casa de la desaparecida y se zampó su cruasán.

–Llamaré a la compañía –le dije–. No siempre actualizan las páginas web, ¿verdad? Sobre todo, a primera hora de un fin de semana. Mira, si normalmente llega en el tren de las siete y media, aún no lleva ni una hora de retraso. En serio, Sam, seguro que está bien.

Su máquina de café era eléctrica. Tiré el café viejo y frío y busqué un cazo para calentar algo de leche.

Las cocinas ajenas son algo raro, pensé. Se produce una extraña intimidad cuando intentas manejarte en una, tratando de imaginar dónde guarda esa gente las tazas, o si el café está en el frigorífico o en otro sitio.

Por un momento, fingí que yo era Lara y que esta era una típica tarea doméstica. De improviso, di un respingo al comprender que mi amiga estaba aburrida de Sam. Era un hombre aburrido. Ella no. Lo más probable era que lo hubiese dejado.

Me tomé mi tiempo echando café en el recipiente de la máquina. En la casa solo se oía la respiración agitada de Sam, y yo cada vez estaba más segura de que Lara solo llamaría para decir que no pensaba volver. La víspera de Navidad la noté nerviosa. Me estaba ocultando algo.

De acuerdo a la web, el tren salió de Londres a su hora y pasó por Truro a su hora, antes de llegar, también a su hora, a su destino final en Penzance. Sin embargo, la estación de Penzance estaba cerrada «debido a una incidencia». Por lo general, eso significaba que alguien había saltado delante del tren. Sería complicado arrojarse a un tren en Penzance, pues era fin de trayecto. Seguramente, los trenes iban demasiado despacio para que mereciese la pena. No obstante, la gente se las ingeniaba.

El tren había llegado, pero sin Lara. Hoy había decidido no volver a casa. No me gustaba tener que sacar a relucir este hipotético escenario tan evidente.

Sam se sentó a la mesa, junto a la ventana que daba a la estación, y cada pocos minutos llamaba al móvil de su mujer.

–¿Dónde vive en Londres? –pregunté, sosteniendo entre ambas manos mi café–. ¿No puedes llamarla a su casa?

Quería que la pillase, que la obligara a confesar lo que estaba haciendo, fuera lo que fuese.

–No tiene casa. –Sam no apartaba la vista de la estación. Había unas personas esperando en el andén, así que supuse que pronto llegaría un tren–. Estuvo una temporada en casa de su hermana, pero no funcionó. Por eso todavía no hemos pagado ni la mitad de las deudas. Se está alojando en un hotel: una idea horrible desde el punto de vista económico, pero a ella le parecía bien, o eso creo.

–Bueno, pues llama al hotel.

Vi que se lo pensaba.

–¿Puedes hacerlo tú? Lo siento, casi ni te conozco. ¿Puedes llamar al hotel y comprobar si se marchó el viernes?

Cada segundo que pasaba parecía más hundido.

Me costó siglos que me pasaran con un ser humano, pero finalmente hablé con un hombre, enérgico pero eficiente, que tenía un ligero acento de Europa del Este.

–¿Lara Finch? –dijo, y pude oír que sus dedos tecleaban–. Oh, sí. Siempre está aquí los lunes, y siempre se van los viernes por la mañana. Esta semana no hubo cambios. Ayer dejó la habitación. ¿Hay algún problema?

–Sí –le dije con convicción–, lo hay. Ha desaparecido.

Eso le sorprendió.

–¿Desaparecido? ¿Han llamado a la Policía?

–Estamos a punto de hacerlo. Esto…

Miré a Sam. Un tren acababa de llegar a la estación con un dramático chirrido de frenos, y él estaba de pie, con las manos apoyadas en los cristales. Salí de la habitación y me llevé el teléfono al pasillo, fuera, confiaba, de su radio de escucha–. ¿Hay alguien más en su habitación? ¿Le importaría ir a echar un vistazo?

–Lo siento, señorita. Ya han limpiado la habitación y ahora está ocupada por otros clientes. Los fines de semana tenemos una clientela muy distinta al resto de la semana, como comprenderá. Si la señora Finch ha desaparecido, estaremos encantados de colaborar en todo lo que podamos. Le urjo a que llame a la

Policía. Preguntaré a la señora de la limpieza si la señora Finch se ha dejado algo en la habitación, por supuesto.

–Gracias –dije–. ¿Puedo dejarle un número, por si acaso?

No tenía ni idea de cuál era el número de Sam, así que le di el mío y me dije que debía encender mi móvil. Luego, fui a la cocina y encontré una tarjeta en la puerta del frigorífico: «Casa: 551299». Le di ese número también.

–Seguro que aparece sana y salva –dijo, hablándome en el mismo tono que yo usaba con Sam–. Esperamos verla el lunes.

Un rápido vistazo a la cara de Sam me dijo, de nuevo, que Lara no había llegado en el último tren.

–Sam –le dije–, tienes que llamar a la Policía.

Me senté a su lado en el sofá y tomé sus manos, que eran blandas, sin pelo y completamente distintas a las de Laurie, que tenía unos dedos largos, finos y bonitos.

–¿Puedes ponerme la mano en el brazo? –me pidió.

–¿Qué? –pregunté, mirándolo.

–Lara siempre hace eso, cuando hablamos y tal. Me pone una mano en el brazo, aquí. –Señaló el punto–. Y la deja ahí mientras hablamos. Me tranquiliza. Es una tontería, supongo.

Puse una mano en su antebrazo, en el punto que me había indicado. No tenía ni idea de cuánto tiempo debía dejarla ahí.

Había venido a visitar a Lara, mi amiga provisional, por un capricho, y ahora me encontraba sentada en su sofá, tocando el brazo de su marido, esperando oír ruido de llaves en la puerta. En situaciones como estas, yo jamás actuaba de un modo impulsivo: nunca sabías cómo podían acabar las cosas.

Sam estaba tan cerca de mí que nuestros muslos se tocaban, y yo quería apartarme pero no podía. No quería estar tan cerca de él. Deseaba que Lara regresase; que llamase, al menos. Estaba fatal abandonar de esa forma a su marido, que la esperaba imaginándose accidentes atroces.

Pensé en ello con tanta fuerza, más a cada instante que pasaba, que me pareció oírlo. Escuché el roce metálico de una llave al encajar en un espacio a medida para ella; el giro del mecanismo de cierre; el movimiento de una gran plancha de madera que dejaba un hueco en la pared; los crujidos y las pisadas de una persona que entraba en el edificio; una voz: «¿Sam?».

Sentí un peso en el estómago. Aquello no era real. No iba a suceder.

15

Cuando alguien llegó de verdad a la puerta, me levanté lentamente. No sería ella, pero aun así existía una mínima posibilidad de que lo fuese. Quizá aquel iba a ser el momento en que Lara apareciese con una explicación cualquiera que lo arreglase todo, y yo podría marcharme a mi casa. Quizá, pensé, había decidido llamar a la puerta en lugar de usar su llave, un gesto de sumisión, porque sabía que había obrado mal al no explicarle a Sam lo que le había pasado.

Lara estaba llena de vida y energía. Irradiaba una luz blanca y reluciente a su alrededor. De estar allí ahora, se encontraría envuelta en un aura de color granate, entre disculpas. Eso no estaría mal.

Sam permaneció en el sofá, fingiendo tranquilidad de un modo demasiado evidente. Procuré que mis pasos resultaran comedidos mientras me dirigía a la puerta. Pasé por delante de una foto formal de la pareja el día de su boda y de un cartel enmarcado de *Vértigo,* la película de Hitchcock. Ni Sam ni yo mencionamos el hecho de que este era el primer contacto con el mundo exterior desde que Lara se había ido. Esto era, en cierto sentido, lo más cercano que hubo a su regreso.

Eran dos agentes de Policía, hombre y mujer. Al instante tuve la sensación de ser la culpable de algún horrible crimen. El mundo exterior se coló en la casa con una ráfaga de aire gélido: fuera hacía más frío de lo que recordaba. Reprimí las ganas repentinas de salir corriendo colina abajo, montarme en la bici y pedalear hasta mi casa, resoplando y helada.

–Buenos días –saludó la mujer.

Era mucho más bajita que yo. Llevaba el pelo algo más corto de lo que le iría bien a su rostro, y unos pendientes que parecían botoncitos en forma de corazón. También tenía cara de ser una persona que no aceptaba tonterías.

–Hemos recibido una llamada relativa a la señora Lara Finch.

El hombre asintió, mirándome a los ojos, evaluándome. Sostuve su mirada, me fijé en sus gafas estilo Harry Potter y en su rostro suave, tan bien afeitado que seguía rosa, y me recordé que no tenía nada que ocultar. Era mucho más alto que su compañera, tanto, que formaban una pareja casi cómica, pero ambos se desenvolvían con brío y eficacia, y como eran policías preferí no hacer comentarios sobre su divertido contraste.

Me acordé de Laurie, y pensé que no debía decir ni hacer nada que provocase que esa gente se presentara en mi casa.

–Ha desaparecido –dije, preguntándome cuántas veces había que pronunciar esas dos palabras antes de dejar de sentir que se está recitando el guion de un culebrón televisivo. Si Lara había dejado a Sam, había desaparecido por voluntad propia–. Pasen. –Me hice a un lado como una buena anfitriona; el agente lanzó al pasar una mirada divertida a mi jersey hecho a mano. Sam estaba de pie, con la mano lista para el saludo antes incluso de que los policías entraran. Agradecía su atención de un modo evidente y patético.

–Yo soy Iris –le dije a la mujer–, una amiga de Lara. Solo he venido a hacerle una visita, no tenía ni idea de que…

–Soy la agente Jessica Staines –se presentó la mujer.

–Hermosas vistas –comentó el hombre–. Soy el agente Alexander Zielowski.

–¿Agente Alexander Zielowski? Suena a nombre de policía de la tele.

Asintió. Aparentemente le había hecho gracia, aunque no mucha.

–Sí –dijo–, aunque le sorprendería descubrir que en realidad no soy el poli duro de roer de Nueva York que se podría esperar de mi nombre.

–¿Quieren un café? –pregunté.

El hombre asintió de nuevo.

–Sí, por favor. –Jessica tomó las riendas–. Muchas gracias. Bueno, tenemos entendido que la señora Finch viajaba en el tren nocturno la pasada noche, y que no ha llegado a casa. ¿Podría contarnos más detalles, señor Finch?

La agente adoptó un tono muy profesional, mucho menos informal de lo que me hubiera esperado teniendo en cuenta que estábamos hablando de una persona adulta que no se había presentado en su casa. Muy pronto, la urgencia de sus preguntas me hizo sospechar que la Policía sabía algo que nosotros ignorábamos. Preparé la cafetera, la puse al fuego y volví con ellos sin demorarme más.

–Nos sometimos a un tratamiento de fertilidad que no funcionó –les estaba contando Sam–, así que pensamos en adoptar un niño en el extranjero. El problema era que nos habíamos gastado todos nuestros ahorros. Necesitábamos dinero. A Lara le ofrecieron un trabajo de lo suyo en Londres, por seis meses. Se dedica al desarrollo inmobiliario, es directora de proyectos, trabaja en una obra detrás del Tate Modern. Es buenísima. Ganaba literalmente el triple de lo que gano yo en el astillero, más algunas dietas de viajes y todo eso. Así que decidimos ir a por ello. –Sonaba como si no esperase que le creyeran–. Lo hace por nosotros, para que podamos empezar el proceso de adopción. Ese es el motivo. –Se le quebró la voz y empezó a llorar.

–Bien… –dijo Jessica, y se sentó a su lado en el sofá.

El agente Alexander ocupó el único sillón, y yo rondaba de pie, cerca de la cocina.

–La cosa es… Esto no va a resultar fácil, me temo. Cuando el tren nocturno de ayer llegó a Penzance esta mañana, los empleados de la First Great Western encontraron un cadáver en uno de los compartimentos.

Sam soltó un gemido, yo me apoyé en la pared para mantener el equilibrio. El café silbaba y borboteaba como una locomotora de vapor. Las palabras «su esposa ha muerto» se colaron en mi mente, repitiéndose en un bucle.

–El cadáver de un varón –se apresuró a apuntar el agente Alex, alzando la voz para que se le oyera por encima del ruido de la cafetera–. No el de su esposa, discúlpenos, deberíamos haberlo dejado claro. –Miró a Jessica–. La estación de Penzance está cerrada hasta próximo aviso, y el tren se considera escenario del crimen. Nuestros compañeros de Penzance están interrogando a todos los pasajeros, trabajando para el MCIT. –Observó nuestros rostros confusos–. El Equipo de Investigación de Grandes Delitos. Teniendo en cuenta este contexto, la Policía se está tomando extremadamente en serio su denuncia de la desaparición de la señora Finch, por razones obvias. Nos pidieron que viniéramos nosotros porque en Penzance no les queda personal libre, pero es muy probable que pronto se pongan en contacto con usted, si la señora Finch aparece sana y salva. Por supuesto, querrán hablar con ella cuanto antes.

Fui a servir el café. La cafetera solo era de dos tazas, así que se las ofrecí a los agentes. Sam no parecía capaz de poder ingerir nada, y yo tampoco.

–¿Ese hombre murió por causas naturales? –conseguí preguntar mientras servía el café, temblorosa, a los policías.

Que un hombre mayor sufriera un ataque al corazón sería algo casi aceptable, rozando lo común. Me lo imaginé tirado en una cama de tren, sean como sean esas camas, apretándose el pecho y con el rostro contorsionado en el último gesto. En mi imaginación, era alguien muy mayor, tan viejo que todo el mundo diría inmediatamente que ya había vivido bastante y que al menos estuvo activo hasta el final. «Increíble, ¿verdad? Viajando en el tren nocturno a su edad.»

Pero la muerte de un hombre de esas características no daría lugar a una investigación criminal, y lo sabía.

–Indicios preliminares –dijo Jessica sin entonación alguna– nos hacen pensar que no es el caso. Se está tratando como una muerte en circunstancias sospechosas. Este café está buenísimo, gracias. Aparte de eso, esperamos recibir más datos. Los empleados descubrieron el cadáver poco antes de llegar a Penzance, cuando pasan por los compartimentos para asegurarse de que todo el mundo se despierta. En la estación se retuvo a todos los pasajeros, se les tomaron las huellas, se recogieron sus billetes y demás. –Vi que Sam se sentaba más tieso, deseoso de que esto explicara la desaparición de Lara, pero la agente continuó–: Como la señora Finch se habría bajado del tren en Truro, no era probable que estuviera entre ese grupo de pasajeros. Por supuesto, lo comprobamos en cuanto recibimos su llamada y, en efecto, su mujer no estaba en el tren en aquel punto del trayecto.

Se mostraba muy tranquila, aunque sus dedos jugueteaban sin cesar con un trozo de papel rayado que había doblado en forma de abanico. Cuando daba sorbos al café, la taza temblaba ligeramente. Me pregunté con cuánta frecuencia la Policía de Falmouth trataba con casos semejantes; estaba segura de que la mayor parte del tiempo se dedicaban a poner multas por cacas de perros y a controlar a menores que salían de los pubs que hubiera abiertos a primera hora del fin de semana.

Decidí hacer café para Sam y para mí, en parte porque él seguramente lo necesitaría –yo lo necesitaba–, pero sobre todo con el fin de tener una excusa para salir de allí. Oí que pedían a Sam que repasara de nuevo los movimientos de Lara, con tanto detalle como pudieron sonsacarle. No me podía creer que me hubiera metido en algo así.

–Entonces no tiene ni idea de si su mujer se subió al tren –preguntó el agente Alex.

Encendí el gas y contemplé las llamas azules lamiendo el costado de la cafetera una vez más.

–¿Normalmente ella le avisaba cuando estaba en la estación de Paddington, o cuando salía del trabajo? ¿Hablaban los viernes por la noche?

Sam parecía a la defensiva.

–Cuando empezó a trabajar, me llamaba dos veces al día. Luego, ya saben, empezó a acostumbrarse a la distancia y no necesitábamos estar todo el tiempo al teléfono. De todos modos, siempre hablábamos un rato todos los días, en un momento u otro. Sé que en el tren se relaciona con un grupo de gente –añadió rápidamente–. Ellos sabrán si se montó. Una mujer que vive en Penzance, Ellen. A Lara le cae muy bien. Y creo que también había un hombre, aunque hace tiempo que no lo menciona. A veces se tomaban juntos una copa en el tren. Mucha gente sabrá si estaba o no. Esa gente de la que hablan... –Su voz se quebró.

–Salió del hotel como siempre –comenté en voz alta–. He llamado esta mañana. Dijeron que se fue el viernes, como de costumbre.

En realidad, el hombre había dicho «siempre se van», pero intenté no tomármelo como nada más que un lapsus de un recepcionista estresado. Por supuesto, no iba a contárselo a la Policía delante de Sam.

–Cuando sepa algo de ella –dijo Alexander Zielowski mientras yo servía la segunda ronda de café en dos tazas a rayas–, avísenos, por favor. Al instante. Es fundamental. Dígale que se ponga en contacto con nosotros con la máxima urgencia. Hasta entonces, nuestros compañeros preguntarán a los demás pasajeros para buscar alguna información que pueda permitirnos trazar los movimientos de su esposa.

Alex Zielowski tenía un punto amable, y me gustaba porque resultaba evidente que era un hombre con vida interior. Si tuviera que colorearlo, usaría un azul claro muy suave, mi color favorito. Me intrigaba qué sucedía bajo su superficie. Nunca conozco a gente nueva, jamás, y aquella mañana, en las circunstancias más incómodas, había conocido a varios.

Me dediqué a poner colores a los policías –Jessica era naranja, con un poco de amarillo en los bordes; más vulnerable– en un intento por no pensar en Lara. Alguien había muerto y ella no aparecía. Luché para no imaginar su cuerpo desmadejado tirado en una zanja junto a las vías, arrojado desde el tren por una figura misteriosa debido a que había visto más de lo que debía.

Ahora fue Jessica la encargada del interrogatorio. Preguntó, de un modo mucho más cortante que Alexander, si Sam y Lara habían discutido el pasado fin de semana, si Lara tenía tendencia a la depresión, si había algún motivo que se le ocurriese por el cual pudiera haberse ido. Preguntó también si perdía con frecuencia el teléfono o el bolso. ¿Tenía problemas de salud? Siguió y siguió. Teniendo en cuenta que alguien había muerto, las preguntas parecían amables, preguntas que, contestadas correctamente, podrían traer a Lara de vuelta, disculpándose por las molestias.

Mientras la mujer continuaba con su interrogatorio y yo intentaba entretenerme limpiando la cocina, Alexander recibió una llamada. Nada más oír su tono de voz, lo miré y agucé el oído. Avanzó hacia mí mientras hablaba, para apartarse de Sam. Jessica fingía concentrarse en Sam, que estaba contándole que Lara y él nunca jamás discutían, pero pude ver que ella también escuchaba con atención a su compañero.

–Ajá –dijo Alex–. Ya veo. De hecho, ahora mismo estoy con su marido… Sí, claro.

Al colgar la llamada, el silenció se petrificó. Era lo único que había en la estancia. Cuando el agente lo rompió, había adoptado un tono formal, como si estuviera dando una rueda de prensa, distanciándose de las palabras que tenía que decir.

–Bueno –dijo–, se confirma que el pasajero ha sido asesinado. Lo han identificado como Guy Thomas, y varios pasajeros habituales y empleados del tren han sugerido que estaba muy unido a su esposa, señor Finch. ¿Alguna vez le habló de él?

Sam cerró los ojos.

–¿Muy unido a mi esposa? –dijo, experimentando con la frase, con lo que significaba–. Igual me habló de él una o dos veces. Había alguien que se llamaba Guy. Pero, definitivamente, no estaba muy unido a Lara.

Tras un frenesí de llamadas y consultas en voz baja, Alexander se marchó. Jessica se quedó un poco más, pero anunció que se mantendría apartada. «Ustedes hagan como que no estoy», dijo, y permaneció junto a la ventana contemplando las vistas. Nos explicó una lista de cosas que no se nos permitía hacer, la principal de las cuales era que Sam no podía acercarse a su ordenador.

Sam se derrumbó en el sofá y descargó su peso en mí. Resultaba incómodo, pero aguanté todo lo que pude. Me apetecía poner las noticias y ver qué decían sobre la muerte de Guy Thomas. Quería meterme en Internet y enterarme de todo.

–Sam –dije, finalmente. Lo que más me apetecía era estar delante de mi estufa con mis gatas y contarle todo esto a Laurie, que no tenía ni idea de dónde estaba yo, igual que Sam con Lara–. Necesitas estar con otra persona, no conmigo y la agente Jessica. Llamaré a alguien. Es un sinsentido que solo nosotros dos y la Policía, y quizá el recepcionista de hotel, supongo, sepan de la desaparición de Lara. Estoy segura de que no tardará en aparecer en las noticias, y entonces todo el mundo va a querer hablar contigo. ¿No querrás que tu familia, o la de Lara, se enteren así? Dame los números y llamaré yo. ¿Quién es tu mejor amigo en Falmouth?

Me dirigió una mirada totalmente perdida. Su rostro estaba descompuesto. Me entraron unas ganas repentinas de gritarle para que recobrara la compostura. Ahora no podía derrumbarse, todavía no.

– Iris, quédate. Eres amiga de Lara. Quédate conmigo. Por favor, no te vayas.

–Sam, ¿tienes padres?, ¿hermanos? –No me gustaba hacer suposiciones–. Alguien tiene que haber.

Hundió la cabeza entre las manos y soltó un quejido. Era un sonido desagradable, de animal.

–¡Mierda! Oye, sé que tienes que llamar a mi madre. Me mataría si se entera de esto por las noticias. Lara y ella nunca se... Pero, Iris, ¿te quedarás al menos hasta que sepan si iba en el tren o no? ¿Lo harás? Todavía pienso que va a regresar en cualquier momento. Me da igual lo que haya hecho, con tal de que esté bien.

–Me quedaré encantada todo el tiempo que necesites. –No era verdad, pero no podía decir otra cosa–. Pero estarás mejor si quien te prepara el café y abre la puerta no es una extraña. En serio. No llamaré a tu madre aún si no quieres, pero déjame que te traiga a un amigo.

Jessica se acercó a la cocina.

–¿Les importa si pongo agua a calentar? –preguntó.

Sam no respondió.

–Adelante –dije–. Sam, ¿a quién llamo?

No estaba dispuesto a claudicar.

–Por favor, Iris, por favor. Tengo amigos en el trabajo, supongo, pero no de los que tú te refieres. Si llamas a cualquiera de mis compañeros para pedirles que vengan a cuidarme... se quedarán de piedra. Te preguntarán si no tengo amigos de verdad para este tipo de circunstancias. Lara y yo siempre hemos estado muy unidos, nunca hemos necesitado a nadie más. Solo nos tenemos el uno al otro.

Y ella tenía también, de un modo u otro, a Guy Thomas. Esa idea, impronunciable, permaneció suspendida en el aire.

Sam derribó con el codo su teléfono móvil, que estaba sobre el brazo del sillón, y se agachó para recogerlo del suelo, con un repentino gesto de esperanza por si hubiese llegado un mensaje durante el nanosegundo que estuvo lejos del teléfono y no lo hubiera oído.

–¡Nada! –comentó–. Iris, ¿qué coño está pasando? ¿Qué estaba haciendo Lara? ¿Dónde está? No puede ser que... no esté aquí.

Me senté a su lado y toqué su brazo.

–Lo descubriremos –le dije. Se me habían ido las ganas de estar enfadada con él. Su situación era terrible, e iba a empeorar–. En algún momento lo sabremos. Y te entiendo con eso de que no necesitabais a nadie más. Poca gente lo entendería, pero yo sí, en serio. Si me sucediera lo mismo que a ti, yo tampoco tendría a nadie a quien llamar. Comprendo cuánto la echas de menos. Es curioso, ¿sabes? Los dos dabais la impresión de ser una de esas parejas con cientos de amigos. Pensaba que erais de los que van todos los fines de semana a cenar a casa de conocidos y todo ese rollo.

Me di cuenta de que estaba utilizando el pasado en lugar del presente, y confié en que no se hubiera dado cuenta.

–En absoluto –dijo él–. Solo queremos estar el uno con el otro. No hacemos nada más.

–Yo igual. –Alcé la vista para mirar a Jessica. Estaba ocupada con su teléfono junto a una cazuela ruidosa, y parecía no oírnos–. Mi novio Laurie y yo también somos así.

–¿Quién necesita tener un montón de «amigos» mandándote mensajes todo el rato e intentando convencerte para que hagas cosas que no te apetecen?

–Yo no. A mí me gusta poner la música tan alta como me venga en gana y hacer las cosas a mi modo, y charlar con Laurie, solo con él. Llevamos años viviendo así.

Recordé mi vida anterior, cuando vivía y trabajaba en Londres. En aquel tiempo, tenía montones de amigos. Últimamente lo echo de menos. Nunca pensé que sucedería. Fueron las ganas de hacer algo nuevo lo que me llevó esa mañana hasta la puerta de la casa de Sam.

Me miró con una sonrisita triste.

–Tú me entiendes –dijo–. Pues imagínate si tu pareja desapareciera. Y encima hubiera un muerto de por medio. Todo sería horrible, sin sentido, igual que una pesadilla, pero real. Y que te dijeran que tu pareja estaba «muy unida» a ese muerto. ¿Cómo te sentirías?

Me negué a imaginar esa situación.

–Si Lara hubiese estado hoy aquí, como de costumbre… –dije, dando unas palmaditas en la mano de Sam en un gesto que pretendía ser cariñoso y de consuelo.

Tomó mi mano al instante y la apretó con tanta fuerza que me hizo daño.

–… Y yo me hubiera presentado en vuestra puerta solo para saludar, te habría molestado, ¿verdad?

Se rio, pero sin sonreír.

—Pues sí. Pero cuando ella vuelva puedes pasarte por aquí cuando te dé la gana. De hecho, hazlo, por favor. Vas a ser nuestra amiga. Nadie más. Solo tú.

—Gracias.

Me uní a él en el tremendo esfuerzo mental que estaba realizando para aparentar que todo iba a salir bien, pero todo se estaba volviendo cada vez más complicado. Un hombre había muerto y Lara había desaparecido. Había tantas posibilidades de que eso implicara que ella también estaba muerta, que me vi obligada a apartar la idea de mi cabeza. Me resultaba tan evidente, tan obvio, que tuve que mirar en otra dirección. Fingía creer que Lara estaba a punto de regresar a casa, frustrada, con una historia enrevesada, pero sana y salva. La agente que había en la cocina sonreiría y se marcharía a atender su siguiente aviso.

Di vueltas por la casa. Como la planta superior era un espacio diáfano, no había mucho que descubrir, y no me apetecía pedir permiso para ponerme a explorar la vivienda.

—Entonces, ¿vuestro dormitorio está abajo? —pregunté.

—Sí. —Sam me miró y soltó una risa inesperada—. Ve, echa un vistazo a la casa si quieres, no tenemos nada que ocultar. Ya veo que te apetece. A Lara también le gustaba ver casas.

Este lugar podría terminar siendo el escenario de un crimen, pero como Lara no había vuelto —de ahí todo el embrollo— me pareció seguro darme una vueltecita por la casa. A fin de cuentas, ella había hecho lo mismo en la mía.

Miré a Jessica Staines. Se encogió de hombros.

—Por mí no hay problema, pero no toque nada.

Sam la ignoró y me dijo:

—Abajo, abre la puerta del fondo y sal al jardín. Puedes explorarlo a placer.

—¿Estarás bien? Llámame si pasa algo.

—Lo haré.

Parecía emocionado, como si aquel pequeño cambio en el statu quo fuera a provocar que sonase el teléfono. Yo, para mis adentros, esperaba lo mismo que él.

Me gustó el hecho de que la casa estuviera, vista con ojos convencionales, del revés. Al final de las escaleras estaba lo que debería haber sido un recibidor, pero como se encontraba en el piso de abajo no se le podía llamar así; quizá más bien antesala. Abrí la puerta que tenía más cerca y me encontré en lo que debía de ser el dormitorio conyugal.

El edredón estaba tan bien puesto sobre la cama extra grande que no tenía ni una arruga, y la habitación olía a productos de limpieza. No era lo que se podría esperar del cuarto de un hombre que vive solo la mayor parte del tiempo. Al menos, si aceptas sin reparos que todos los tíos son unos guarros.

Contemplé las fotos, pues las había por todas las paredes. Dadas las circunstancias, resultaba casi tétrico. Ante mis ojos, se transformaban en las típicas imágenes que salen en las noticias y en las portadas de los periódicos. Lara, hermosa y radiante el día de su boda, del brazo de un Sam más delgado y joven que sonreía a la cámara. Por lo general, yo pasaba de las bodas, pero tuve que reconocer que el vestido blanco de estilo clásico y el ramo de rosas le quedaban bien a Lara. Sam rebosaba felicidad al lado de su mujer: se podía ver a lo largo de los años en las distintas fotografías.

Aparecían en más fotos: en unas vacaciones en Nueva York, en alguna playa y en Londres. Había muchos posados, y unas cuantas fotos eran de Lara sola, levantando la vista y sonriendo mientras Sam la retrataba regando un geranio, leyendo un libro, cocinando en un *wok*. No había fotos de él en situaciones semejantes.

Me imaginé a Sam durmiendo en aquella habitación mientras Lara estaba fuera, rodeado por sus imágenes. La habitación era un templo dedicado a su mujer.

Una de las habitaciones era el despacho, y también se encontraba antisépticamente pulcro. Sobre la mesa había un ordenador portátil abierto pero apagado, y no me atreví a acercarme a él.

El cuarto de baño estaba limpio, y de repente comprendí que Sam había limpiado y ordenado toda la casa para ella, como seguramente hacía todos los viernes por la noche. La casa estaba lista e inmaculada para el regreso de su mujer, con el fin de tener su aprobación.

Se me hacía extraña esa espera fútil, aguardando la llegada de alguien que no iba a venir, con la presencia acechante de una agente de Policía recordándonos constantemente lo improbable de un final feliz para esta historia. Como no había nada que hacer, resultaba a la vez aburrido y tenso. Sam me suplicó que no me fuera.

–Llama a tu novio, si quieres –me ofreció, pero lo rechacé sacudiendo la cabeza.

–Que se las arregle solo por un día –dije.

Laurie. Estaría adormilado, con la consciencia justa para darse cuenta de que yo no estaba. Cuando se despertara del todo, pensaría que me habría ido de compras. A veces se pasaba todo el día dormido, porque no tenía otra cosa que hacer.

Me senté en el sillón y hojeé el periódico del sábado anterior, preguntándome qué anunciarían al mundo los titulares de mañana. Sam esperaba la llegada de Lara. Yo estaba alerta por si Jessica recibía noticias. Un tren entró en la pequeña estación. Los dos nos levantamos en cuanto oímos el chirrido de los frenos, y comprobamos, a nuestro pesar, que Lara no se bajaba. Esta escena se repetía cada media hora.

Finalmente, Sam me dejó llamar a su hermano, que se mostró sorprendido y agresivo.

–¿Qué? ¿Pero qué me estás contando? ¿Dónde está Lara? ¿Sam necesita que dejemos lo que estamos haciendo para estar con él?

Suspirando por el incordio, dijo que hablaría con su madre. Oí que encendía la televisión, de fondo.

Cuando empezaron a suceder cosas, todo ocurrió muy deprisa. Llegaron dos policías más, en esta ocasión, hombres los dos. Sam los miró con la esperanza de que trajeran unas improbables buenas noticias. En vez de eso, lo arrestaron por el asesinato de Guy Thomas.

–Es el modo más práctico de tomarle declaración –me explicó Jessica mientras se lo llevaban, parpadeando asombrado, todavía incapaz de asimilar este último giro de los acontecimientos–. Le tomarán las huellas, se llevarán su ordenador, comprobarán su coartada. La manera más directa de hacerlo es teniéndolo bajo arresto.

Intenté imaginarme si Sam podría, de hecho, ser el responsable de lo que le hubiera pasado a su mujer. Estaba casi segura de que no podía ser tan buen actor, pero no lo conocía. Podría haber montado en el coche azul y conducido hasta algún punto en la ruta del tren, haberlo interceptado, saltado a bordo en una parada, y haberse cargado a su esposa y a ese hombre, Guy Thomas. Supuse que era posible.

–¿Puedes acompañarme, Iris? –preguntó Sam, dándose la vuelta en la puerta, y tanto él como los dos agentes me miraron.

–Sam, tengo que irme a casa –dije con toda la firmeza de la que fui capaz, y agarré mi bolso.

Jessica se quedó, y solté un adiós culpable cuando Sam se montó en la parte trasera del coche patrulla. Parecía exactamente lo que era: alguien a quien estaban arrestando. Pude ver que, sobre el papel, era el sospechoso evidente. Quiso decirme algo desde el otro lado de la ventanilla, y el agente que no conducía me miró con interés.

Me quedé allí y contemplé cómo el coche se alejaba colina abajo y giraba en la esquina antes de marcharme en la misma dirección, hacia mi bicicleta, intentando convencerme de que, al dejarlo solo, no estaba traicionando a Sam.

Pedaleé deprisa para volver con Laurie antes de que se me enfriara el *fish and chips*. Comí demasiado rápido y se lo conté todo. Me miraba con los ojos abiertos como platos, escuchándome con atención. La historia sonaba estrafalaria, pero se la creyó. Me pregunté cuáles serían las causas de mis preocupaciones; mis planes secretos de viajar sola parecían ridículos. Sí, había dinero en el banco: nuestro dinero. Necesitaba contárselo. Por el momento, sin embargo, me limité a compartir con Laurie el día tan horrendo que había tenido. Ahora que me había librado de Sam, disponía de espacio en mi mente para preocuparme de un modo horrible y con todas mis fuerzas por Lara. Si seguía viva, no estaría bien, eso seguro. Ya no podía seguir intentando convencerme de que estaría bien.

–Entonces, ¿qué crees que ha pasado? –me preguntó Laurie, acurrucándose sobre los cojines del suelo y comiendo patatas fritas con las manos–. ¿Han asesinado a ese pobre tipo y ella vio demasiado y salió huyendo? ¿O piensas que ha sido su marido el que lo hizo?

Me limpié la boca con el trozo de papel de cocina que había dejado en la mesa a este propósito.

–Estoy convencida de que Sam no habría sabido ni por dónde empezar –dije–. Es imposible que haya sido él. En realidad, ni la Policía lo piensa. Creo que solo lo arrestaron porque primero hay que descartar al marido, dado que Lara estaba liada con ese Guy. Supongo que habrá visto demasiado... No sé, cuesta encontrarle un sentido. La verdad es que no la conozco mucho, pero me cae bien.

–Tendrías que haberla invitado algún día, habérmela presentado.

–Vino cuando tú no estabas, antes de las Navidades.

–Tendría que haber venido cuando yo estaba. Se habría dado cuenta de lo nuestro.

–No me la imagino dejando a su marido. Todavía existe la posibilidad de que sea eso lo que ha pasado, ¿no? A ver, podría ser que ni siquiera se hubiera subido al tren. Podría ser simplemente una coincidencia, que alguien asesinase a ese tipo y ella hubiera decidido quedarse en Londres. Pero le habría dicho a Sam que no venía. Deberías haber visto cómo estaba, el pobre.

Lara no le haría algo así a nadie, y menos a alguien que le importase. Su pareja. –Me volví para que no viera que tenía los ojos lacrimosos–. El hombre con el que quería tener hijos. Se lo habría dicho a la cara, o al menos lo habría llamado. O escrito. Habría hecho algo. No lo abandonaría así, sin decir palabra.

–Sería un monstruo.

–Igual hay una carta que se perdió en el correo. Un mensaje que no ha llegado.

–¿Te das cuenta de que las posibilidades de que esté bien son poquísimas?

–¡No digas eso!

–Tú no me dejarás nunca, ¿verdad, Iris? No sabría qué hacer. Sin ti no soy nada.

Tomé una patata de su plato aunque todavía quedaban muchas en el mío, solo para demostrar lo unidos que estábamos.

–Nunca te dejaré –le dije–. Esta es la vida que hemos elegido. Esta es nuestra vida. Es todo lo que quiero.

Miré sus ojos cálidos, y él sostuvo mi mirada: emanaba amor. Me guardé mis sueños traicioneros dentro de mí tan profundamente que sabía que Laurie jamás podría intuirlos. Me sentía oprimida, pero segura. Intenté decirme que con eso bastaba. La seguridad era suficiente. *Desdémona* trepó a mi regazo. Me disponía a quitármela de encima, pero luego la dejé quedarse.

–Ya recojo yo –dije–. Te quiero, por cierto.

–Yo más –replicó, y me pregunté, no por primera vez, si Laurie iba a estar bien.

16

Febrero

La casa de Guy Thomas se encontraba en pleno campo, más allá de Penzance. Tuve que llevarme la bici en el tren y luego pedalear colinas arriba y abajo durante media hora hasta que llegué. Siempre había tenido la idea de que Falmouth estaba en el extremo occidental del país, pero al llegar allí recordé que no era así. Todavía había un montón de kilómetros entre nuestra ciudad y el auténtico oeste de Cornualles.

Allí el campo era pedregoso, y la luz, distinta, casi etérea. Se notaba que estabas en la mismísima punta de un continente, en las rocas que se erigían sobre el vasto lecho del Atlántico. El aire era puro, porque no había más ciudades pasado Truro, que quedaba a muchas millas al este. Estaba Penzance, y luego, pueblos.

La residencia de los Thomas era una casona de campo de piedra cerca de St Buryan, que a su vez no quedaba lejos de Sennen y del cabo de Land's End. Te sentías como en el fin del mundo, de un modo transcendente. Allí podría suceder cualquier cosa: podrían haber llovido ángeles del cielo y aterrizado en la carretera delante de mí; los arbustos podrían haber prendido en llamas.

La furgoneta de una cadena de televisión aparcada en la entrada de un terreno fue la primera cosa incongruente que vi. Luego había varios coches en la cuneta, por toda la estrecha carreterita. El portón que daba acceso a lo que, evidentemente, era la propiedad de los Thomas estaba cerrado con candados, y un grupo de periodistas esperaba delante, charlando con una despreocupación cruel. Su respiración formaba nubecitas de vaho en el aire mientras daban pataditas en el suelo y mandaban mensajes, con aspecto aburrido. Eran sorprendentemente jóvenes. No sé muy bien por qué, me había imaginado a unos viejos plumillas canosos de Fleet Street, pero estos adolescentes de mejillas sonrosadas parecían becarios en prácticas.

Me abrí paso entre ellos y me puse a trepar por la valla. Todos se abalanzaron sobre mí y me sacaron fotos, por si acaso, pillándome a medio camino en una pose de lo menos elegante. De ser una de ellos, también habría sacado fotos: yo era, lo mirases por donde lo mirases, una visita inesperada para la afligida viuda. No se imaginaban cuánto.

–¡Hola! ¿Es usted amiga de la familia? –me preguntó un joven bien parecido –. ¿Cómo lo lleva Diana?

–¿Cómo están los niños? –dijo otro.

–Lo siento. –Me pareció que debía responder algo.

Y no se me ocurrió nada más que decir, así que caminé por el jardín hacia la casa, pasando delante de dos coches –uno pequeño y rojo, el otro enorme y negro de esos estilo todoterreno–, mientras fingía no oír a los periodistas.

Todo había cambiado después de que la Policía confirmara que Lara iba en el tren cuando salió de Londres y que era indiscutible que tenía una aventura con Guy Thomas, hasta el punto de que su relación había llegado a marcar su vida en Londres y ambos habían estado llevando esa doble vida con eficacia. El tren entero lo sabía. Los empleados les servían el desayuno juntos por las mañanas, pues sabían que la pareja bajaba la litera de arriba para poder pasar la noche en el mismo compartimento. Según los periódicos, las camas no eran lo bastante grandes para que dos personas durmieran juntas, ni siquiera los amantes más sufridos. Y ahora que Guy estaba muerto, Lara seguía desaparecida y Sam había sido descartado rápidamente de la lista de sospechosos, todo el mundo pasó de un modo grotesco a suponer que Lara había asesinado a Guy Thomas –probablemente por accidente, tras una discusión sobre si abandonaba o no a su mujer– y después se había dado a la fuga.

Diana, la esposa de Guy Thomas, se había enterado, en primer lugar, de que su marido había sido asesinado, y luego, de que la había estado engañando con premeditación y alevosía. Tenía a la prensa delante de casa, esperando un titular para el día siguiente. La vida sexual de su marido aparecía en todos los periódicos y las televisiones, y el mundo no se cansaba de ella. No me podía ni imaginar qué estaría pasando por la cabeza de esa mujer.

Sentía una tremenda curiosidad por ella, y me moría de ganas de verla. Así que cuando Sam me pidió que fuera a visitarla para transmitirle sus condolencias, puesto que él no podía soportar salir de casa, salté ante la ocasión que me brindaba. Solicité permiso a Alexander Zielowski, de la Policía de Falmouth, y Diana Thomas aceptó sin pensárselo.

«Tal vez sea un poco masoquista –escribía en su correo electrónico–, pero me gustaría enterarme de cómo era Lara por alguien que la conociese, en lugar de por la prensa, a la cual intento, sin éxito, evitar. ¿Por qué no? Pásate por aquí. Ya nada puede ser peor.»

La desaparición de Lara seguía siendo tan misteriosa como antes, pero la conmoción se había desvanecido y ahora era una fría realidad. Había pasado una semana, era otra vez sábado, y apenas había habido cambios. La investigación, que se llamaba «Operación Acuario», la llevaba la comisaría de Policía de Penzance, bajo la dirección del Equipo de Investigación de Delitos Graves que, por lo que comentó Alex Zielowski, era un grupo de detectives especializados. Por mucho que le hubiese gustado, el agente Zielowski no formaba parte de la investigación.

Laurie y yo hablábamos sin cesar del tema, pero solo dábamos vueltas a las mismas teorías, que se estaban estancando. Según la Policía y la ávida prensa, Lara se acostó temprano tras sufrir un desvanecimiento –esto, se especulaba, le servía para tener la coartada de encontrarse bien tapadita en la cama–. Pero pronto volvió a estar en pie: un pasajero la vio a eso de las doce y media, dirigiéndose al compartimento de Guy. Por la mañana ya no estaba, y Guy apareció muerto, asesinado con un cuchillo pequeño pero afilado que tenía las huellas de Lara. Los pasajeros de los compartimentos vecinos declararon haber oído voces, que no gritos, y una discusión, pero nada lo bastante dramático como para hacerles sentir, en aquel momento, otra cosa que no fuera un leve enfado por el ruido.

Se investigó a todos los pasajeros de esa parte del tren. Era sencillo, porque los nombres de todos los viajeros que iban en los vagones con camas aparecían en los listados de la compañía, y los revisores los iban tachando al subir, como en un tren de los de antes. Sin embargo, había otra sección del tren, que los pasajeros del coche cama llamaban el «vagón del ganado», en la que la gente hacía todo el viaje en asientos. Creí a Alex cuando me dijo que estaba casi completamente convencido de que ningún pasajero del coche cama estaría implicado en el asesinato, así que estaba segura de que el asesino tenía que viajar en la parte del «ganado» del tren, y debió de marcharse mucho antes de que el convoy llegase a la estación final de trayecto.

Nadie más parecía pensar lo mismo, en absoluto. Una vez asumido que no había sido Sam, el mundo entero decidió que había sido Lara.

La Policía estaba rastreando el terreno a lo largo de la ruta del tren, pero eso suponía muchos kilómetros. Pensé que estarían buscando el cadáver de Lara, basándose en que se habría arrojado del tren tras apuñalar a su amante por accidente hasta matarlo. Los periódicos preferían historias más emocionantes: se había esfumado y podría estar en cualquier parte. «¡Podría estar a tu lado ahora mismo!», señalaban con su palabrería excitada. «¡Mientras lees esto! ¡En el autobús! ¡Atentos, en todas partes!» Era como cuando desaparecía un niño, excepto que, en lugar del angelito inocente, el país entero se dedicaba a fijarse en las caras que veía por cualquier calle, buscando a una mujer hermosa pero que era una asesina depravada. Se trataba de un entretenimiento muy emocionante para el público, pues no se les pasaba por la cabeza que los protagonistas de un drama como este pudieran ser seres humanos.

Fui a ver a Sam en otra ocasión, pero fue una visita muy corta. No podía soportar estar cerca de su dolor; me sentaba mal. Me contó cómo fueron las horas que pasó detenido en una comisaría en Camborne mientras el equipo forense rastreaba su ordenador, su coche y su casa. «Esa fue la parte buena –añadió–. En aquel momento no lo parecía, pero al menos entonces pasaban cosas.»

Su madre era frágil pero imponía; su hermano, gruñón y de cuello grueso. Sam solo podía aferrarse a mí, mientras que yo me desentendía de la situación. Pensé que no tenía ningún compromiso con él, pero sabía que debería haberme quedado más tiempo a su lado. Sam no tenía amigos con los que hablar, había perdido a su mujer dos veces, y se notaba que detestaba la compañía de su familia.

El agente Alex se presentó en mi casa al día siguiente de la desaparición. Fue algo inesperado e inquietante. Era domingo, a la hora de comer, y me pilló cocinando. No esperábamos visita, y cuando sonó la campanilla Laurie suspiró.

–No quiero ver a nadie –dijo–, a menos que sea Lara Finch. Estaré arriba. Sea quien sea, di que no estoy.

–Sí, alteza –murmuré, mientras él se escabullía, pero no lo bastante alto como para que me oyera.

El policía, alto, delgado y amable, me miró disculpándose mientras daba saltitos en el umbral para mantenerse en calor.

–Perdón –dijo–, debería haber llamado antes de venir, lo sé.

–No importa. –El hombre actuaba de un modo extrañamente informal, y pude ver en su cara que no traía buenas noticias–. Pase –dije, porque estaba obligada a hacerlo. Confié en que Laurie se quedara arriba encerrado el máximo tiempo posible. Sabía que mi novio haría cualquier cosa con tal de evitar a la Policía.

–Solo quería hablar con usted, pues es amiga de la señora Finch –dijo una vez estuvimos dentro–. Vaya, está cocinando. Huele muy bien. Siento de veras interrumpirla. ¿Espera invitados? ¿He venido en un mal momento?

–No –dije–. En serio, tómese algo conmigo. Mi novio no está. No esperamos a nadie. –De repente me apeteció una copa. Laurie y yo no solemos beber alcohol–. Supongo que puedo ofrecerle una copa de vino. ¿O lo tiene prohibido mientras está de servicio?

–Ojalá pudiera. Un café o algo así estaría bien. Lo siento, Iris, siempre termina preparando café.

–Bueno, solo es el segundo. No pasa nada.

Se quedó en la cocina mientras yo preparaba el café, y me explicó que se trataba de una conversación informal, así que pasamos a tutearnos.

–Todo este caso es muy extraño, tan increíblemente inusual... No puedo quitármelo de la cabeza. Parece que a la señora Finch se la haya tragado la tierra.

–Ya –dije–, ¿y ahí es donde entras tú?

–Lo sé, lo sé, esto ya no es de mi incumbencia. Mi jurisdicción terminó con la visita al señor Finch. Yo pertenezco a Falmouth y, como sabrás, esto lo lleva el MCIT de Penzance. Pero algo tan raro no sucede con mucha frecuencia por aquí. –Se sentó en la encimera. Sus piernas eran tan largas que los pies casi tocaban el suelo–. Por cierto, me gusta tu falda. ¿Es *vintage*?

Aquello me provocó una risotada. Mi falda era un viejo vestido floral que compré en una tienda de beneficencia. Tuve que lavarlo tres veces para que dejara de oler a naftalina y a muerto.

–*Vintage* de caridad, no *vintage* de tienda de moda. De todas formas, gracias. En realidad es un vestido. –Me levanté el jersey para demostrárselo.

Yo le sonreía, él me miraba, y me sentí muy confusa.

–Bueno, lo de Lara –dije rápidamente–. Sí, en verdad, yo no la conocía tanto. No tenía ni idea de que salía con Guy Thomas. Pobre tipo. Por lo de estar muerto, quiero decir; no porque tuviera algo con Lara. Bueno, ya me entiendes.

–Sí –asintió con seriedad–. Parece que solo los habituales del tren sabían de la relación de Lara y Guy. Y los del personal del hotel, los más curiosos. Y su hermana se lo imaginaba, y su padrino en Londres dice que se hacía una ligera idea pero que no conocía al señor Thomas.

–¿Cómo está la familia de Lara?

–Están como cabría suponer. Mira, siento tener que hacer esto, pero ¿podrías explicarme por qué estabas ayer por la mañana en casa del señor Finch? A ver, no estoy sugiriendo que haya algo más. Sé que ya lo han soltado sin cargos. Es solo..., si el amante de una mujer ha muerto, tienes que investigar al marido. Y si cuando vas a visitar al esposo, te lo encuentras con otra mujer, pues...

–¿Eso os enseñan en la academia de Policía?

–En las primeras clases.

Le conté exactamente lo que había pasado. Relaté el día entero, desde el momento en que me levanté hasta el punto en el cual se llevaron a Sam en el coche patrulla.

–¿Y tu pareja? –me preguntó–. ¿Estaría dispuesto a prestar declaración, si hiciera falta? Solo para aclararlo todo. Aunque no creo que sea necesario a menos que cambien las cosas.

Aquello me proporcionó la confianza para decir:

–Seguro que no tendría problema.

–¿Puedes decirme su nombre?

No tuve la entereza suficiente para mentir. No pude hacer otra cosa que decírselo.

–Laurie Madaki. –Al instante deseé tragarme mis palabras, y añadí, muy rápido–: Oye, yo voy a tomarme un vino. ¿Seguro que no quieres una copita?

Alex sonrió y se bajó de un salto de la encimera.

–Podrías convencerme. En veinte minutos dejo de estar de servicio. Eres mi última tarea de este turno, así que nadie se enterará. Gracias, estaría bien.

Intenté no pensar en Laurie, arriba echando humo, y me dije que era imposible que hubiera oído cómo yo decía su nombre y apellido a un policía. Abrí una botella de tinto suave y me senté con ese agente extraño y cautivador, sintiendo la traición en cada terminación nerviosa de mi cuerpo, aunque disfrutando cruelmente con ello.

Si estuviera soltera, pensé, Alex Zielowski me gustaría. Su órbita me atraería. Querría conocerlo mejor. Si estuviera soltera.

Así pues, él fue quien organizó mi visita a Diana en representación de Sam, y ahí estaba yo, porque me moría de ganas de conocerla. Mientras subía hacia la puerta principal de la casa de la familia Thomas, los periodistas seguían gritando. Deberían haberse marchado ya de allí, haber saltado sobre la siguiente historia. El problema era que el resto de las noticias eran mucho menos escabrosas. Esto trataba de sexo, muerte y trenes. La economía, por el contrario, era algo soso y deprimente. Todos querían un escándalo, y el país entero estaba como loco con Lara.

Guy tenía una cuenta de Twitter, que apenas usaba y que de repente, a título póstumo, tenía casi medio millón de seguidores en lugar de los veintisiete de antes. Todo lo que alguna vez escribió –que no era mucho– había sido sometido a examen, sin resultado alguno: casi todo lo que había colgado eran enlaces a artículos del *Guardian* y la BBC. Todo el mundo estaba de acuerdo en que era la cuenta de Twitter más aburrida de la historia, y, aunque fue analizada, no se encontraron en ella mensajes codificados entre los amantes. Lara, por su parte, también tenía una cuenta de Twitter que no usó nunca y otra en Facebook largo tiempo inactiva y que, como era de esperar, resultaba igual de inescrutable. Aquella mañana vi en la web de un periódico un artículo desesperado con el título: «¿Una mujer exitosa puede tener solo cuarenta y siete amigos? "Un psicópata necesita ejercer control", afirma un experto psicólogo». Estaban rebañando el plato.

La puerta era de madera lacada, con una aldaba de metal que rebotó cuando la alcé y la solté. Diana Thomas abrió al instante; en la vida real tenía mucho mejor aspecto que en la televisión o en la prensa. Era más alta que yo; con el pelo negro ondulado y surcado de canas. Llevaba un corte de media melena desfilada. Tenía un aspecto horrible, por supuesto. Todo lo que estaba pasando se marcaba en su cara, pero aun así intentaba sonreír.

–Eres Iris –dijo, lanzando una rápida mirada a los periodistas excitados que se arremolinaban tras la puerta, sacándole fotos–. Pasa, rápido.

–Gracias por recibirme, muchas gracias. Es muy amable por tu parte. Siento mucho todo lo que estás pasando.

Eran palabras manidas, pero no tenía ni idea de qué otra cosa podía decir.

–Has tenido que trepar por la valla, ¿verdad? Lo vi desde la ventana. Tenemos que cerrarla con candado, supongo que entiendes por qué.

–Claro, por Dios. Dejé mi bicicleta allí.

–Estará segura. –Casi se rio por lo bajo–. No creo haya peligro de que uno de esos se la lleve, no parece su estilo.

–Gracias por recibirme.

Suspiró, soltando el aire entre sus labios fruncidos.

–Es algo perverso, pero me apetece saber más sobre esa mujer, y por alguien que la conozca, no por la basura que publican los periodistas. Sam Finch y yo jamás nos hemos visto, pero resulta que llevábamos todo este tiempo unidos sin saberlo. Entiendo que haya querido ponerse en contacto conmigo. Cuando todos estos cabrones se vayan a casa, igual podemos vernos en persona.

La seguí por un recibidor oscuro, con esa clase de azulejos desgastados en el suelo que denotaban una casa vieja pero cuidada, hasta llegar a una cocina con ventanales franceses que daban a un patio trasero cubierto de césped. Fuera había un tendedero con ropa que parecía llevar mucho tiempo allí: estaba tiesa de la escarcha.

En la pared vi una foto de familia. Intenté mirarla con discreción. La habían tomado en una fiesta: Diana llevaba un vestido turquesa un poco demasiado brillante para su tono de piel, y Guy miraba a la cámara, con la corbata rosa claro aflojada y el botón del cuello de la camisa abierto. Era un hombre atractivo. Comprendí por qué había surgido la tentación en Lara, aunque todavía me sorprendía que hubiera sido capaz de un engaño tan enorme y prolongado.

No parecía haber nadie más en la casa. Era extraño: me esperaba encontrarla rodeada de amigos y familiares, haciendo guardia.

–¿Estás sola? –pregunté mientras Diana llenaba una tetera antigua con agua y la ponía al fuego.

–Lo he intentado, pero todo el mundo quiere venir a consolarme. Los niños están arriba con sus amigos. Parece ser que eso les va bien. Mi hermano ha venido y se llevó un rato a mi madre. Vive con nosotros, no sé si lo sabes. Y la Policía nos asignó una agente de apoyo, y es realmente maravillosa, una auténtica joya, jamás me habría imaginado algo así antes de esto; ahora solo nos visita una vez al día. Los que vienen a darme el pésame entran y salen. A veces no puedo soportarlo. Sentarme a tomar té con gente que siente tanta lástima de mí, consciente de que, mientras intentan decir lo correcto, no tienen ni idea de por lo que estoy pasando. Que te destrocen la vida, que tu marido esté muerto... Y luego enterarte de lo demás, y ni siquiera ser capaz de poder enfadarte con él. De hecho, estoy furiosa con Guy, pero el muy cabrón, al conseguir que lo asesinaran, se las ha arreglado para que nunca pudiéramos hablar del tema, y ni siquiera puedo… –Se mordió el labio y respiró hondo unas cuantas veces–. Da igual, vamos a tomarnos un té. Preferiría darme a cosas más fuertes, pero intento resistirme porque sé cómo acabaría. Háblame de ella, de Lara Finch. ¿Fue ella la que mató a mi marido?

–No –contesté–. Estoy absolutamente convencida de que no fue ella.

Me había metido con facilidad en este exagerado papel de gran amiga de la desaparecida. Si algún día aparecía Lara, demostrando su inocencia, por supuesto, yo iba a tener que realizar un serio esfuerzo para demostrar la profundidad y la duración de nuestra amistad. Sus amigos de verdad, compañeros de trabajo y conocidos, habían aparecido en los periódicos, perplejos ante esta dramática historia, e insistían en que el adulterio no casaba con ella, y mucho menos el asesinato.

–Yo estaba con Sam el sábado porque me pasé a ver a Lara, pero no había llegado –añadí–. Lo único que sabemos es que no se bajó del tren. No tenía ni idea de que Guy y ella… Lo siento mucho, Lara nunca habló de él, al menos, no conmigo. Nunca había oído su nombre.

Diana se giró y comenzó a juguetear con la tetera.

–Pobre desgraciado –dijo–. Me refiero a Sam Finch. Debe de estar hecho trizas. Y encima, que lo detengan de un modo tan dramático. Yo me lo suponía, aunque no lo sabía con seguridad. Obviamente, Guy no me lo dijo. ¿Por qué iba a hacerlo? Pero no era la primera vez, que digamos. Para mí, Guy era como un libro abierto. Primero no paraba de hablar de esa mujer que había conocido en el tren, y luego de repente no vuelve a mencionarla. Era su forma de actuar.

–¿Su forma de actuar?

Se giró y me miró a los ojos. Cada rasgo de su cara hablaba de una mujer que mantenía la entereza a base de fuerza de voluntad.

–Llevo veinte años casada con Guy. Llevaba, debería decir. Tenemos cuarenta y siete años, los dos, y nos conocemos a la perfección. Su aventura con Lara Finch era, por desgracia, algo completamente normal en él, aunque eso que cuentan los periódicos sobre que vivían juntos en Londres entre semana y llevaban una doble vida lo convierte en un puto cabrón mucho mayor de lo que yo sospechaba.

»Dicen que Lara asesinó a Guy porque él no quería dejarme. Eso no tiene sentido, pues a juzgar por todo lo que han desenterrado los periódicos, lo más probable es que mi marido estuviera preparándose para abandonarme. Me puedo imaginar lo que me hubiera dicho: «Diana, tenemos que hablar». Guy sufriría con cada instante de esa conversación. A veces, me daba la impresión de que estaba a punto de iniciarla. Veía su cara, y todo mi cuerpo se contraía de terror. Pero luego él no decía nada. ¿Quién sabe? Igual es verdad que Guy no quería dejarme, igual era Lara la que le insistía para que lo hiciera. Eso parece, ¿no?

»Ellen, esa mujer del tren a la que, por cierto, los niños y yo conocimos un día, sabía exactamente lo que estaba pasando, ¡qué bonito…! Bueno, Ellen parece muy convencida de que

Lara iba a dejar a su pobre marido, y de que Guy pensaba hacer lo mismo. Y fueron felices y comieron perdices. Igual a él le daba miedo, una ya no sabe qué pensar. Puede que todo fuese un momento de enajenación. La gente hace cosas psicóticas.

La tetera empezó a silbar. Observé a Diana apagar el fuego y echar hojas de té en la tetera.

–Yo también uso hojas de las buenas –le dije–. Casi nadie lo hace. Es mucho mejor.

Sonrió y, por una fracción de segundo, toda su cara cambió.

–¿Verdad que sí? Mi madre insiste en ello y, como me educaron así, yo también lo hago. Sabe muy diferente de las bolsitas.

–Es como la diferencia entre un café de verdad y el instantáneo.

–¡Sí! Muy poca gente lo entiende. Todo el mundo se niega a tomar café soluble, o se disculpa cuando no le queda más remedio que servírtelo, pero las bolsitas de té son algo socialmente aceptado. Me alegro de que lo aprecies.

Observé cómo la realidad volvía a descender sobre ella como la niebla, arrugando y retorciendo su gesto.

–En serio, no creo que fuera Lara. –le dije–. A ver, quién soy yo para decirlo, pero no me creo algo sí de ella ni por un instante. Creo que sucedió algo más.

–¿Como qué?

–Bueno, no sé. Otra persona. Igual ella lo vio. Igual también está muerta.

–La habrían encontrado ya.

–¿En un lago o algo así? O tal vez el asesino se la llevó del tren con él. Se la podría haber llevado a alguna parte. Estoy segura de que hay mucho más en esta historia de lo que sabemos.

Diana no dijo nada. Sirvió leche y luego té en dos tazas a juego. Dos auténticas tazas de casa de campo: color crema, con rosas a los lados. Un gato caminó sigiloso por la habitación y se restregó contra mis piernas. Diana se sentó a mi lado en el sofá.

–Ay, Jesús, no tengo ni idea. No me convence que fuese tal y como parece, ¿cómo voy a saberlo? Solo intento aclarar mi mente. ¿Sabes?, es como si tuvieras la historia de tu vida en la cabeza: te casas, tienes hijos, te vienes a vivir a Cornualles, y piensas «Guy no es el mejor marido, y yo soy una especie de florero, pero nos llevamos bien, llegará un día en que los niños se vayan de casa, mi madre no estará siempre, envejeceremos juntos con algunos altibajos pero de un modo feliz y amistoso». Así iba a ser mi futuro hasta la semana pasada. Pero ahora tengo que recordarme que las cosas son de la siguiente manera: «Y cuando tenía cuarenta y siete años asesinaron a mi marido y luego…», pero no tengo ni idea de cómo continuará. Al principio, no te lo crees, te despiertas cada mañana esperando que esté ahí, o que vuelva en el tren. Y entonces te acuerdas. Y después, poco a poco, te das cuenta de que así van a ser las cosas a partir de ahora. La triste y cruda realidad.

–Dios, pobrecita.

Forzó una pequeña sonrisa.

–Sí. Bueno, ¿cómo está Sam Finch? No tenían hijos. ¿Cómo lo lleva él?

Suspiré.

–No sé cómo va a superarlo.

–Ya –asintió, con la mirada perdida–. Igual que yo, pero distinto. Su esposa, mi marido, los dos ya no están. ¡Puta mierda! –Intentó sonreír–. Nunca digo tacos, por cierto; no soy de esas. Háblame de ella. ¿Cómo la conociste? ¿Cómo era su vida antes de que decidiera entregarse a mi marido? ¿De veras no lo sabías? No voy a echártelo en cara, querida. En serio, de verdad. Ya lo he superado. Todas hemos apoyado a amigas que se comportan de un modo alocado. Dios sabe que yo sí lo he hecho.

Me revolví en mi silla.

–No lo sabía. Pero tenía el presentimiento de que Lara no era del todo feliz con Sam. La conocí en el *ferry*…

Nos pasamos la tarde charlando, le conté a la viuda de Guy todo lo que sabía sobre la mujer a la que todo el mundo consideraba la asesina de su marido.

17

El pelotón de periodistas salió corriendo detrás de mí cuando abandoné la casa, Diana ya me había avisado de que lo harían. Me dijo que había que mostrarse firme y seguir caminando. «Pronto se cansarán de nosotros –comentó–, o eso espero.»

–¿Cómo está Diana? –gritó una mujer, justo a mi lado.

La ignoré y fui a buscar la bici, dando las gracias porque ninguno de los periodistas la hubiera robado. Diana estaba en lo cierto: a pesar de su juventud no tenían pinta de ciclistas.

–¿Cómo se encuentra? ¿Cómo está Diana? –gritaban otros.

Me monté e intenté marcharme. Aquella masa intimidante me cerraba el paso. Decidí arrancar y confiar en que se apartasen del camino. Si fuera un coche, lo harían. Me calé el casco a fondo, sintiéndolo justo encima de las cejas, y puse el pie en el pedal. Arranqué, tambaleándome lentamente al principio. Tenía a un hombre, bastante guapo, delante. Sonreía con suficiencia delante de mi cara, bloqueándome el paso. Pedaleé hacia él, pero se negaba a apartarse.

Fue un choque a cámara lenta. Yo seguía avanzando, aunque dando bandazos porque no había tenido tiempo de tomar velocidad para mantener el equilibrio. Él estaba en medio de mi camino. No pude esquivarlo porque había gente a los lados, así que me fui de morros contra él, que no realizó la maniobra preceptiva para esquivarme. Mi rueda chocó contra su pierna y tuve que echar el pie al suelo.

El hombre soltó una carcajada.

–¡Me ha atropellado! –Se dirigía a la multitud. Tenía el acento inconfundible de la gente de la región, y me pregunté si sería de algún periódico de Cornualles.

–Deberías haberte apartado –le dije–. Si fuera un coche, te habrías quitado de en medio.

–Cierto, pero vas en una puta bici.

–¿Qué pasa? ¿Quieres que te pida perdón? Porque no pienso hacerlo. Solo quiero irme, os dejo que sigáis con vuestro acoso incansable a una pobre viuda.

–¡Bah, no! Probablemente debería ser yo el que te pidiera perdón, pero tampoco voy a hacerlo. Solo quiero que hables conmigo.

–Anda, cierra el pico y déjame irme a mi casa.

–Ahora en serio. –Su voz era más baja, circunspecta–. En confianza, ¿cómo está Diana?

–Que no, majete.

El muchacho tenía las mejillas coloradas del frío. Le eché unos veinticinco años, eso le hacía más de una década menor que yo.

–¡Santo Dios! –protestó–. ¿Por qué la gente lleváis ese rollo de no querer hablar con la prensa? Como si fuéramos Hitler o algo así. Soy del *Western Morning News,* no del maldito *Daily Star.* Ya sé que algunos de estos son de periódicos nacionales. Solo tienes que decir «Diana está… lo que sea», y podremos poner «Una amiga de la señora Thomas dijo que la viuda estaba… lo que sea». Y así no tendré que seguir aquí, congelándome, intentando sacar media frase para poner en el artículo.

–Pues seguro que puedes poner «Una amiga de la señora Thomas dijo que la viuda estaba… lo que sea», ¿no? Te lo inventas y ya está.

Suspiró.

–Quedaría mejor si se pareciera en algo a la realidad, ¿no te parece?

Me preparé para arrancar de nuevo, pero me detuve.

–Vale –le dije, componiendo algo en mi mente de un modo impulsivo. El resto de los periodistas se arremolinaban a nuestro alrededor, dispuestos a pescar en lo que yo iba a decir–. Es una mujer muy fuerte, y lo está llevando lo mejor que puede, teniendo en cuenta las circunstancias. Sus hijos son su prioridad, y apreciaría mucho que la dejarais en paz. No va a salir a llorar delante de vuestras cámaras, así que es mejor que os larguéis.

–¿Quién es usted? –gritó la multitud– ¿Cómo se llama?

Cuando empecé a pedalear, el joven se acercó y metió algo en el bolsillo de mi anorak. Me paré.

–¿Qué haces? –pregunté.

–Mi tarjeta. Por si se te ocurre algo que quieras contar.

Al ver eso, los demás comenzaron a avanzar hacia mí con sus tarjetas. Salí lo más rápido que pude carretera abajo, descendiendo por la colina, dejando atrás la furgoneta y sus cochecitos aparcados en la cuneta. De repente, el mundo volvió a abrirse, y pude mirar los espacios abiertos, las rocas, la línea color pizarra del Atlántico en la lejanía. El aire era fresco. El sol invernal en ocasiones surgía de detrás de una nube. Me dejaba caer cuesta abajo sin pedalear, tomaba las curvas más rápido de lo que debería, pedaleé con frenesí con un piñón pequeño hasta que sentí que mis mejillas se sonrojaban, caliente por dentro pero todavía fría por fuera. Me empezaron a doler las piernas; otra vez era libre.

Había algo dentro de mí, desplegándose y reclamando mi atención. Lara no lo hizo. Había alguien más en el tren. Otra persona asesinó a Guy y se la jugó a Lara. Podía imaginármela teniendo esa aventura, me repetí una vez más mientras aceleraba por una aldea que era mitad chalés, mitad casas de piedra. Sam era sensiblero y cargante, aunque solo lo conocía desde que su esposa infiel desapareció sin dejar rastro, así que mi valoración no era demasiado justa. De todos modos, dedicaba su vida a esperar que su mujer regresara de Londres, y ahora podía entender lo agobiante que podía resultar eso.

Me podía imaginar a Lara abandonando a su marido. Lo destrozaría pero, como dijo Diana, aquello no era precisamente algo nuevo. Los matrimonios se rompen.

Pensé si debería llamar a Laurie para decirle que pronto estaría de vuelta en casa. Le sorprendería. Estaba acostumbrado a esperarme. Me pregunté qué pensaría Laurie si yo fuera más allá, todavía no me había perdonado lo de tomarme un vino con Alex. Estaba jugando con fuego.

Mientras encadenaba mi bici frente a una tienda de empanadas en Penzance, descubrí que no podía dejar de mirar a la gente a mi alrededor, por si acaso. Había una mínima posibilidad de que Lara estuviera allí, en la ciudad fin de trayecto. Podría haberse bajado del tren en Penzance y haberse escabullido.

Pero no, claro. Penzance no era un lugar para desaparecer. De estar allí, haría días que la habrían encontrado.

La gente pasaba, soltando nubecitas de vaho con su aliento. El cielo se había encapotado desde que salí de casa de Diana, ahora estaba oscuro y anunciaba una inminente lluvia gélida.

En la tienda de empanadas no había nadie. Sabía que podría haber ido a almorzar a cualquier restaurante, pero me apetecía una empanada. El hecho de que ya no necesitaba preocuparme por mi situación económica me parecía tan inverosímil que, por lo general, vivía como si aquel dinero oculto en mi cuenta bancaria no estuviera ahí. Si me gastaba tres libras en una empanada y una lata de coca-cola *light,* las cosas eran normales, reconfortantes.

En casa preparaba las comidas más deliciosas que podía considerando mi reducido presupuesto. Hacía sopas con verduras de la zona, y preparaba mi propio pan. Comía bien, hacía ejercicio y estaba sana y aburrida. No podía hacer nada extravagante en casa, porque no le había contado a Laurie lo del dinero. Si se lo contaba ahora, tendría que explicarle por qué no lo había mencionado antes. Cada día que pasaba lo veía más imposible.

Al recorrer el paseo marítimo, frente a la piscina de agua marina Jubilee Pool, mientras sentía las primeras gotas de lluvia en mi cara y chupaba migas de empanada de los dedos, escruté los rostros con los que me cruzaba. Cualquier figura que aparecía a lo lejos resultaba obvio que no era Lara. Todos eran demasiado mayores, o demasiado jóvenes, o demasiado gordos, o demasiado altos. Y, de cualquier modo, si estuviera viva, se encontraría a muchos kilómetros de aquí, la ciudad en la que apareció el cadáver de Guy.

La costa se extendía en ambas direcciones, sinuosa y abrupta. El mar estaba revuelto y se había levantado viento. Di la espalda a Newlyn y cambié de dirección, me dirigí hacia el castillo de St Michael's Mount, separado de tierra firme por la marea alta, empujando mi bicicleta de vuelta a la estación.

Di de comer a las gatas, preparé té para los dos y me metí en Internet con Laurie, malhumorado y receloso, a mi lado. Busqué todo lo que se podía encontrar sobre Lara –no había nada nuevo, aunque un par de periódicos ya ponían mis fotos trepando por la valla, y deseé que no las viese ningún conocido–. Llamé a la Policía de Penzance, para fastidio del hombre que contestó al teléfono.

–Verá –le expliqué–, creo que hubo alguien más implicado. Deberían comprobar a todos los pasajeros, investigar a cada uno de los viajeros. Fue uno de ellos quien lo hizo, no Lara.

El hombre intentó mostrarse cortés.

–Por supuesto, contemplamos todas las posibilidades y estamos hablando con todos los pasajeros –dijo.

Luego me mandó colgar, con calma pero de un modo cortante, y comprendí que me veía como una llamada inoportuna, uno de los peligros de ser el encargado de contestar el teléfono en una comisaría.

La prensa e Internet todavía seguían interesados por Lara y Guy, pero pronto surgiría una historia nueva. Aparecería el cadáver de Lara, o la capturarían, o jamás la encontrarían. Eran los únicos tres finales posibles.

–Ojalá Lara esté bien –le dije a Laurie.

–No lo está, la verdad. –Su voz sonaba plana–. Y lo sabes. Haya sido ella o no quien lo hizo.

–Lo sé. ¿Abro una botella de vino?

Se rio.

–¡Vaya! Esta vez quieres beber conmigo. Muy bien, querida.

–Mira, Laurie, hay algo que estoy pensando hacer.

–¿Qué? –La ansiedad en su voz me hizo recular al instante, como era de esperar.

–Bueno, no es nada. Venga, vamos a tomarnos una copa. También ha quedado algo de sopa.

No contestó. No me atreví a mirarlo a la cara. En casa solo quedaba una botella de vino, y como me había bebido la buena con Alex, era la mala. Me acordaba de cuándo la compré, me costó 3,49 libras. Sabía a barato.

No obstante, también un tinto barato resultaba relajante. Me senté en el suelo frente a la estufa, con mi jersey grueso, en vaqueros y con unos calcetines gordos, e intenté reunir el coraje para compartir mi plan con Laurie. *Ofelia* vino y se frotó contra mí, y *Desdémona* se subió encima de Laurie, quien la ignoró como de costumbre. A mí también me ignoraba. De modo que le hablé a la gata, en mi cabeza, para que él no me oyera.

«No es asunto mío –dije–. No puedo hacer nada. Lo único que puedo hacer es dejarlo estar.»

«Sin embargo, no quieres hacer eso –replicó en silencio la gata–. Lo que quieres es saber.»

«Bueno, sí. Quiero saber. Quiero saber lo que pasó en realidad.»

«Está bien –dijo *Ofelia,* subiendo a mi regazo y obligándome a apoyarme en los brazos y recostarme hasta quedar convertida en un cómodo asiento–. ¿Por qué no vas a Londres y ves qué hay por allá?»

«Podría hacerlo, ¿no? Pero ¿quién va a cuidar de vosotros?»

Se sentó encima de mí y empezó a ronronear. Su contribución a la conversación había terminado.

«Probablemente, hacerlo sea mejor que quedarme sentada hablando con una gata», dije, pero el animal tenía los ojos cerrados. Cuando un gato pasa de ti, pasa de ti.

Me desperté sobresaltada en mitad de la noche. Laurie se revolvió a mi lado.

–Estás obsesionada con esa mujer –dijo.

–¡Chist! –le dije, y se volvió a dormir.

Me estaba imaginando a alguien con una crisis nerviosa. A mí me había pasado una vez, años atrás, y ahora aparecían las cicatrices, más cada día. Me alcanzaban. Quizá fue eso lo que reconocí en Lara, y lo que ella vio en mí. Igual fue por eso por lo que nos pusimos a charlar, y luego pasamos el resto del día juntas, bebiendo y conversando animadas.

Me sorprendía que la situación con Laurie, nuestro extraño arreglo, durase tanto. Él nunca salía de casa. Yo no podía vivir así para siempre.

De pronto sentía que podía empatizar con una persona que salía huyendo respondiendo a un impulso, dejando todo atrás y volviéndose invisible. A fin de cuentas, era posible que Lara hubiera hecho algo así. Los periódicos habían determinado el horario del tren, los sitios donde paró por la noche para alargar el viaje y así llegar a Cornualles a una hora en la que la gente salía al mundo. Eran muchos.

Lara podría haberse encontrado con el auténtico asesino y haber huido. Podía imaginármela aterrada, con el pulso cada vez más acelerado hasta que de repente comprendió que tenía que escapar, inmediatamente. El tren podría encontrarse parado en algún apartadero. No había nadie observando. Hubiera pasado lo que hubiera pasado, eso estaba claro. Lara podría haber salido por una ventana y haberse evaporado, aterrorizada e incapaz de pensar.

Podría, solo probablemente, haberse camuflado en Reading: se calculaba que Guy fue asesinado más o menos a la hora en que el tren se detuvo allí. En el circuito de cámaras de vigilancia de la estación no se vio a nadie parecido a Lara, pero las cámaras no capturan a todos los pasajeros que se bajan por todas las puertas. El asesino podría haber subido allí, o bajado allí, y haberse llevado consigo a Lara.

Salí con sigilo de la cama, fui de puntillas hasta el estudio y cerré la puerta. Al encender la luz, esta me cegó por un segundo, confiriendo a todo aquel aburrido montón de papeleo propio de una vida moderna un aspecto estridente y casi siniestro.

Lara no se habría detenido en Londres, de haber vuelto a la ciudad.

Mi pasaporte estaba guardado en la P en el armario archivador grande de metal. Tiré con tanta fuerza del cajón que tomó impulso y se estrelló contra mi pierna, provocando que soltara un gemido.

No había nada. Algunas cosas que empezaban por P –los datos de contacto de un pintor, un sobre de postales que no pude soportar mirar–, pero el pasaporte no estaba. Saqué todo lo demás y lo comprobé. Seguía sin aparecer.

Tenía que estar allí, yo no lo había sacado.

Laurie podría habérmelo escondido para evitar que me escapase. Se lo preguntaría, y al instante su cara me diría si me estaba mintiendo. No era su estilo, no me escondería el pasaporte para retenerme en casa. Ya me mantenía en casa con su presencia.

Pero si no había sido él, no podía ser nadie más.

Pensé en ello. Nadie subía al piso de arriba en esta casa. Nadie se quedaba a solas en esta planta el tiempo necesario para abrir un armario y sacar un pasaporte guardado en la P. Nadie. No nos habían robado. Nadie había venido nunca a esta casa, ¿o sí?

Me senté en el suelo e intenté desentrañar aquello.

18

Mi equipaje estaba junto a la puerta. Llevaba poca cosa: todo cabía en una bandolera y un bolso de tela. La bandolera fue de mi padre, hace ya mucho, cuando esa persona formaba parte de mi vida. Era negra, de plástico imitación de cuero, con una correa fuerte, y constituía el único receptáculo adecuado que poseía. Contenía un mínimo de ropa y artículos de aseo.

Era la última hora del día, en la calle ya casi había oscurecido: una hora extraña para partir.

Me planté delante de Laurie antes de irme, e intenté, de nuevo, explicárselo. Me miró sin pronunciar palabra. Me fastidiaba cuando hacía eso. Al final, me marché. Las gatas y él se cuidarían mutuamente. Dejé un montón de comida para los animales, y llené el frigorífico y los armarios con todo lo que cualquiera de los tres pudiera necesitar.

Si al final permanecía fuera más de lo esperado, les pediría a los vecinos que se acercaran a traer más víveres. Me sentía con derecho a pedirles ese favor, pues me había pasado años dando de comer a la serpiente de su hijo adolescente cuando ellos se iban de vacaciones. Siempre que eso sucedía, me entraban ganas de meter a una de las gatas en el vivero de la serpiente, a ver qué ocurría. Habría apostado por la gata, pero comprobarlo habría sido de mala vecina, aunque estuve a punto de hacerlo cuando la relación se puso tensa.

Estaba haciendo lo correcto, me dije. Llevaba años en Cornualles, y volver a Londres no era un delito. Todo el mundo iba a Londres. Lara hacía dos veces por semana el recorrido que yo me disponía a emprender.

Solo era Londres. Laurie seguiría aquí, y yo regresaría.

La estufa ardía con furia, para cuidar de ellos al comienzo de mi ausencia. Había avisado de que no estaría disponible para ningún encargo de trabajo en un futuro inmediato. Mi bicicleta se encontraba colgada en el recibidor, a resguardo; daba a la casa un toque de piso de estudiantes. En el bolso llevaba el billete, la cartera y el teléfono, además de un libro para leer. Hacía horas que se había puesto el sol, y en un día normal yo estaría tomando té frente al fuego, probablemente con el pantalón del pijama y un jersey, pensando en irme a la cama con un hombre, un libro y una gata.

Intenté irme sin despedirme, pero no pude.

–Te quiero –dije, girando la cabeza–. Te voy a echar de menos. Lo siento. Volveré.

–Claro –respondió él, procurando sonar normal–. No pasa nada. Diviértete. No te preocupes, Iris. Te quiero, siempre te querré. Vuelve.

Caminé en la oscuridad hasta la carretera, para esperar al taxi, conteniendo las lágrimas. El aire nocturno me golpeaba con frialdad el rostro. Lo normal habría sido que hubiera una lágrima congelada en mi mejilla, pero en lugar de eso tenía la nariz llena de mocos, que me limpié elegantemente con la manga.

Brillaban unas pocas estrellas entre las nubes, pero la luna estaba oculta y solo podía distinguir a mi alrededor las siluetas dentadas de árboles desnudos ascendiendo hacia el cielo.

Cuando las luces aparecieron en mitad de la noche, retrocedí para apartarme del resplandor. El taxi se detuvo a mi lado haciendo rechinar la gravilla, y el taxista se bajó a abrir el maletero para guardar mi bolsa. No hacía falta meterla en el maletero, pero le dejé hacerlo.

–No sabía que viviera gente aquí abajo –comentó.

–Pues sí –dije. Ahora me marchaba a la ciudad: iba a tener que mantener conversaciones triviales en tono amistoso–. Está bastante alejado.

–Cierto. ¿Adónde vas, guapa? A Truro, ¿verdad?

–Sí, a la estación de Truro, gracias. Voy a tomar el tren de Londres, el nocturno.

–Ah, sí, el famoso nocturno. Mi hija lo toma a veces. Ofrece un buen servicio, de momento. Pero ten cuidado.

–Ya.

–Mal asunto. Asegúrate de echar el pestillo de la puerta.

Sonreí, haciendo un esfuerzo por no burlarme o soltar un juramento.

–No me pasará nada –dije–, pero gracias.

Al subir del sombrío andén al tren bien iluminado, me imaginé a Lara haciendo lo mismo. Guy Thomas ya estaría a bordo, esperándola. Me pregunté si él la esperaba asomado a la puerta del vagón, si extendía la mano, le ayudaba a subir, la abrazaba y la besaba antes incluso de que el tren se pusiera en marcha. Igual esperaban hasta estar a cierta distancia del terruño, traqueteando entre campos anónimos y oscuros.

Calculé que se montaron en Truro unas quince personas. Había reservado a propósito un domingo por la noche para seguir los pasos de Lara, de modo que algunas de esas personas, presumiblemente, irían directamente al trabajo al final del viaje, como hacía Lara. Nadie iba trajeado. Algunos llevaban enormes maletas y era evidente que se dirigían a algún aeropuerto. Otros vestían vaqueros y grandes abrigos.

Mi compartimento era pequeño, pero parecía bastante cómodo. Había que tener muchas ganas de vivir una aventura extramarital para consumarla allí dentro, pero para una persona sola estaba bien. De todos modos, esa noche no iba a dormir, por muy lujoso que hubiera sido el lugar.

No me podía imaginar cómo dos personas podían meterse en esa litera, que era más pequeña que la típica cama individual.

Tendrían que dormir uno encima del otro, o no dormir. No me extrañaba que su romance no tardara en extenderse a sus vidas en Londres.

Me senté en la camita y sentí las sacudidas del tren cuando empezó a moverse.

Estuve tentada de llamar a Laurie, pero sabía que no iba a contestar.

La gente de mi anterior vida seguiría viviendo en Londres, estaba segura. Cuando llegué a Cornualles me escribieron correos durante un tiempo, preocupados, lamentándolo y todo eso. Los ignoré por completo. No los necesitábamos, Laurie y yo, y al final captaron la indirecta. Cambié mi número de teléfono, cerré mi vieja cuenta de correo y jamás envié una postal de Navidad.

Si me los encontraba en la ciudad, querrían charlar, saber qué había estado haciendo todo este tiempo. Solo me tranquilizaba un poco el hecho de que se trataba de Londres. Podríamos haber pasado todos estos años ocultos en un rincón de la capital, las posibilidades de cruzarnos con alguien habrían sido muy escasas. Este viaje era por Lara, no por mí. Y nada que ver con Laurie.

Y, además de eso, ahora que contaba con unos fondos inverosímiles, tenía pensado hacer todo tipo de cosas. Si iba a viajar y ver mundo, primero tendría que ser capaz de ir a Londres. Esto era una especie de prueba, un test de mi valentía. Era la primera separación.

También era un sitio donde solicitar un nuevo pasaporte. El mío había desaparecido sin dejar rastro. Eso me incomodaba. No se lo había contado a nadie y, por supuesto, tampoco a Laurie. Sin embargo, se me pasó por la cabeza mencionárselo a Alex Zielowski.

Una mujer con uniforme se encontraba en el recibidor del tren. Era bajita, mayor que yo; una agradable figura maternal.

–Muy buenas –dijo–. Tú debes de ser… –Comprobó la lista que tenía en la mano–. Iris Roebuck, ¿verdad? ¿Puedo ver tu billete, querida?

Había gente fornicando en todos los rincones del compartimento. De pie, apretados contra la pared. Ella sentada en el borde del lavabo. Él encima en la cama, pues no era posible tumbarse juntos. Luego, ya no eran Lara y Guy, sino Laurie y yo, y después Guy con Diana, Sam con Lara, Guy con una de sus muchas mujeres, Sam conmigo, Laurie con Lara. Yo con el agente Alex Zielowski. Agarré mi bolso y salí en busca de ese gin tonic, y de Ellen Johnson.

El coche bar estaba casi vacío. Sus asientos de lujo aguardaban expectantes, con los periódicos gratuitos sobre cada mesa sin tentar a nadie más que a dos hombres de mediana edad.

–¿Sí? –preguntó el joven camarero.

Me dio pena porque las cicatrices del acné iban a quedarse con él de por vida, incluso cuando fuera un adulto hecho y derecho.

–Un gin tonic, por favor –dije, echando otro vistazo en busca de la misteriosa mujer que fue amiga de Lara y de Guy y que no estaba por allí.

–Por supuesto. –El muchacho empezó a prepararlo–. ¿Con hielo y limón?

–Sí, por favor. ¿Siempre trabajas en este servicio?

Suspiró, consciente de lo que se avecinaba.

–Sí, con frecuencia.

–Entonces conociste…

Saltó sin dejarme terminar la frase:

–Sí, la conocía. Debería escribir un cartelito que ponga: «Sí, los conocí porque les servía copas. Pero no sé más que usted sobre lo que pasó». Todo el mundo quiere saber. Yo no trabajaba la noche que…, bueno, ya sabe.

Agarró una rodaja de limón con unas pinzas en miniatura y la dejó caer en mi bebida. Salpicó unas gotitas, como un hada saltando a una piscina.

–Seguro que ves todo tipo de cosas en este trabajo. –Me pareció lo más adecuado que decir.

–Bueno, no te creerías las cosas que pasan. Una historia terrible, lo de ese asesinato. ¡En el tren! ¡Aquí mismo! Esos dos llevaban un montón de tiempo liados. La gente se piensa que somos invisibles o algo así. O simplemente les da igual.

–La verdad es que soy amiga de Lara Finch –le dije.

Me miró entornando los ojos.

–¿En serio? –preguntó–. ¿Una amiga de verdad, o está fingiendo?

–De verdad. Vivo cerca de su casa, en Cornualles. –Comprendí que necesitaba hacer desfilar algunas credenciales, así que seguí–: Estaba con su marido cuando se supo de su desaparición. Espero no tener que ver a nadie pasar por eso nunca más.

El muchacho sirvió la tónica sin mirarme.

–Vaya, lo siento. Espero no haber...

Aguardé con ganas de escuchar lo que el camarero esperaba no haber hecho, pero no tenía intención de terminar la frase.

–Para nada –le aseguré–. Lo cierto es que me dirijo a Londres para ver a su familia.

–¿Sí? ¡Joder! Bueno, si sirve de algo, nos quedamos todos de piedra al enterarnos. Parecía una mujer encantadora, siempre amable, siempre con un «gracias» y un «por favor», y no podían quitarse las manos de encima el uno al otro. Supongo que fue una pelea de amantes. Igual él la amenazó y ella se defendió y fue demasiado lejos. Igual él tenía el cuchillo y ella se lo quitó.

Agarré la copa.

–Podría ser, no se me había ocurrido. Y su amiga, Ellen Johnson, ¿todavía toma este tren?

–Pues sí –dijo, tomando el billete de cinco libras que le ofrecí–. Ahora mismo está en el tren, pero de momento se queda en su compartimento. No ha salido desde que pasó. No la culpo. No quiere tener todas las miradas encima. Calculo que volverá a aparecer por aquí en un par de semanas. Es una mujer simpática.

–Este es..., bueno, ya sabes. ¿El mismo tren?

Por algún motivo, se me acababa de ocurrir. Había una remota posibilidad de que yo estuviera durmiendo en la misma cama en la que sucedió todo.

–No. Era en el otro y, de todos modos, por lo visto han retirado el vagón. Cosas de la Policía. Creo que va a estar una temporada fuera de circulación.

Dudé que fuera cierto. ¿Las compañías ferroviarias tienen un vagón de recambio para sustituir a una escena del crimen? ¿O ahora usaban trenes más cortos? Estaba totalmente convencida de que lo habrían limpiado y lo habrían vuelto a poner en circulación.

Cuando di el primer sorbo a mi gin tonic, la bebida habitual de Lara en el tren y la primera bebida alcohólica que eliges cuando eres joven e intentas dártelas de adulto, me rascó la lengua. El dulzor de la tónica me picó en el paladar, y aunque el limón estaba rancio y llevaba muchas horas o días cortado, sonreí ante el placer olvidado. Llevaba años sin tomarme un gin tonic.

Había un hombre sentado enfrente, bebiéndose una lata de cerveza y leyendo un libro que sostenía tan inclinado que no pude ver la portada. Si lo observaba durante un buen rato, probablemente levantaría la vista. Lo intenté. Al final, por supuesto, funcionó. La gente no puede evitar mirarte si tú no dejas de mirarlos. No están acostumbrados a ser el foco de atención. Y aquel hombre, menos todavía. Tenía el pelo gris, con una enorme superficie calva que amenazaba con extenderse a toda su cabeza, y parecía tremendamente corriente.

Cuando alzó la vista, su gesto decía: «¿Qué estás mirando, jovencita?».

Le dirigí una sonrisita falsa.

–¿Viaja mucho en este tren? Es mi primera vez en el nocturno.

–Sí, la verdad, pero no tanto como otros. –Lanzó una mirada mordaz al ejemplar del *The Times*, aunque Lara salía en las páginas interiores, no en la portada–. Solo una o dos veces al mes, cuando tengo que acudir a una reunión.

–¿Sí? ¿Los vio alguna vez?

–No creo. He estado haciendo memoria, como se imaginará, y no he conseguido encontrar ningún recuerdo. A ver, el mundo está lleno de hombres de mediana edad, pero estoy casi seguro de que la chica se me habría quedado grabada.

–Sí.

Volvió a su libro.

–¿Qué lee?

No contestó, sino que se limitó a levantarlo para dejarme ver la portada.

–¿Harry Potter?

–¿Por qué no? –contestó, encogiéndose de hombros.

La ginebra me mantuvo despierta un buen rato mientras el tren traqueteaba y se sacudía en la noche, dejando atrás mi vida tranquila y cómoda con cada chirrido de las ruedas sobre los raíles. Me tumbé en mi camita, con el edredón hasta la barbilla, e intenté no pensar en un hombre apuñalado hasta la muerte en una cama como aquella.

Luego, de repente, alguien llamó a la puerta, y antes de que pudiera sentirme asustada o confusa, una voz femenina anunció: «¡El desayuno!», y me di cuenta de que ya no nos movíamos.

Cuando abrí la puerta y recogí la bandeja, la mujer contestó a mis preguntas antes incluso de que pudiera formularlas en mi cabeza.

–Paddington. Mira a ver si puedes bajar antes de las siete, es todo lo que pedimos, querida. Aquí tienes. ¿Es correcta la bandeja?

–Gracias.

No encontré ni rastro de Ellen Johnson cuando me bajé del tren. No estaba en la sala de espera junto al andén, y me imaginé que se habría zambullido en Londres en cuanto el tren paró, antes de que yo me despertara. No había conseguido dar con su número de teléfono, y el mensaje que le mandé a su cuenta de

Facebook no recibió respuesta, como era de suponer. En el viaje de vuelta, me la encontraría en Paddington. Podría pillarla cuando subiera al tren.

Casi me apetecía un gin tonic matutino. Por algo llevaba tantos años sin venir aquí.

Salí de la sala de espera de primera clase. Era un lugar horrible, sin personalidad, un lugar de paso. Sabía que Lara se pasaba horas allí antes y después de los viajes, pero no iba a seguir sus pasos por ese frente.

En el café de arriba, en el vestíbulo de la estación, pedí algo sustancioso, y saqué un cuaderno para elaborar un plan.

La estación era inmensa. Al menos, era enorme en comparación con la de Truro. Se me ocurrió que deberían hacerlo su lema oficial: «Más grande que Truro». De hecho, podría ser el eslogan para toda la ciudad.

Conseguí ubicarme en una mesa que me permitiera ver pasar a la gente. La mayoría venían de los trenes, se iban directamente al metro y desaparecían bajo tierra. Me interesaban más los que deambulaban y se paseaban matando el tiempo. Algunos hacían cola para comprar *bagels* y donuts. Un hombre se metía con disimulo el dedo en la nariz. Una mujer se tropezó, estuvo a punto de caerse y luego siguió andando, agachando la cabeza, procurando fingir que nada había pasado.

La camarera me trajo un plato de huevos con judías, *hash-browns* descongelados y tomates cocidos, a los que pronto se añadió un enorme tazón lleno de café con leche y espuma por encima. No tenía hambre, pero de todos modos pinché unas judías con el tenedor.

Mi corazón latía acelerado e hice un esfuerzo por tranquilizarme. Estaba aquí porque Lara había desaparecido y era muy probable que se hubiera llevado mi pasaporte. Esto sonaba estúpido, pero sabía que estaba en aquel archivador; sabía que nunca lo había sacado de allí. Estaba convencida de que Laurie tampoco, porque se lo notaría y me habría dado cuenta. Lara estuvo en la habitación, sola, cuando fui a contestar aquella falsa llamada telefónica. En parte pensaba que estaba siendo ridícula, pero también me sentía cada vez más incómoda. Primero me haría un pasaporte nuevo, y luego intentaría enterarme de si últimamente había tomado un vuelo a algún sitio.

A pesar del hecho de que su cara aparecía en todos los telediarios, Lara podría fácilmente haberse disfrazado y estar llevando una vida distinta en la ciudad. Solo necesitaría cambiarse de peinado y nadie la reconocería. Londres era lo bastante grande para eso: aunque todo el mundo llevaba diez días buscándola, podría estar oculta aquí.

Intenté concentrarme. Cuando hubiera solicitado mi pasaporte, iría a buscar a su hermana, porque Olivia Wilberforce era un personaje intrigante y Sam la odiaba con una vehemencia desconcertante. Sabía que estaba embarazada, y que eso era algo que había molestado a Lara. Llevaban tiempo sin hablarse, según Sam, y recordaba que Lara, en nuestro viaje a St Mawes y cuando vino a comer los *mince pies,* mencionó a su hermana con poca alegría.

Sabía dónde vivía Olivia, así que dar con ella resultaría sencillo. No iba a encontrarme con nadie de mi antigua vida en Londres. Eso sería tan improbable como imposible. Como ganar la lotería.

Sin darme cuenta, ya me había comido la mitad de mi desayuno. Me acabé de un trago el café y regresé a la barra para pagar. Olivia vivía en Covent Garden, me había dicho Sam, en Mercer Street, una perpendicular a Long Acre. Trabajaba de relaciones públicas, lo cual probablemente implicaba un horario laboral normal, y sabía que, a pesar de todo, había vuelto al trabajo, porque la había visto en el periódico. Me plantaría en su calle más o menos a la hora adecuada, y antes o después Olivia terminaría por aparecer. Ese era mi plan estratégico, al menos. No implicaba pasar cerca de Putney, ni de Notting Hill.

Cuando me encontraba merodeando cerca del piso de Olivia, casi me sentía a gusto. Era cosa del anonimato. Sería difícil no sentirse a gusto en una ciudad en la que nada de lo que hagas o ninguna ropa que vistas cause otra cosa más allá de una ceja levantada.

Llevaba cinco años sin pisar Londres, pero enseguida me sentí de vuelta en casa. Ahora vivía en un mundo en el que, por lo general, saludas a la gente cuando te los encuentras de paseo, un mundo en el que no solo conoces a tus vecinos, sino los nombres y el carácter de sus perros. No obstante, aquí podría ser cualquiera, podría hacer cualquier cosa. Nadie me miraría por llevar mi minifalda y mis botas de motera, y nadie me miraba, ahora, con mis nuevos vaqueros ajustados negros y una blusa azul brillante que me compré en secreto porque me pareció que sería la ropa que llevaría Lara. Lo siguiente sería hacerme un corte de pelo serio y perder las mechas rubias con las que me entretuve una temporada. Luego, si podía vencer mi desagrado por esas cosas, iría a unos grandes almacenes y dejaría que alguien me hiciera un maquillaje que me quedara bien, y después me compraría todos los productos que hubiera empleado. Mientras tanto, me había puesto una capa del poco maquillaje que todavía me quedaba: rímel negro, lápiz de ojos aplicado con poca precisión y un pintalabios rosa oscuro que estaba segura de que me hacía parecer un vampiro con malos modales a la mesa. Intentaba ser lo más londinense posible.

Ir a la oficina de expedición de pasaportes fue un buen modo de empezar. Todo eran formularios, colas y burocracia. No se podía hacer otra cosa que seguir las normas, marcar las casillas, entregar los documentos y el dinero.

Me sentí tan culpable que me dio asco, pero aparté la idea de mi cabeza. Solo podía pensar en la tarea que tenía entre manos. Ya me encargaría del resto después. Necesitaba llamar a Alex y hablar con él de mi pasaporte perdido, pero sabía que ponerme en contacto con él era una especie de traición.

Pasé un rato frente al escaparate de una tienda *vintage,* y luego entré y me perdí entre las perchas de vestidos viejos y zapatos maravillosos. Crucé la calle y entré en un centro comercial que, estaba segura, no existía la última vez que estuve en Covent Garden: era nuevo y lujoso, tenía un restaurante Jamie Olivier, una tienda que solo vendía zapatillas bailarinas caras, una floristería elegante y moderna. Sin embargo, me ponía nerviosa no estar en la calle de Olivia, por si no la veía.

Al final de la calle había un pub con aspecto agradable, una copistería y, con frecuencia, pasaban peatones de camino a los estudios Pineapple, que estaban a la vuelta de la esquina. Algunos eran sin lugar a dudas bailarinas. Avanzaban con garbo, las cabezas erguidas sobre cuellos de cisne. Otros eran mucho más modernos: el tipo de personas que aparecían de fondo en los vídeos musicales, realizando con soltura unos movimientos que yo ni sería capaz de nombrar.

Regresé por la calle a largas zancadas, alzando la vista, de cuando en cuando, a un cielo grisáceo lleno de nubes. Hacía un frío helador y me aburría.

Me dirigí al otro extremo de la calle, para ver qué pasaba por allí. La gente paseaba por Long Acre, eso pasaba. Caminé hasta la mitad. Allí no pasaba nada. Cada vez que alguien llegaba a la calle, lo miraba con atención, pero ninguno de ellos era Olivia Wilberforce; hasta que, de repente, una sí que lo fue.

Caminaba mientras toqueteaba un iPhone, pero aunque llevaba la cabeza agachada y apenas podía ver su rostro, supe que era ella. Estaba visible pero no exageradamente embarazada. Se me aceleró el pulso cuando caminó en mi dirección. Tenía el pelo negro, con un corte geométrico muy chic, cortito por detrás y más largo por delante, con un flequillo que resultaría ridículamente corto en la mayoría de la gente pero que a ella le quedaba bien. Vestía unos vaqueros tan ajustados que seguramente serían mallas, y por encima un abrigo de estilo militar que parecía maravilloso a su manera.

Me estiré la chaqueta de terciopelo, que llevaba sobre la ropa nueva. Estaba andrajosa y era estúpida, claramente un artículo de una tienda de beneficencia a cientos de millas de Londres.

–Hola –dije, cuando pasó a mi lado.

Se detuvo y me lanzó una mirada de un desdén absoluto.

–No, gracias.

Continuó su camino. Sus rasgos eran tan regulares que daban miedo. Parecía una muñequita de porcelana, o una asesina *sexy* de película. De algún modo, en Olivia Wilberforce convivían esas dos imágenes. El bulto de su fértil tripa le confería un aspecto aún más inquietante.

–No soy periodista.

Olivia siguió andando, y yo me giré y salí trotando tras ella.

–Soy una amiga de Lara.

Eso hizo que se detuviera, pero solo el tiempo que le costó decir:

–Sí, claro.

–Pues sí. Vivo en las afueras de Falmouth. Estuve con Sam cuando nos enteramos de su desaparición. Me quedé con él hasta que la Policía se lo llevó para interrogarlo. Llamé a su hermano.

Entornó los ojos.

–¿Cómo es la familia de Sam?

–Su hermano es detestable y agresivo. Lo cierto es que me sorprendió; Sam es tan…, bueno, tan pacífico, tan amable, que no me lo esperaba. Su madre parece una dulce ancianita, pero es increíblemente dura.

Me miró a la cara durante un momento, y luego de pronto se relajó. Su actitud cambió, aunque seguía a la defensiva.

–Bueno, eso es cierto. En la boda se portaron como unos canallas; fue una jaula de grillos. ¿Cómo te llamas?

–Iris, Iris Roebuck. Lara y yo nos conocimos en el *ferry* de St Mawes. Nos pusimos a hablar y nos hicimos amigas.

Olivia soltó una risa rara y repentina que se detuvo de una forma tan abrupta como había comenzado.

–Si querías hablar conmigo, ¿no podías haber llamado? Verás, presentarte y pararme en mitad de la calle no es lo más normal. El mundo estará jodido, pero eso no significa que ya no existan los modales.

Me gustó. Era lo que yo hubiera dicho de estar en su lugar.

–Perdona, Olivia, tienes toda la razón. En serio, lo siento. Solo, bueno, es que estaba en Londres. Y pensando en Lara, como imaginarás. Estoy segura de que ella no mató a Guy. Sé que parece que fue ella, pero... –Me miró, sin ayudarme en nada–. Bueno, sabía que cuando vino aquí estuvo viviendo contigo, y sabía dónde vivías, así que...

No estaba acostumbrada a esto. Nadie me había obligado a suplicar por nada.

–Puedo irme por donde he venido. A ver, lo último que quiero es molestarte o importunarte.

Olivia me miraba a la cara con sus penetrantes ojos azules.

–El caso es, Iris –dijo–, que ella nunca me habló de ti. Por lo visto, tú lo sabes todo de mí, pero yo no sé nada de ti. Y todo el mundo lo sabe todo sobre mi familia, porque los periódicos están obsesionados con nosotros. Ahora mismo, no es precisamente difícil localizarme. Cualquier chalado podría pararme en la calle. Créeme, no eres la primera.

–Vaya. –Luchaba por presentar mis credenciales–. Pero ¿Lara te habría hablado de mí? No creo, ¿verdad?

–Bueno, a mí no. No, conmigo no lo habría hecho. Pero estoy segura de que tampoco les habló de ti a mis padres. Hemos hablado de sus amigas. Fíjate, el mundo estalla y te pones a repasar todos los detalles. Pensábamos que no tenía amigos de verdad en Cornualles.

Me encogí de hombros.

–Pregúntale a Sam, si quieres.

–Dijo que aquel día estuvo con alguien. Podrías ser tú.

–¿Sabes? Ojalá hubiera aceptado esa entrevista que me han ofrecido millones de veces, así podría mostrarte la prueba.

–Vaya, cuéntame eso.

Sacó las llaves de su bolso, pero después se lo pensó mejor. Yo buscaba en mi teléfono, contenta de habérmelo cambiado hacía poco.

–Te lo mostraré –dije.

Ahí estaba mi nombre, en un artículo de periódico. Me mencionaban como una amiga de la familia que había estado esperando con el desconsolado esposo.

–Mira. Ese es mi nombre. Puedo enseñarte mi carné de identidad.

Observó un buen rato el teléfono y luego a mí. Asintió y su cara cambió. Pasó de gris a un triste verde pálido.

–Mira, esto es horrible. Para todos. Cada vez que suena el teléfono... No puedo creer que Lara hiciese lo que dicen, pero al mismo tiempo no veo qué otra cosa... Nuestro padre se ha dado a la bebida, y mi madre va hasta las cejas de tranquilizantes. Si conoces a Lara, sabrás cómo era mi relación con ella. ¿Lo sabes?

–No os llevabais bien, para nada. Vivió aquí contigo un tiempo y luego se marchó.

–Vamos a tomar algo.

–Claro.

–Te invito a un refresco. Me encantaría una copita de vino, pero no en público, no cuando existe la posibilidad de que haya alguien de la prensa acechando con una cámara. Y no en el pub de aquí cerca; todos estarán escuchando.

Se fue calle arriba sin esperar respuesta, y tuve que andar lo más rápido que pude para alcanzarla.

El bar era grande, ruidoso y completamente anónimo. Comprendí por qué Olivia lo había elegido. Estaba poblado por una mezcla de gente trajeada que engullía bebidas con serios niveles de concentración alcohólica, y turistas felices que se lo tomaban con más calma.

La invité a un zumo de naranja recién exprimido y, casi sin querer, pedí una copa de vino blanco para mí.

–Cabrona con suerte –dijo con una sonrisita, mirando fijamente mi bebida–. ¿Qué es?

–Sauvignon *blanc*. No suelo beber, la verdad, y cuando lo hago siempre tomo tinto, pero había una mujer en la barra pidiendo esto y me pareció bueno, así que decidí pedirme uno yo también.

–El día que Lara se presentó en mi piso trajo una botella de Sauvignon. No me fijé en lo nerviosa que estaba, pero se la bebió sola. Sería por encontrarse en mi territorio, supongo. Ella también bebía tinto. Iris, vayamos al grano: ¿qué crees que sucedió?

Un hombre pasó pegado a mi silla, tan cerca que pude oler la carne que acababa de comer. Me incliné, acercándome a Olivia.

–Bueno. –Vi a una mujer que se mantenía en pie de milagro–. No creo que ella lo matara. La verdad es que no.

–Pues claro que no fue ella. –Olivia también se inclinó sobre la mesa–. La Policía me interrogó durante horas. Fue horrible, como si de repente estuvieras en una serie de televisión o algo así. Crees que te sabes el guion, pero resulta que trata sobre tu hermana y si ha asesinado o no a su amante. Ni en un millón de años. Se lo repetí mil veces. Lara y yo no nos llevamos muy bien, pero la defenderé a muerte en esto. No fue ella. Engañar a Sam, sí, claro. ¿No lo harías tú? Pero ¿asesinar a alguien? Pues no. Es ridículo. Impensable.

–Estoy de acuerdo.

–Alguien se la ha jugado.

–¿Qué dijo la Policía de eso?

Se encogió de hombros.

–Que Lara quería que Guy dejase a su mujer, que él se negó y entonces a ella se le fue la cabeza y lo apuñaló. Mi hermana nunca tuvo una navaja, ¿de dónde había salido? El problema es que sé que tengo razón, pero cuando me oigo decirlo y miro sus caras escépticas veo que para ellos soy como uno de esos vecinos de un asesino en serie que dice: «Era muy tranquilo y buen chico». Les doy pena y se piensan que no tengo ni idea. –Suspiró–. ¿Puedo darle un trago a tu vino?

Se lo acerqué.

–Gracias. Lara y yo nos odiábamos, y en realidad me quedo corta. Desde que éramos niñas. Ella era perfecta, yo nunca podía estar a su altura. Competíamos sin cesar en todo y ella siempre ganaba. Era la niña buena, así que a mí me tocaba ser la mala. Era complicado, y no me siento orgullosa de algunas cosas. Después de la universidad, se fue de viaje y pasó unos años en Asia, y esa fue la única ocasión en que sentí que tenía espacio para ser yo misma. Pero regresó y se reinventó como la profesional de altos vuelos que es ahora, y volví a pasar a un segundo plano. Se casó, una boda perfecta, mientras que mi vida sentimental era un largo accidente de coche. Pero luego no se quedaba embarazada, y yo sí, sin querer, y hasta mis padres se cabrearon conmigo por eso. No estaban ni remotamente contentos por el bebé, ni siquiera una pizca. Para ellos, era solo otra putada más que yo le hacía a Lara.

»Sabía que estaba liada con Guy, porque me los encontré en un bar esa noche, la noche que desapareció. Estaban tomándose una cerveza en un bar de mi calle. A primera vista, se notaba que Lara lo adoraba, y la conozco lo suficiente como para saber que preferiría dejar a Sam antes que tener un amante a largo plazo. Somos hermanas, no importa los antecedentes que haya, seguimos siendo hermanas. Y Lara nunca, jamás, haría daño a ese hombre, aunque la prensa esté como loca con la historia de «la niña buena que se convierte en un monstruo».

—¿Y dónde crees que está?

Olivia recostó la espalda y acarició el bulto de su bebé.

—Nadie quiere oír esto —dijo—, pero creo que le ha pasado algo terrible. El que mató a Guy le habrá hecho lo mismo. Iris, esté donde esté, estoy totalmente convencida de que está muerta. Pero no tengo ni idea de quién ha podido ser. Un tarado cualquiera es la única posibilidad, pero no tiene sentido. Eso no pasa en la vida real, y si pasa lo atrapan rápidamente. Así que me pregunto: ¿podría ser alguien que conociese? No se me ocurre nadie.

Hizo una pausa.

—Pero mira, sé que algo dramático le ocurrió cuando estuvo en Tailandia. Estaba metida en algo. Tenía un novio, Jake, y luego de repente regresó a casa, hundida, y se pasaba todo el tiempo encerrada en su cuarto. Fue la única ocasión en que Lara se mostró distinta, misteriosa. He estado mirando las cajas con sus cosas que hay en el desván de casa de mis padres, porque nunca se sabe. Doy palos de ciego, pero podría haber algo, ¿no? No se me ocurre qué otra cosa hacer. Un tal Jake, sin apellido, ¿de hace cuánto? Casi quince años.

Asentí.

–Si descubres algo… –dije. Me pareció presuntuoso pedirlo, así que no terminé la frase.

–Es bonito que creas en ella –dijo–, me hace sentir menos sola. Claro, dame tu número, y si encuentro algo te llamo. Y tú haz lo mismo.

Abrí la boca para contarle lo del pasaporte, pero me lo pensé mejor. Parecía demasiado absurdo, y no podía soportar darle esperanzas para luego desbaratárselas. Puse una mano sobre la suya y le pasé mi copa de vino.

–Pues claro –le dije.

19

El hotel de Lara y Guy era un establecimiento funcional para gente de negocios, enfrente de la catedral de St Paul. Entendí por qué Lara decidió quedarse allí: no era excesivamente caro –al menos para ser un hotel en el centro de Londres– y podías reservar tu habitación por medio de una máquina sin que nadie te molestara. El pequeño recibidor estaba lleno de hombres y mujeres, principalmente hombres trajeados, moviéndose atareados de acá para allá, cada uno en su propia burbuja de importancia.

Observé a algunos, parecían intercambiables. Me hubiera gustado demostrarles lo fácil que era reventar sus burbujas. Además de la brigada del «viaje de negocios a Londres», estaban los preceptivos turistas entrando y saliendo de los ascensores con sus enormes maletas.

Mi habitación era la 253. Una puerta en un pasillo, igual que todas las demás. Lara y Guy podrían haber usado esta habitación, aunque, estadísticamente, lo más probable era que no.

Hacía años que no me alojaba en un hotel. La habitación insulsa, la cama rigurosamente suave, la pequeña tetera eléctrica y las capsulitas de sucedáneo de leche se unían para crear un ambiente que no se parecía en nada al de la última habitación de hotel en la que estuve, pero de todos modos me dejó fascinada. Superpuesta a esta habitación, se me apareció otra con más personalidad, con suelos de tarima, una colcha de colores y enormes ventanales abiertos por los que entraba la brisa del mar.

Cerré con fuerza los ojos. Si seguía respirando, expiraciones e inspiraciones, no sucedería nada. Esa otra habitación de hotel se encontraba muy lejos de aquí. No estaba en Londres, sino en Italia. No tenía derecho a meterse aquí.

Laurie estaba en casa. El Laurie que me llevó a Italia hacía mucho que ya no existía.

Me temblaron las piernas, pero conseguí llegar hasta la cama. Incluso tumbada, hecha un ovillo, con mis grandes botas transgresoras sobre el edredón, tuvieron que pasar unos cuantos minutos antes de que remitiera. Me lo negaba, pero sabía que esto iba a pasar. En Londres se me aparecerían trocitos de ese otro mundo.

Me concentré y pensé en Lara, y pronto todo aquello se desvaneció y me encontraba de vuelta en la vida londinense de mi amiga. Ella y su amante muerto vivieron entre semana en habitaciones como esta, durante meses. Me imaginé sus maletas una junto a la otra, sus contenidos extendidos y mezclados por el suelo. Sus trajes estarían colgados en un armario como este, en las mismas perchas antirrobo. Luego, un día, tomaron juntos el tren, y cuando llegaron a Cornualles él estaba muerto y ella desaparecida.

Tenía pensado pasar esa tarde encerrada en mi habitación, refugiándome de Londres y su torrente de recuerdos, pero lo cierto es que la ciudad me había resultado extrañamente acogedora. Podía ir a cualquier parte y hacer cualquier cosa, y estaba segura de que nadie se fijaría en mí. Me fui a un pub, abarrotado a pesar de ser un lunes de enero. Me tomé un zumo de naranja y un plato de *fish and chips* alegre y típico, mientras intentaba decidir qué demonios debería hacer a partir de ahora. Olivia había accedido a hablar conmigo y, en contra de lo esperado, me cayó bien. Se suponía que debía ponerme a investigar, pero no sabía por dónde empezar.

Alguien había dejado un periódico en la mesa de al lado, y no había nada nuevo en sus páginas, solo especulaciones y algunas observaciones superficiales. Ojeé un artículo sobre personas que trabajan lejos de sus parejas. Aunque decía muy poco sobre Lara y Guy, las palabras «se pasaban las noches en los bares y clubes del centro de Londres, viviendo abiertamente como novios» llamaban la atención en el texto. A continuación venía un reducido listado que habían reunido los periodistas de impresiones poco convincentes sobre la pareja. «Algunos testigos afirman haberlos visto la víspera del asesinato en un sórdido bar-cabaret subterráneo que había sido unos retretes públicos en el centro de Londres», leí. «Es posible que Lara Finch ya supiera lo que iba a hacer la noche siguiente.»

Conocía, vagamente, lo de ese bar subterráneo, pero no le di demasiada importancia. A falta de algo más para seguir tirando, y antes de buscar un modo de hablar con los compañeros de trabajo de Lara, decidí rehacer sus últimos pasos. Si lograba ir sola a unos retretes reconvertidos en un bar sórdido, podría hacer cualquier cosa.

Con cierto alivio, me dije a mí misma que no serviría de nada ir a un bar chungo un lunes. Tendría que esperar al fin de semana para ese reto: de hecho, iría el jueves, igual que hicieron Lara y Guy. Por ahora, eso suponía que podía apartar la idea de mi cabeza.

Advertí que alguien me estaba mirando. La gente abandonaba el pub, y parecía que todo se estaba apagando. Solo quedaba un puñado de personas y, de repente, había un hombre al otro lado del bar, de pie, mirándome sin intentar disimularlo.

Levanté la vista, aparté la mirada, y volví a mirarlo. Por una fracción de segundo, me entraron ganas de salir corriendo. Mi corazón peleó en el pecho, como si a la mínima ocasión pudiera abandonar mi caja torácica y echar a correr. Mis piernas se tensaron, listas para irse.

Pero pronto se me pasó. Solo era un hombre, en un bar, mirando a una mujer porque estaba sola. Eso era todo. Lo había confundido con alguien que era imposible que fuese. Este hombre tenía un espeso pelo negro, más o menos la misma edad y su piel era del mismo tono caramelo que reflejaba una parecida herencia mestiza. Tendría su edad, pero eso era todo.

No podía ser Laurie, porque lo dejé en Cornualles. Laurie no me habría seguido hasta aquí para tenderme una emboscada con acusaciones.

Volví a lanzarle una mirada rápida. El hombre sonrió y comenzó a caminar hacia mí. Me levanté, agarré mi bolso y me marché, sin volver la vista atrás. Confié en que no se lo tomase como una invitación, y eché a correr, por si acaso.

Los pasillos del hotel eran, como era de esperar, idénticos. Podría haberme ido directa a mi habitación, pero en vez de eso comencé por el último piso y fui bajando en círculos. Pasaba delante de las puertas, muchas con cartelitos de «No molestar», otras, con bandejas vacías fuera. Pasé por delante de todas las habitaciones en las que pudieron haber estado Guy y Lara.

Me habría gustado conocerla mejor. Me habría gustado que me hubiese contado sus secretos, aunque solo la vi cuatro veces. Deseaba saber si estaba enamorada de él, si el tiempo que pasó en este hotel fue un torbellino de conversaciones sin fin, sexo y obsesión, o si simplemente se aburría y se sentía triste en casa y buscó consuelo en un comportamiento destructivo. Deseé que fuera lo primero. Me los imaginaba a los dos arrancándose la ropa en cuanto la puerta de la habitación se cerraba tras ellos.

Era un lugar insípido. Todo era uniforme, un sitio para dormir y nada más, de modo que el edificio entero se convertía en un irreal lienzo en blanco en el que dibujar lo que a uno se le ocurriera. Cada pocos pasos pasaba delante de otra habitación, con otra cama. Detrás de esas puertas podría estar sucediendo cualquier cosa.

Aceleré el paso, intentando no pensar en el hombre del bar. El tipo no había hecho nada malo, y acercarse a una mujer desconocida en un pub ni siquiera era algo del todo impropio. Al menos, no era necesariamente impropio en alguien como él, un hombre de verdad. Solo habría resultado extraño en el hombre al que se parecía.

En Laurence sí que habría resultado extraño. Laurie estaba en casa, en Cornualles. Estaba en nuestra casa, donde vivíamos.

Finalmente, en el cuarto piso, encontré un carrito de la limpieza. Me quedé a su lado, descansando el peso en un pie y en otro, retocándome el pelo, tirando de una esquinita suelta de papel de la pared, hasta que apareció una mujer. Era bajita, llevaba el pelo recogido y un uniforme gris y blanco.

–Buenas noches –dijo, bajando la vista.

–Hola. –Intenté pensar cómo conseguir que hablara. Necesitaba hacerlo bien–. Buenas. Esto..., ¿trabaja aquí todos los días?

Se mostró suspicaz.

–Casi. ¿Hay algún problema en su habitación?

–No, no, para nada. En mi habitación está todo bien. Esto... Tengo una amiga que se alojaba aquí. Lara Finch. Con su... –procuré encontrar la palabra adecuada, pero no lo conseguí–. Con un amigo. Su novio, ¿sabe? La están buscando.

–Ah, sí.

Era latinoamericana, y no parecía de esas que tuvieran tiempo para dedicarse a cotillear. Empujó un poco el carrito por el pasillo y caminé con ella.

–Ya sé –añadió.

–¿Alguna vez la vio, cuando estaba aquí? ¿Se acuerda de ella?

Negó con la cabeza.

–Aquí vemos a mucha gente.

–Igual limpió su habitación.

–Puede ser. ¿Cómo voy a saberlo? –Sacó una llave de su bolsillo y abrió la puerta de la habitación 413–. Cuando limpiamos las habitaciones, no hay nadie dentro.

Entró y cerró la puerta.

El empleado de la recepción tampoco resultó de mucha ayuda.

–Aquí vemos a mucha gente –explicó–. Los reconocería, seguro; pero nunca les presté demasiada atención. No es asunto mío si están liados o qué hacen. A ver, esto es un hotel: la gente hace lo que le apetece. Para serle sincero, me alegro de que no se lo cargara aquí.

–¿Piensa que puede haber alguien aquí que hubiera hablado con ellos, o que sepa algo sobre ellos?

–No –dijo–. Créame, la Policía ha venido a inspeccionar todas las habitaciones en las que se quedaron. Han venido tantos periodistas que no se lo creería, y no tenemos nada que decir. Si es su amiga, lo siento, pero el motivo por el que la gente viene a un hotel como este es para no ser molestados. No nos inmiscuimos en las vidas privadas de nuestros clientes, no tenemos tiempo para preocuparnos de esas cosas, no es asunto nuestro.

Puso una sonrisa reluciente que mostraba su blanca dentadura, y comprendí que me estaba despidiendo. Mis vagos sueños de hallar a un miembro del personal del hotel que pudiera confiarme todo tipo de información privilegiada se hicieron añicos. En realidad, no tenía ni idea de lo que me iba a encontrar.

Llamé a Alex, desesperada por oír una voz amiga, por hablar con alguien que no se burlara del hecho de que yo estuviera allí, persiguiendo fantasmas. Ese día había cometido un fraude, escribí por detrás de las fotos de mi pasaporte el nombre y la firma de una profesora que conocí en el pasado. Se lo diría cuando hablase con él.

Sin embargo, no contestó. Le dejé un escueto mensajito, y me sentí estúpida. Le había gustado mi falda y se tomó un vino conmigo. Charlamos, y me dio la sensación de que lo conocía desde hacía mucho. Me sentí a gusto con él, pero eso no significaba nada.

No dormí bien. Sentí el fantasma de Lara, y el de Guy, a mi alrededor. Sentí mi vieja vida, mi vida de Londres, intentando agobiarme, y no quería pensar en eso.

20

El teléfono sonó a las nueve de la mañana del día siguiente. Dormitaba, y a punto estuve de no contestar. Los ruidos de Londres al otro lado de la ventana provocaron que me despertara en un inesperado estado de emoción. Motores que vibraban sin parar, autobuses que resoplaban, cláxones que pitaban y, en ocasiones, una voz que se alzaba soltando un juramento. Antes de atravesar la cortina del sueño y llegar a la consciencia propiamente dicha, me alegré de haber vuelto a mi hogar.

Entonces me desperté del todo y aparté de mi cabeza ese pensamiento. El teléfono seguía sonando, muy alto, con la melodía que Laurie me puso cuando me lo compré: una canción oscura y adorable de I Am Kloot titulada «To the brink». Era nuestra canción. Decidí que tenía que cambiarla en cuanto pudiera.

Contesté, básicamente para que la canción dejara de sonar, olvidando, en mi estado de confuso aturdimiento, que si hubiera esperado un par de segundos más, el buzón de voz habría conseguido el mismo fin. No miré la pantalla porque quería que su voz me diera una sorpresa.

–¿Hola?

–Iris, ¿estás bien?

Quería una sorpresa y se cumplió mi deseo.

–Hola.

–Perdona, soy Alex. No era mi intención molestarte. Perdona.

–¡Alex! No pasa nada. Te llamé anoche, tú me devuelves la llamada. Muy amable. No tienes que pedir perdón por ser amable.

Me senté en la cama, apartándome el pelo de la cara y recordando que necesitaba un corte. Se me enredaba y me molestaba. Igual me hacía un corte radical.

–Bueno, ¿cómo estás? –Su voz sonaba afectuosa–. ¿Qué tal por Budock?

–Pues… –Me levanté y desenchufé la tetera, con el teléfono entre el hombro y la oreja–. No estoy en Budock. Algo muy raro en mí, pero estoy en Londres.

–¿En serio? Creía que casi nunca salías de casa.

–¡Lo sé! Y mírame ahora. –Abrí el grifo del lavabo y el agua cayó con estrépito en la tetera. Su eco resonó por aquella habitación inmaculadamente alicatada, y me asusté porque sabía que sonaba como si estuviera orinando–. Perdón por el ruido –me apresuré a decir–. Estoy llenando la tetera. Estoy en un hotel.

–¡Caramba, Iris! –Me reí. «Caramba» sonaba incongruente, pero era tierno–. ¿En serio? ¿Y qué haces allí?

Intenté explicárselo. No fue fácil, porque yo misma casi no podía explicármelo del todo.

–Estoy en el hotel de Lara y Guy –dije, dándome cuenta al momento de que parecía una loca–. Me dedico a ir a los sitios en los que ellos estuvieron. Estoy segura de que Lara no lo mató, lo sé. Fue otra persona, y quiero descubrir quién.

–Ah, y estás… –Titubeó–. ¿Estás con tu novio?

–No –contesté rápidamente–. No, él se ha quedado en casa. Londres no le va.

No me lo podía creer. Estaba hablando de Laurie con un policía. La tetera armaba mucho ruido al hervir el agua, soltaba fuertes crujidos metálicos, demostrando el esfuerzo que debía realizar para que yo pudiera tomarme una taza de té asqueroso con algo que pretendía ser leche.

–¿Y tu familia? ¿Sigue en Londres?

–Sí, seguramente. Al menos, que yo sepa.

–¿No te llevas bien con ellos?

–No, pero son encantadores. Es una larga historia. Y tú, ¿cómo estás?

–Bueno, ya sabes, bien. Se supone que debería estar haciendo un montón de cosas distintas, pero me dedico a seguir la investigación del caso de Lara. No es que haya muchos cambios. Ayer fue el funeral de Guy, seguro que ya lo sabías. Están reduciendo la búsqueda y suponen que el cuerpo de Lara debe de encontrarse en algún punto inaccesible cerca de las vías del tren.

–¡No pueden reducir la búsqueda! ¡Pero si no saben ni la mitad!

–¿A qué te refieres? No saben ni la mitad, ¿de qué?

–De Lara. Está…

El silencio permaneció suspendido en el aire durante el tiempo que me hubiera costado contarle lo de mi pasaporte desaparecido. Noté que también Alex estaba a punto de decirme algo, dubitativo. Decidí contárselo, justo una milésima de segundo después de que empezara él.

–Iris –dijo de repente–, me he tomado un permiso, empiezo mañana por la noche. Me estaba planteando pasar unos días en Londres. Siempre me entran ganas de salir de aquí cuando tengo un par de semanas libres. Si no lo hago, no me parece un descanso. Si quieres, igual podríamos tomarnos algo, comer juntos, o lo que sea. Podrías contarme tus pesquisas. Estoy tan intrigado como tú, porque la verdad es que se han revisado bien todos los puntos a lo largo de la vía y, a menos que Lara se arrojara del tren con mucho impulso o lo hiciera a una hora inusual del trayecto, ya la habrían encontrado. Es posible que se bajara en Reading, pero ninguna de las personas que aparecen en las cámaras de seguridad se parece a ella lo más mínimo. Cuando el tren se detiene entre estaciones no hay cámaras, pero si se bajó en uno de esos sitios tendría que estar en alguna parte. No se me ocurre ninguna teoría. ¿A ti?

Arranqué la tapa de una cápsula de leche. Como era de esperar, se me derramó por la mano; la vacié de golpe en la taza de té.

–Estaría bien quedar contigo si vas a venir por aquí –dije con cautela–. Y, Alex, deja que te cuente algo, pero no pienses que estoy loca, ¿vale?

–*Mais bien sur* –dijo.

–Una de las cosas que he hecho aquí es ir a la oficina de expedición de pasaportes a hacerme uno nuevo. Por la vía rápida, por si acaso. ¡Demonios, qué caro es! Pero da igual, tenía que pedir un pasaporte nuevo. –Me detuve, planeando cómo podía decir lo que seguía para que a un policía le sonara razonable–. Tenía un pasaporte, en casa. Estaba en un armario archivador. Aún faltaban tres años para que caducara. Pero ha desaparecido. ¿Recuerdas que te conté que Lara vino a verme la víspera de Navidad?

–¿Sí? –Pude notar su escepticismo, aunque intentó ocultarlo.

–Bueno, me pidió echar un vistazo a la casa. Laurie no estaba, así que se la enseñé y me contó qué haría ella si tuviéramos dinero para dejarla preciosa. Cuando llegamos a la segunda habitación del piso de arriba, la que usamos de despacho, sonó el teléfono. Algo muy raro. Bajé a contestar, no era nadie. Luego subí de nuevo y seguimos como si nada. Un par de semanas más tarde, mi pasaporte y Lara desaparecen.

No habló durante varios segundos. Me sentí profundamente estúpida, pero no me permití recular, ni añadir a lo que acababa de decir un «seguramente no sea nada», porque estaba convencida de que, en efecto, algo era.

–¿En serio? –dijo–. ¿Me lo cuentas como policía, o como amigo?

Al escuchar esa palabra, me encogí.

–Te lo cuento como Alex Zielowski. Eres..., bueno, supongo que eres ambas cosas. Lo que tú prefieras.

–Sí, bueno. Mira, hoy aún estoy trabajando, y debo continuar. Además, como ya sabrás, el asunto de Lara no entra en mi jurisdicción, porque pertenece a la comisaría de Penzance. Pero lo que haré es ver si puedo encontrar un modo de comprobar tus datos. No es fácil. Tendré que rellenar una solicitud de acceso a datos protegidos. Ya veremos. ¿Te sabes tu número de pasaporte, por casualidad?

–Ojalá.

–Haré lo que pueda. Ahora mismo tengo una cita ineludible, pero te llamo luego, si te parece.

–Por supuesto, cuando quieras.

–Gracias. Ah, por cierto, Iris.

–¿Sí?

–¿Tu novio está bien, en casa, sin ti?

–Está bien –me apresuré a decir–. No te preocupes por él.

–Claro. Bueno, que lo pases bien en Londres. Te llamo en otro momento. –De repente su voz adoptó un tono formal y supuse que había alguien con él.

–Adiós.

Me senté en la cama y contemplé el teléfono mientras me bebía el té. Me di cuenta de que estaba sonriendo. Había llamado varias veces a Budock, pero Laurie no contestaba. Decidí que hoy ni lo intentaría. Él sabría cómo llegar a mí.

Miré el teléfono, consciente de que podía usarlo para hacer algo drástico. Podría, por ejemplo, llamar a mi madre. Mi mano se acercó al móvil. Solo tendría que decir hola.

«Hola –diría ella, en ese tono suyo, impreciso pero agresivo–. Hola. Iris, cariño, ¿eres tú? Ay, niña ridícula, ¿dónde te habías metido?»

Por no podía hacerlo. Todo el mundo consideraba que había llevado las cosas a un extremo absurdo. Normal. El mundo estaba lleno de corazones rotos; la manera de superarlo era estar triste un período razonable de tiempo y luego pasar página, en lugar de huir a Cornualles a los treinta y dos años y encerrarte con tu amante indefinidamente.

La llamada de Alex me impulsó a tomar la District Line, aunque no me apetecía. Había algo en él que me animaba a hacer lo correcto. Me senté en el vagón con la mente en blanco y me puse a mirar a la gente. Había un hombre dormido con la cabeza apoyada en la ventanilla, dando respingos de cuando en cuando. Una anciana fruncía el ceño, concentrada en el libro que estaba leyendo, tan absorta que me pregunté si se le pasaría su estación. Igual ya se le había pasado.

Después de Earls Court, el vagón se vació casi por completo. El señor dormido y la mujer lectora seguían allí, además de un hombre con cara de agobiado que llevaba un bebé en una mochila y una joven con unas mallas de un estampado espantoso y una blusa demasiado corta que tecleaba en su móvil con concentración y rabia.

Al acercarnos a East Putney, ya por la superficie y con una lluvia espesa golpeando las ventanillas, me levanté como un autómata y me dirigí a la puerta.

Estaba igual que siempre, y la fuerza de la costumbre me hizo avanzar por el vestíbulo de la estación, que era igual al de todas las estaciones de metro, con su taco de periódicos gratuitos y sus taquillas medio vacías, aunque diferente y peculiar por sus detalles y su propia esencia.

Todos mis viajes solían comenzar aquí. Iba a la universidad desde esta estación. Aquí conocí a mis amigos. Aquí compraba mi abono de transporte y desde aquí me lanzaba al mundo.

Mis piernas me condujeron hasta la calle. Estaba llena de coches, autobuses, furgonetas y taxis, todos vomitando sus nubes de gas. Y continuaron por High Street, que se veía más elegante que antes, y luego siguieron su camino por las calles que bordeaban el río. Sorteé los charcos y salté por encima del agua acumulada en la calzada.

Ahora las casas debían de valer millones. Estaban muy cuidadas, con sus fachadas inmaculadamente limpias y los ladrillos impecables. Algunas eran pisos, claro, siempre había sido así. Incluso los pisos eran de revista de decoración.

La casa de la esquina tenía un césped tan frondoso y bien cuidado que cada brizna de hierba era del mismo tamaño. Un triciclo de niño –de madera, cómo no– estaba aparcado en un patio de gravilla. Una mesa decorada con mosaico y cuatro sillas a juego aguantaban estoicamente la lluvia, aguardando la primavera y el sol.

En otros tiempos, la casa había pertenecido a los Grimaldi: una pareja gay que rondaba los setenta años y que había vivido allí toda la vida. Bert y Jonno, así se llamaban. Recuerdo que Jon decía que adoptó el apellido de Bert porque «¿Cómo vas a ir por la vida apellidándote Bottomley cuando puedes ser un Grimaldi?».

Se habrían mudado, o muerto, desde la última vez que estuve. Me pregunté cuál de las dos opciones sería la correcta.

Los recuerdos me asaltaban a cada casa que pasaba. Seguí andando, recorriendo la calle en la que aprendí a montar en bicicleta y que llevaba a mi guardería. Recordé las carreras que echaba con mi hermana, Lily, desde la esquina hasta la puerta de casa. Llegábamos coloradas y sin aliento, entre risas, desesperadas por ser la ganadora.

Me alegré de que estuviera lloviendo. Tenía el pelo chorreando por la espalda, y se me pegaba la ropa de una manera incómoda. Me gustaba.

Pasé junto a una mujer que empujaba un cochecito enorme con dos bebés, uno al lado del otro. Probablemente era más joven que yo, pero ya era madre a tiempo completo. Disimulaba su agotamiento con maquillaje y, supuse, cremas caras, pero era imposible de borrar. Tenía el aspecto robusto de alguien que fue delgada y ha parido gemelos en los últimos seis meses. Su ropa era cara pero práctica: vaqueros, botas Fly, anorak azul abrochado para protegerse de los elementos, y llevaba el pelo, rubio con raíces oscuras, recogido en algo parecido a un moño.

Sonreí al pasar a su lado y ella me devolvió la sonrisa, con complicidad, seguramente pensando –o eso me pareció– que acabaría como ella.

Casi me sorprendió que la mujer pudiera verme: tenía la sensación de ser un fantasma caminando por esa calle.

La casa seguía ahí, y mis padres todavía vivían en ella. Su Volvo negro estaba aparcado enfrente. Las mismas cortinas en las ventanas del piso de abajo. Me detuve al otro lado de la calle y miré.

Solo tenía que dar unos pasos y llamar a la puerta. Igual no estaban en casa, así no necesitaría dar explicaciones. Sabía que se alegrarían mucho de verme. Me querían. Me habían perdido.

Cuando vi una sombra en la ventana, sin embargo, comprendí que no podría hacerlo. Tal vez algún día, pero aún no. Me di la vuelta y huí hasta el río, recorriendo aquellas calles tan claustrofóbicamente familiares. Crucé el puente y seguí caminando sin rumbo hasta Fulham. Al principio, me pareció oír que alguien me llamaba, pero luego ya no.

Telefoneé a Olivia desde la esquina de una calle. Me alegré de que no me preguntara quién era. En vez de eso, dijo:

–He estado pensado que deberías hablar con Leon Campion, el padrino de Lara. Estaba muy unida a él. *Está*, perdón. Intenté hablar con él cuando pasó todo esto, pero no estuvo por la labor. Nunca le he caído bien, para él soy el enemigo. Si hicieran camisetas, en la suya pondría «Equipo Lara» a la altura de las tetas.

–Ah, vale. –La oportunidad de concentrarme en algo que no fuera yo resultaba un alivio supremo, y me esforcé por prestar atención–. ¿Es el padrino de Lara? ¿Su padrino de verdad?

–Sí, un viejo amigo de nuestro padre. Es un poco casanova, creo. Está metido en negocios misteriosos y tal. Algo zalamero. Lara y él se llevaban muy bien, aunque nunca lo he entendido del todo. Durante un tiempo pensé que estaban liados, y todavía creo que lo estuvieron en algún momento. Sea como sea, hay algo entre ellos. Podría no ser sexo, pero algo hay.

–¿Dónde puedo encontrarlo?

–Te envío su número. Te mandará a la mierda, pero merece la pena intentarlo. Debe de estar hecho polvo por lo de Lara, y sé que ha ido unas cuantas veces a casa de mis padres. Probablemente deberías hacer con él lo que hiciste conmigo, si te atreves. Ve a verlo cara a cara. Preséntate en su despacho, no en su casa, por si hay algo que no le apeteciese contar delante de su mujer. Se llama Sally, es maja.

Memoricé la dirección y me acordé de preguntarle por el bebé.

Olivia titubeó antes de responder:

–Creo que todo va bien. No debe de ser nada bueno tener que pasar por este trauma en el útero. Estoy machacada y sola, y mis padres, como es natural, están totalmente centrados en mi hermana. La verdad es que me da miedo traerles un nieto con Lara desaparecida, y con todo el mundo, incluidos mis propios padres, suponiendo que mi hermana mató por accidente al hombre con el que se acostaba. Todo el numerito de traer una nueva vida al mundo me parece que ahora está fuera de lugar. Ya sabes, típico de Olivia. Siempre fui la rara para este tipo de cosas. No tengo ni puta idea de cómo voy a arreglármelas para cuidar al bebé.

–¿El padre…? Esto…, ¿estáis juntos?

Se rio, una risa rápida y nada divertida.

–No, para nada. Fue un polvo de una noche. Él ni siquiera lo sabe, porque decidí que era mejor salir adelante sin esas complicaciones. A él podría darle por jugar a la familia feliz, Dios no lo quiera, la verdad, o por acusarme de haberlo hecho a propósito. Cualquiera de las dos: no, gracias. Esta historia es de madre soltera.

–¡Jesús, Olivia, eres una mujer dura!

–Qué va, solo hago lo que hay que hacer.

Me refugié en el portal de un edificio de oficinas y llamé a Leon Campion en cuanto recibí el mensaje con su teléfono. Era un número de móvil, y respondió. Adopté un tono imperioso.

–Hola –dije–. ¿Hablo con Leon Campion?

–¿Quién es? –Su voz era profunda y refinada.

–Iris Roebuck, soy amiga de Lara. Disculpe que le moleste, pero Olivia me pasó su número…

Me interrumpió.

–¿Eso ha hecho Olivia? Mira, no tengo nada que contar.

–Soy una amiga, solo quiero…

–Nada que contar.

–Pero seguro que...

–Oh, lo siento, ¿no he sido lo bastante claro? ¡Vete a tomar por el culo!

Colgó. Miré el móvil y me reí. Como era previsible, cuando volví a llamar saltó el contestador. De todos modos, dejé un largo mensaje, a pesar de que Leon no parecía dispuesto a escucharlo.

Mi estabilidad emocional pendía de un hilo. Aunque pensaba que caminaba sin rumbo por la ciudad, sin tener ninguna noción de adónde me dirigía, mis piernas me condujeron al único lugar que había estado evitando.

Me llevaron directamente a unos semáforos del centro. Era un cruce monótono y rutinario cerca de Euston Road. Aquellas vallas que una vez estuvieron llenas de flores con notas desgarradoras ahora aparecían desnudas, como habían estado los últimos cinco años.

Pasó un ciclista. Llevaba ropa de licra y montaba una bicicleta de carreras. Era un trabajador, probablemente un mensajero, y no se detuvo en el semáforo en rojo. Quise gritarle. Quise contárselo.

Había estado aquí antes. Me di la vuelta y salí corriendo lo más rápido que pude. Esprinté por Londres hasta dejar muy atrás aquel lugar.

Cuando Alex llamó, estaba sentada en un bar cerca del hotel, bebiéndome un vodka con tónica y pensando mucho. «To the brink» me hizo dar un respingo. Casi no contesto, pero lo hice porque necesitaba hablar, y apenas había pronunciado palabra desde nuestra conversación por la mañana.

–Hola –dije.

–¿Estás bien? –Parecía preocupado–. Iris, tu voz suena rara.

–¿Lo notas con solo una palabra? No, estoy bien. Solo un poco… acosada por los recuerdos, quizá. Pero no, nada importante.

–Sí, supongo. Debe de ser… –No terminó la frase, y me alegré–. Mira, he tenido suerte. Pensé en probar con Heathrow, dadas las circunstancias. Llamé a su Policía local al final del turno y me hice pasar por mi jefe. Comprobaron los vuelos sin pedirme el papeleo habitual. Jo, casi no me lo creo, pero parece que es verdad. Iris, de acuerdo a los registros, tomaste un vuelo a las pocas horas de la muerte de Guy Thomas. Al menos, alguien con tu nombre lo hizo. En Heathrow.

Me costó asimilarlo. Todavía creía que Laurie había hecho algo con mi pasaporte, aunque sabía que no era así.

–¿Adónde? –conseguí decir–. ¿Adónde fui?

–A Bangkok. Te concedieron un visado de turista, y todavía no has abandonado Tailandia. Oye, voy a acercarme a Londres, como te he dicho esta mañana.

–¿Se lo has contado…? Esto…, ya sé que eres policía, pero ¿se lo has contado a los de Penzance?

Deseé que me respondiera que no. Me hubiera gustado que fuera como los policías de las películas, que se apartan del camino y llevan a cabo su propia investigación, paralela a la oficial. Me hubiera gustado que me dijera que íbamos a buscar a Lara los dos juntos, sin que nadie lo supiera. No fue así.

–Sí, por supuesto. No les entusiasmó demasiado la idea. De hecho, la impresión general era que tu caso acabaría en el cajón de los trastornados, pero no. Van a comprobarlo, aunque no tengo muchas esperanzas de que haya resultados. Yo lo seguiré investigando contigo, porque tenías razón. Si quieres...

–Claro que quiero –le dije.

En cuanto terminé la llamada, vacié mi copa de un trago y me levanté. Beber sola no iba ayudarme en nada.

21

Me senté en un banco en St James's Park y observé mi teléfono. Hacía tanto frío que apenas podía mover los dedos. Nunca, jamás, se me había pasado por la cabeza que acabaría siendo una de esas personas que se sientan en un precioso parque de una gran ciudad, con pelícanos cerca, un palacio a la derecha, Whitehall a la izquierda y gente haciendo cosas interesantes allá donde mirase. Mientras tanto, intentaba comprender cómo funciona Twitter.

Si Lara estaba en Tailandia, tendría que entrar en Internet. Si entraba en Internet, abriría su cuenta de Twitter. Sabía, porque la prensa lo había aireado, que solo había publicado un tuit en su vida, que decía «Intentando aprender a usar Twitter».

Sin embargo, tenía más de veintisiete mil seguidores. Toda esa gente la había buscado y la seguía, solo por si la historia terminaba convirtiéndose en uno de esos dramas que se desarrollan en las redes sociales. El mundo es extraño.

Esta era una forma de llegar a ella. Facebook no me servía, porque no me tenía entre sus «amigos», y su configuración de privacidad no me permitía enviarle un mensaje.

Mi respiración formaba nubes de vaho a mi alrededor. El cielo estaba encapotado y un viento letal anunciaba nieve. Había gente andando apresurada por el parque, dando zancadas con sus botas caras, tiritando con abrigos baratos, dirigiéndose a destinos que tenían paredes y calefacción.

Me abrí una cuenta en Twitter. Mi foto, como la de Lara, era un huevo, y me puse de nombre, al azar, los de mis pobres gatitas: @desi_Ofelia. Para mí era un mundo nuevo: me costó un rato darme cuenta, para mi consternación, de que todavía no podía enviar un mensaje privado a Lara, incluso después de hacerme seguidora de su cuenta, porque ella tenía que seguirme a mí para que eso fuera posible. Obligué a mis dedos semicongelados a redactar algo que no llamara la atención cuando alguien cualquiera lo leyese.

«Hola, Lara», rezaba finalmente mi primer tuit. «Soy Iris. Espero que estés bien, y creo que lo estás. Si ves esto, ¿puedes mandarme un mensaje? Sé que no fuiste tú. Bs.»

Me gustaría haber mencionado Tailandia, pero como, técnicamente, mi tuit era público –aunque no podía imaginarme que nadie mirase mi cuenta, ni leyera el mensaje–, no lo hice. Lo reservaría para cuando hablásemos en privado, en el improbable caso de que eso sucediera.

Me levanté y eché a andar. No iba a salir del parque, pero quedarme sentada no me hacía bien. Tenía los dedos blancos e insensibles. Paseé hasta la mitad del puente y contemplé la capa de hielo que estaba empezando a formarse sobre el agua. Me vino a la cabeza Holden Caulfield preguntándose adónde iban los patos de Central Park cuando se helaba su estanque. Los de aquí usaban, estoicos, las zonas no congeladas, comportándose con normalidad, pero debían de estar pasándolo fatal. Aguantaban poniendo cara de patos aguerridos.

El guardián entre el centeno era el libro favorito de Laurie, y este era su parque favorito. Le gustaba porque era pequeño pero rico: «condensado», decía.

A veces, Laurie subía al puente y daba de comer a los patos. Nunca me dejaba llevar pan. «Eso les sienta fatal. ¿Por qué demonios la gente se piensa que los patos necesitan pan? ¿De qué les sirve una dieta de hidratos procesados a unas criaturas que viven en el agua y comen plantas acuáticas? ¿Por qué a un bicho que se alimenta a base de vegetales y proteínas naturales hay que atiborrarlo de azúcar, sal y conservantes?» Laurie preparaba una elaborada merienda para los patos, a base de trozos de panceta y bolsas de grano rico en nutrientes que adquiría en una tienda de animales cerca de su trabajo. Era uno de los motivos por los que lo quería tanto.

Esa fue nuestra época feliz. Vivíamos en el oeste de Londres, y todo era perfecto. Jamás imaginé que acabaríamos viviendo del modo que hemos pasado los últimos años, escapando del mundo, siendo una sombra de una sombra de lo que fuimos.

Anduve por los senderos y por la hierba, recorriendo el parque sin rumbo fijo. Me gustaba ver a los niños correteando con sus mejillas sonrosadas, excitados ante la posible llegada inminente de muñecos de nieve. También me gustaba mirar a la gente de Whitehall, con sus trajes. Andaban apresurados, todavía con el aura de su trabajo alrededor de sus abrigos caros. Había una burbujita de políticos visitando el parque y resultaba evidente que sentían que el parque debía estarles agradecido.

–Aquí estás –dijo él.

Alcé la vista y ahí estaba, alto y desgarbado, como una torre, sonriendo con un asomo de nerviosismo.

–Aquí estoy –corroboré, apartándome un paso de su lado. Aunque había venido para encontrarme con él, en cierto modo no esperaba que apareciera.

Ninguno de los dos dijo nada. Seguía haciendo un frío helador. Todavía no nevaba.

–Al final has venido –dije al fin, y empecé a caminar.

Él echó a andar a mi lado. Nunca lo había visto tan informal: resultaba que un agente fuera de servicio no se parecía en nada a lo que una podría esperar. De no haber sabido que Alex era policía, habría pensado que se dedicaba a algo mucho menos serio. Llevaba unos vaqueros y un jersey rojo brillante con un dibujo, parecido a un jersey de Navidad pero con más estilo. Su abrigo era de tipo montañero, aterciopelado, uno que yo jamás me compraría pero que al instante me dio envidia pues resultaba evidente que abrigaba mucho.

–Sí –dijo–. Este trayecto cada día dura más, de verdad. Pero no ha estado mal.

–Me gustan tus botas –le dije–. Son como las de los vaqueros, ¿verdad? Como las de las estrellas de rock.

Eso le gustó.

–Me las compré en una tienda de beneficencia –reconoció–. No estaba seguro de que fuera mi estilo, pero me las compré de todas formas, y resulta que son los zapatos más cómodos jamás hechos por mano humana; tuve suerte.

–Pues sí –comenté–. ¿Vamos a algún sitio calentito?

–Me muero de hambre. ¿Ya tienes tu pasaporte?

Me puse a revolver en mi bolso para enseñárselo, pero mis manos no conseguían aferrar bien las cosas, así que me limité a responder que sí.

Cuando llegamos a Trafalgar Square y dejamos atrás los leones, empezaron a caer pequeños copos de nieve.

–A ver –dijo, reclinándose en su silla–, esto es lo que he descubierto. Por cierto, están bastante mosqueados conmigo por entrometerme. Esto salió en la investigación cuando desapareció la señora Finch.

–Lara –le corregí, y me comí un trozo de pepino.

–Sí, Lara. Perdona, olvidaba que no estoy de servicio. Siempre procuro no pensar en los casos cuando estoy de vacaciones. Normalmente me dedico a dar paseos por la playa y no leo los periódicos. En fin, a lo que íbamos: Lara. Hace unos doce años, se presentó muy alterada en una comisaría y confesó algo completamente disparatado.

Tomó una patata frita de su plato. Estábamos en una hamburguesería elegante de Charing Cross Road. Yo disfrutaba de lo bien que se come acompañada. Sentarte tú sola en un restaurante a veces puede ser estupendo, pensé, si tienes un libro y el humor adecuado. Sin embargo, nada ganaba a la compañía.

Con gran preocupación, me di cuenta de que no había tenido una amiga, aparte de Lara, durante los últimos cinco años.

Eso era extraño. Había algo en mi interior que se estaba despertando, alegre, y apartaba a un lado los asuntos que necesitaba resolver para disfrutar del momento.

–¿Qué era?

–Bueno, la verdad es que algo muy raro. Lara se presentó sola y extremadamente alterada en la comisaría, y declaró que había estado traficando con drogas durante un tiempo, en Asia, y que por su culpa una mujer estaba en la cárcel. Como te puedes imaginar, nadie supo muy bien qué hacer con ella. Al final no hicieron nada. Lara salió corriendo del edificio, y al día siguiente un tipo, supongo que su padre, la llevó a rastras y ella lo retiró todo. El hombre explicó que la muchacha estaba muy estresada y no sabía lo que decía, que se lo había inventado. Pero entre ambas cosas alguien en la comisaría se preocupó de echar un rápido vistazo al asunto y descubrió que Lara había hecho la misma confesión en Singapur, donde la consideraron una pérdida de tiempo y la mandaron en el primer vuelo a casa con instrucciones de no regresar al país.

–¿Dijo que traficaba con drogas? –Fruncí el ceño y di un sorbo a mi vino–. ¿Lara?

–Lo sé, y nadie la creyó. Pero la cuestión es: ¿por qué lo dijo? ¿Estaría protegiendo a alguien? ¿Intentando llamar la atención sobre algo? No tenemos la información de Singapur, pero la he solicitado.

–¿Y todo esto ya había salido en la investigación y lo ignorasteis?

Abrió mucho los ojos.

–La comisaría de Penzance lo ignoró. Yo no llevo el caso. El problema es que su aventura con Guy Thomas eclipsó todo lo demás. No hacía falta rebuscar en su pasado más remoto cuando su pasado más reciente, su presente, en realidad, parecía ofrecer todas las respuestas.

–Ya veo.

–Aunque estoy de permiso, si vas a investigarlo, y sé que vas a hacerlo, te ayudaré.

Le ofrecí una sonrisa y continué comiéndome mi hamburguesa vegetal.

–Gracias.

Paseamos bajo una fina ducha de nieve hasta la National Gallery, y lo conduje a ver mi cuadro favorito, *Baco y Ariadna,* de Tiziano.

–Es por los azules –dije–. Solía venir a verlo cada vez que necesitaba calmarme. Me gusta que, después de verse abandonada por la persona a la que consideraba el gran amor de su vida, llegue Baco y no solo le ofrezca casarse con ella sino que le dé unas estrellas como regalo de boda. La verdad es que me sorprende llevar tanto tiempo en Londres sin haberme acercado a saludarlo.

En realidad, no me sorprendía. Había estado intentando mantenerme alejada de los lugares que solía frecuentar, hasta hoy.

–Entiendo que te funcionara –convino Alex–. Por curiosidad, ¿al final ella acepta la oferta?

–Eso creo. –La verdad es que estaba segura de que sí, pero por alguna razón no quise decírselo a Alex.

Asintió.

–¿Sabes lo que me funcionaba a mí?

–Dime.

–Simplemente pasear por un museo, como este, mirando todos los cuadros de vírgenes con niños. A veces los niños son tan raros que te entra la risa. Tienen caritas de anciano y extraños cuellos arrugados. Se nota que el artista intentaba hacerlos más serios que un bebé de verdad, por lo de que eran el hijo de Dios y tal. Y eso es algo increíblemente difícil de conseguir.

Lo miré.

–¡Yo hacía lo mismo! La mayoría de los niños Jesús parecen sacados de una película de terror. Pero a veces te encontrabas con uno que era tan hermoso y tierno que te hacía olvidar a todos los demás.

–¡Sí! Pero esos eran los menos…

–¿Te gusta el cartón de Leonardo que hay aquí? ¿El de Santa Ana y San Juan Bautista?

Se rio.

–Creo que no podría haber algo de Da Vinci que no me gustase. ¿Vamos a verlo? Me encanta, de verdad. Es uno de mis niños favoritos. –Me miró con una sonrisa–. ¿Vas a hacer tú la broma de que Da Vinci lo pintó sin trampa ni cartón, o la hago yo?

–Esperaba que la hicieras tú.

–Bueno, considerémosla dicha.

Comprendí, mientras recorríamos la galería, que casi no conocía a Alex y que estaba, de hecho, viendo los cuadros, criticando las excursiones escolares y las manadas de estudiantes y escuchando fragmentos de los comentarios de otros, con un extraño. Hasta hoy, solo habíamos hablado de Lara.

–¿Qué te parece esta selva? –dijo delante de un cuadro titulado *¡Sorprendido!,* de Henri Rousseau.

Era una escena de una jungla pintada por alguien que jamás había pisado una, con un tigre enseñando los dientes y vegetación estilizada.

–Me gusta, pero no me quedaría horas delante de ella –decidí–. Aunque es divertido que en una sala en la que también están *Los girasoles* de Van Gogh y un montón de Cezannes, los dos hayamos venido directamente aquí. Tiene algo de atrayente. Es muy de su época, ¿no es cierto? ¿Rousseau no era agente de aduanas?

–Exacto. *Le douanier.*

–Hoy sería bastante impensable, ¿verdad? Me refiero a que todo está estratificado: un agente de aduanas, elogiado por el mundo del arte, que lo consideraba un hombrecito adorable que por casualidad hacía estos deliciosos cuadros tan rudimentarios. Y sus pinturas son escenas de la selva, llenas de un trasfondo colonial, empapadas de orientalismo y de «el otro». Aquí dice que para pintar las hojas se inspiró en el jardín botánico de París.

Alex me miraba, con su típica sonrisita.

–Por supuesto. Es una reliquia histórica de su tiempo, más que una obra maestra atemporal. Sin embargo, es fascinante, ¿verdad? Eso de los estratos sociales, las jerarquías, el modo en que todo el mundo se muestra condescendiente con la clase que tiene por debajo.

–Pues sí –comenté–. Veo que conoces este museo tanto como yo. ¿Sabes?, pensaba que iba a tener que ser condescendiente contigo y enseñar al policía de Cornualles algo de la cultura londinense. Pero no es el caso. No sé nada de ti, Alex Zielowski. ¿Has vivido en Londres?

Me miró, divertido.

–El apellido Zielowski debería ser una pista. No soy cornualles de pura cepa, aunque me crié allí. Pero sí, fui a la universidad en Londres. Viví unos cuantos años aquí, y luego regresé a Cornualles por eso del «estilo de vida», como hace la gente. También porque la consideraba mi tierra y supongo que me hice un poco mayor y aburrido, y me apetecía encontrarme con viejos compañeros de colegio en el pub y esas cosas: hacer surf los domingos, pasear por el sendero de la costa para ir al pub...

–¿Había alguna chica de por medio? Apuesto a que sí.

Se rio.

–¿Verdad que es obvio? Sí que la hubo: Juliet. No funcionó, como era de esperar. Pensé en marcharme de Cornualles cuando nos separamos, pero para entonces descubrí que ya no quería. Ella sigue allí, está casada y tiene un crío. Y lo peor: somos amigos íntimos. Nos llevamos mucho mejor ahora que cuando salíamos juntos.

Estábamos en el vestíbulo del museo, dirigiéndonos a la salida. Me pareció bien que fuera amigo de su ex. Eso solo decía cosas buenas de él. Alex era encantador, y atento. No era impulsivo como Laurie. Era predecible, mientras que Laurie era tempestuoso.

Apartè la idea de mi cabeza.

22

El bar, en efecto, eran unos antiguos urinarios públicos bajo tierra, al que se accedía bajando por unas escaleras desde la esquina de Aldwych, justo en mitad de West End.

–¿Estás segura de esto? –preguntó Alex cuando nos encontrábamos al principio de la escalera–. Parece que nos estamos yendo, literalmente, por el retrete.

–Esto fue lo último que hicieron Lara y Guy juntos. Bueno, casi lo último. Ya sé que las cosas han cambiado, pero tenemos que comprobarlo.

–No tenemos, aunque lo haremos. Es un poco intrigante. Qué demonios, me refiero a que de todos los sitios que hay por aquí...

El portero nos miraba desde un par de escalones más abajo.

–Tenemos una reserva –le dije, dando por supuesto que tenía que llevar yo la voz cantante–. A nombre de Iris Roebuck. Para dos personas.

–En efecto. –Se le formaban unos hoyuelos en las mejillas cuando sonreía–. Que pasen una buena noche.

En cuanto llegamos al final de la escalera, vi que iba a estar bien: aquel sitio no era ni de lejos tan raro como me esperaba. Se trataba de un pequeño bar, con espejos en las paredes para ocultar lo diminuto que era en realidad. Seis mesas apretujadas en el reducido espacio, tres altas con taburetes y tres de tamaño normal. Todas estaban ocupadas por una clientela con el aspecto menos amenazante de todo el centro de Londres. En dos de las mesas había un grupo de mujeres con minifalda y tacones cuyos labios pintados de rojo soltaban carcajadas. Me parecieron un grupo de treintañeras y cuarentañeras que salían de fiesta. En la mesa vecina se sentaba una pareja en sus cincuenta vestidos de un modo informal pero con estilo, y con el aspecto ligeramente perplejo de los nuevos en la ciudad. También había un par de japoneses jovencitos, otra pareja que parecía un poco incómoda, como si fuera su primera cita, y dos mujeres bebiendo Prosecco y soltando risitas.

La barra estaba llena de licores.

–Hola –dijo un joven camarero.

Era resultón y desenfadado, cómodo en su rol habitual de dispensador de bebida.

–Tenéis derecho a una copa gratis de espumoso. ¿La queréis ahora?

–Pues sí. –Alex por fin estaba tan aliviado como yo.

Como no había ninguna mesa libre, nos quedamos de pie en la barra, revolviéndonos inquietos. Aunque eran planos, los zapatos nuevos me molestaban. Las diez libras que cobraban por la reserva no garantizaban mesa, como se podía comprobar. Sin embargo, incluían nuestra primera consumición.

Me quité el abrigo con dificultad.

–¡Santo Dios! –dijo Alex de repente, con fervor.

Me sorprendí, hasta me asusté. Lo dijo tan alto y sonaba tan impresionado…

–¿Qué?

–Que estás sensacional.

Los dos miramos mi vestido, rojo y aterciopelado. Me lo había comprado mi primer día en Londres.

–¿Esto es lo que te resulta tan fascinante?

–Acepta el cumplido –me aconsejó el camarero, sacándome los colores–. ¿Y sabes una cosa? El chico tiene razón.

–Vaya –dije–. Gracias.

Dejó dos copas de la bebida clara y burbujeante en la barra. Alcancé una.

–Gracias. Oye, estarás harto de que la gente te lo pregunte, pero una amiga mía estuvo aquí hace unas semanas. Sé que han venido periodistas y tal, pero solo me preguntaba si la recuerdas. Y a su amigo.

Pensé en Guy, y de pronto me asaltó la certeza de que ese hombre al que nunca conocí estaba muerto. Me hubiera gustado conocerlo pero ya nunca podría. Ya no estaba: alguien lo apuñaló hasta que dejó de existir. Y estuvo aquí la víspera de que eso sucediera, exactamente donde yo estaba ahora.

El camarero soltó un largo suspiro y se puso a manipular algo tras la barra.

–Tomad. –Me ofrecía una cesta de palomitas, algo inesperado. Se la pasé a Alex–. Pues sí. ¿Era amiga tuya? Una historia terrible.

–Ella no lo mató, ¿sabes? No puede haber sido ella. Fue otra persona, y se ha escapado. Con ella.

–La gente hace cosas raras cuando se obsesiona con alguien.

Probé una palomita y me acordé de que no me gustaban. Alex guardaba silencio; noté su disconformidad.

–No puede haber sido ella, lo sé. ¿Te acuerdas de cuando estuvieron aquí?

–La Policía dice que fue ella. A mí me vale.

Miré a Alex, quien con un gesto mostró su negativa a que comentara su profesión.

–Sí –añadió el camarero–, la verdad es que creo que fue ella.

–¿Cómo eran?

Una camarera con el pelo largo enmarañado con estilo y unas alitas infantiles de hada en la espalda se acercó a la barra y le pasó al chico un papelito.

–Y dos Proseccos –añadió.

–Marchando.

Observé cómo el muchacho preparaba tres cócteles, servía dos copas de Prosecco y abría un botellín de cerveza. Cuando terminó, la camarera regresó y lo cargó todo en la bandeja. Alex no dijo nada mientras esperábamos, y yo ni lo miré.

–Sí, perdón. Tengo que concentrarme. A ver, entonces era tu amiga. Se sentaron en aquella mesa. –Señaló adonde estaban los extranjeros. La mujer nos miró con cara extrañada, preguntándose por qué estaríamos hablando de ella–. Se tomaron unas copas. Charlaron y se rieron mucho, que yo recuerde. Escucharon a la cantante. No hicieron nada raro ni inusual. Resulta extraño pensar que al día siguiente él estaba muerto.

–¿Nada extraño?

–No, nada. Lo siento. ¡Eh! ¡Deberíais pillar esa mesa!

Alex ya estaba allí, sentándose en cuanto la pareja de japoneses se levantó, visiblemente contento por haberse alejado de la conversación.

Horas después, el local me daba vueltas. Me tomaba lo que creía que era mi cuarto Martini, comía palomitas para empapar el alcohol y me apoyaba en Alex, que había acercado su silla para sentarse a mi lado. Hablábamos de Cornualles, de arte, y de cómo era ser policía. Le conté detalles sueltos de mi vida.

–No tengo muchos amigos –le informé–. Antes sí, pero ahora no. Me gusta que estés aquí. Oye, ¿y por qué estás aquí?

–Porque me gustas –me dijo.

–Como amiga.

–Sí.

–Qué bien.

Casi me pongo a hablar de Laurie, pero decidí no hacerlo. Era mucho mejor no mencionarlo. No quería llorar. La cantante era una mujer negra, alta y esbelta, que ofrecía al público una selección perfecta de canciones fáciles de cantar a coro y que intentaba implicar a todos en la juerga.

–¿Quién se anima con esta? –preguntó, ojeando con optimismo el extremadamente reducido espacio de suelo–. Todos la conocéis, así que podéis ayudarme a cantarla. Se titula «Hey Jude».

Y no sé muy bien cómo, tras los primeros compases, Alex y yo estábamos en pie cantando a grito pelado como borrachos. Evidentemente, era una canción que seguía y seguía, y al final todo el bar acabó cantando. Casi me caigo al intentar echar un bailecito, pero Alex me agarró y evitó que me estrellara contra la mesa. Me sostuvo con fuerza por la cintura hasta que me aparté.

Salimos a la noche dando tumbos. No tenía ni idea de qué hora era, pero la ciudad continuaba animada. Taxis y autobuses pasaban con gran estruendo, la gente se paseaba y había luces por todas partes. Sentí que se me aceleraba el corazón. La velada se había convertido de repente en más de lo que yo pudiera controlar.

Alex me tomó de la mano y no la soltó, ni siquiera cuando yo intenté separarme.

–Iris –me dijo–, esto es raro para mí. Venir a Londres, seguirte hasta aquí. Llevo tanto tiempo diciéndole a la gente que soy autosuficiente y que no necesito una relación que lo creía por completo. No soportaba que los amigos quisieran emparejarme. La idea de tener una «cita» con alguien me parecía algo artificial. Cuando me presentaban a una mujer me entraban ganas de salir corriendo. Y entonces te conocí un día mientras trabajaba, y había algo en ti, en tu compañía, en toda tú, que puso mi mundo patas arriba. ¿Te diste cuenta? ¿Notaste que intentaba ocultarlo cuando me presenté en tu casa? A ver, en realidad no tenía por qué haberlo hecho. Tendría que haberte citado en comisaría y haber pedido a alguien que te tomara declaración. Pero quería verte. Era un sentimiento tan abrumador que no me pude resistir. Y luego...

–Calla. Por favor, para. Por favor.

No quería que me dijera esas cosas. Puso una mano sobre mi hombro y me volví para mirarlo, para decirle de nuevo que se callara. Era mi amigo, y ahora estaba a punto de echarlo todo a perder.

Su cara estaba muy cerca de la mía, cada vez más cerca. Era tan alto que tenía que doblarse para ponerse a mi altura. Tendría que haberme apartado, pero en el momento crucial no lo hice, y su boca acabó en la mía.

Me había olvidado por completo de lo que se sentía. Besar a alguien nuevo era tan extraño, y me invadió con un golpe de novedad tan lujurioso que me uní a ello, de repente sintiendo curiosidad. Era como tirarte al agua helada cuando tienes mucho calor. Era horrible, sorprendente y maravilloso, todo a la vez. Era real. Estaba pasando. Había dejado a Laurie en Cornualles y estaba besando al policía. Estaba besando a otro hombre.

En cuanto esa idea se solidificó en mi mente, lo aparté de un empujón, y luego me acurruqué bajo su brazo.

–No puedo –dije–. Es solo que…, no puedo, Alex. Tengo novio, lo sabes. Lo siento, pero no puedo. En serio.

Me tomó por el antebrazo y me giró, suavemente, para mirarme a la cara.

–Iris –dijo–. Vuelve, Iris. Mira, no sé muy bien cómo decirte esto, pero… Sé lo de Laurie, lo sé. No pasa nada.

Intenté apartarme, pero me agarró más fuerte.

–No, no entiendes nada.

Hacía un frío helador. Me sentía borracha y mareada, y quería estar lejos, otra vez sola.

–Sí. Lo siento mucho, Iris, de verdad, pero sí que lo sé. Cuando me dijiste cómo se llamaba, lo investigué, aunque ya lo sabía, porque después de conocerte en casa de los Finch me fui a la mía y busqué toda la información que pude sobre ti. Entonces descubrí que un amigo mío, Dave, un viejo colega, estaba en la Policía de Londres cuando sucedió. Estuvo en el lugar del accidente. De modo que sé lo que pasó. Lo siento muchísimo. Pero, Iris, tú eres maravillosa. Por supuesto, me alejaré de ti ahora mismo, pero quiero que te enfrentes al mundo, y eso es lo que estás empezando a hacer. Quiero ayudarte.

–No.

–Iris…

–¡No!

–Iris… Laurie Madaki está muerto. Tú lo sabes, yo lo sé. Un coche lo tiró de la bicicleta hace cinco años. Falleció al instante, lo declararon muerto en el lugar del accidente. Sé que no has sido capaz de dejarlo ir.

En cuanto me soltó, me largué dejándolo con la palabra en la boca. Había dicho las palabras prohibidas y no podría perdonarlo jamás. Corrí por Aldwych hasta el final de Kingsway, y tomé Fleet Street en dirección a St Paul, sin preocuparme por la gente que me miraba. Esperaba que no me hubiera seguido, y pasado un rato conseguí parar un taxi y volver al hotel, donde caí, todavía entre sollozos, en un sueño ebrio y desolador.

23

El día que lo conocí, supe que ocurriría, supe que teníamos que estar juntos para siempre, y que pondría todo mi empeño en conseguirlo. Supe que si alguna vez no estábamos juntos, mi vida se haría trizas. Supe que no habría otra persona para mí. Si no podía estar con Laurie, no estaría con nadie. Me había aferrado a él muchísimo más de lo que hubiera debido, pero ahora iba a tener que dejarlo ir.

Todo lo que había dicho Alex era cierto. Las grietas llevaban más de un año aumentando, y al final estaban abiertas del todo. La casa que construí a base de negación y engaño se derrumbaba a mi alrededor.

Estaba tumbada, dormitando en la cama de mi hotel, con la luz de la mañana brillando a través de los visillos, pues había olvidado cerrar las cortinas. Con gran esfuerzo, repasé el día en que nos conocimos. Hasta aquel momento, yo había sido totalmente independiente, tenía mi trabajo en una editorial, un piso alquilado, amigos, familia y una vida completa, lo miraras por donde lo miraras. Nunca disponía de demasiado dinero y constantemente sentía que debía hacer planes para el futuro, pero estaba bien.

Entonces lo vi, en el cumpleaños de una amiga en un bar. Los dos teníamos veintisiete años, y lo último que me esperaba era conocer al amor de mi vida. Estuve a punto de no ir a la fiesta: había tenido un día duro en el trabajo y solo quería volver a casa y darme un baño. El único motivo por el que hice el esfuerzo de pintarme un poco los labios y dirigirme a Covent Garden era que ya había comprado el regalo para Alice, una botella de champán en una caja que había conseguido meter a presión en el bolso más grande que tenía, y no quería dejarla en el trabajo ni cargar con ella hasta casa.

Estaba en la barra comprando una botella de vino cuando me fijé en que él estaba a mi lado. Hasta ese momento no creía en el amor a primera vista.

–Hola –dijo.

Era alto, moreno, con unos tiernos ojos castaños, y llevaba un bonito traje.

–Hola. –No se me ocurrió otra cosa que decir.

–¿Estás con los del cumpleaños?

Los dos nos volvimos y miramos a la mesa. No conocía demasiado a Alice. Fuimos juntas a la universidad y recuperamos la amistad al encontrarnos en Londres, ya trabajando. Sus amigos le habían montado un cumpleaños mucho más grande de lo que me esperaba. Había globos de helio atados a las sillas, y en nuestra esquina restos de papel de regalo y sobres abiertos desperdigados por el suelo.

–Sí –reconocí–, pero no sabía que iban a armarla tan gorda.

–Entonces no eres tú la del cumpleaños.

–No, es Alice.

La señalé con el dedo. Tenía el pelo rubio largo y llevaba una enorme banda que anunciaba su condición.

–Ah, claro. La que lleva «Cumpleañera» escrito encima.

–Es una pista, sí.

Quería decir algo más, pero no se me ocurría nada. Me apetecía seguir hablando con él, pero sin que se notara que sentía como si lo conociera de antes ni que me gustaría dejar la fiesta y sentarme con él. Estaba siendo ridícula. Para empezar, él probablemente estaría con su novia.

–Entonces tú no estás en la fiesta. –Probé.

Sonrió.

–No, solo he venido a tomar una copa tranquilo. Al menos, estaba tranquilo hasta que llegasteis vosotros.

–Claro, cuando uno busca un remanso de paz, se va a un bar en el centro de Londres a las seis y media de la tarde.

–Ya.

Tenía que preguntárselo. Lo dije muy rápido:

–¿Has venido con tu novia?

–No gasto de eso. ¿Y tú? ¿Estás con tu novio?

–No.

–¿Te apetece una escapadita para comer algo?

–Sí.

Ni siquiera sabíamos cómo nos llamábamos, pero salimos a Long Acre y dimos un paseo juntos hasta que decidimos, al azar, entrar en un restaurante indio cerca de la Royal Opera House. No lo conocía para nada, pero estaba segura, sin lugar a dudas, de que estábamos hechos el uno para el otro. Sorprendentemente, él también sentía lo mismo, y desde ahí en adelante hemos estado juntos. Todo funcionaba entre nosotros, como imaginé desde el momento en que nuestras miradas se cruzaron por primera vez.

Los últimos años, sin embargo, han sido una pálida sombra de nuestra auténtica relación. Al Laurie de aquel entonces no le habría gustado verme viviendo así, le habría horrorizado. Si las cosas hubieran sucedido al revés, él habría pasado página, habría iniciado otra relación.

Si él, el Laurie original, me hubiera visto anoche con Alex, creo que estaría satisfecho. Triste, pero satisfecho. Han pasado cinco años desde que estábamos juntos de verdad. Cinco largos y tristes años de fingir. El fantasma de Laurie que creé había terminado convirtiéndose en una figura exigente e irascible: no era en absoluto el hombre al que amé tanto.

Era una fría mañana invernal. Tenía que cargar el teléfono, pero no lo hice: sabía que Alex intentaría llamarme y aún no podía afrontarlo. Me sentía fatal, física y emocionalmente, y me lo merecía. Algo retumbaba en mi cráneo. Me levanté temprano e hice lo que siempre hacía cuando me despertaba triste: salir. Estaba sola. Llevaba mucho, mucho tiempo sola.

El golpe de aire frío me sentó bien, y me alegré de encontrar un café en la esquina; me desplomé en una silla de metal coja que estaba junto a un radiador. Pedí un café solo doble, un zumo de naranja natural y un desayuno vegetariano, e intenté leer un periódico para no pensar.

El mundo parecía distinto. Yo estaba hundida por la pena pero, en cierto modo, liberada. Estaba sola, pero eso significaba que podía salir a buscar a Lara. De hecho, me iría a Bangkok a ver qué pasaba allí.

Llevaba cinco años sin emborracharme. La semana siguiente al accidente me la pasé bebiendo a lo bestia todas las noches. No quería volver a estar sobria nunca jamás.

Intenté con todas mis fuerzas pensar en que Laurie me esperaba en la casa de Budock. No funcionó. Por primera vez, esa casa no era nuestro hogar, el de los dos. Era donde yo vivía, con mis gatas. Vivía sola, con gatas. No tenía novio, porque murió. De repente deseé que las gatas estuvieran bien: más tarde llamaría a los vecinos para asegurarme. Tenían una gatera. Esperaba que se las hubieran arreglado los pocos días que llevaba fuera. Pediría a los vecinos que empezaran a darles de comer.

Miré a mi alrededor, desesperada por concentrarme en algo. El suelo era blanco y negro, ajedrezado. Era un trocito de hotel elegante trasplantado a un cafetín de esquina. Con unas piezas del tamaño adecuado se podría haber jugado al ajedrez. Habría resultado extraño, con aquellos enormes cuadrados, pero habría sido una partida interesante. Sería como jugar en un tablero normal con peones diminutos y una reina en miniatura.

Llegó mi desayuno y forcé una sonrisa a la camarera, anclando mis pensamientos en el presente. Ese día me disponía a tender una emboscada a Leon Campion. Comí nerviosa, con hambre y náuseas al mismo tiempo.

Nunca bebía más de una copita de vino tinto. Era una decisión que tomé por el bien de mi cordura –si es que se podía aplicar esa palabra a una persona como yo–, y ahora comprendí que hacía bien. Me asaltaban fogonazos de recuerdos que me atacaban una y otra vez. Besar a Alex había sido electrizante. No tenía claro si podría soportar volver a verlo. Pero él sabía la verdad, siempre la supo, y aun así quiso estar conmigo. Quiso darme un beso.

–¿Le importa si pongo a cargar mi teléfono? –le pregunté a la camarera cuando pasó a mi lado.

–Pues claro que no –contestó–. Tiene un enchufe justo ahí.

Los mensajes llegaron en cuanto lo puse a cargar. Había varios de Alex, que no leí, y uno de un número desconocido. Lo abrí. Decía: «Hola Iris, soy Sam Finch. Solo para ver q tal estás y si podrías pasart hoy x mi casa. Me gustaría verte. Ade+ quiero enseñart algo.»

Su teléfono sonó cinco veces, y cuando ya estaba empezando a pensar en un mensaje para dejar en su buzón de voz, contestó.

–Iris, hola.

–Hola, Sam. ¿Cómo te va?

Hubo un largo silencio.

–Hecho una mierda. Un puto infierno. ¿Sabes qué?, antes nunca decía palabrotas; ahora las digo todo el rato. Incluso cuando no funcionaba lo de la fecundación in vitro y todo eso, nunca necesitaba soltar tacos porque tenía a mi mujer. O eso pensaba.

–Vaya, Sam. –Intenté encontrar algo que decir, pero la verdad es que no se me ocurrió nada–.Qué mal. No me lo imagino.

–Ojalá me hubiera matado a mí en vez de a él.

–Ella no lo mató. No fue Lara. Tú la conoces, ella…

Su voz sonó dura:

–¡Ahí está la cosa! Que no la conocía, joder. Y tú tampoco. Puedes decir todas las veces que quieras «Lara era encantadora y no mataría a nadie», pero no la conocías. Creías que sí, y yo también. Creía que éramos felices. Más que felices, pensaba que éramos inseparables. Pensaba que nos entendíamos, que ella hacía lo de Londres para poder pagar nuestras deudas y comenzar el proceso de adopción de un niño extranjero. Yo estuve mirando cómo estaba el tema en Nepal porque ella siempre decía que le gustaba ese país, y solo le gustó la idea de adoptar cuando se le ocurrió buscar un bebé ahí arriba, en las montañas. Yo estaba dispuesto a hacerlo realidad. Jamás se me pasó por la cabeza que estuviera con otro tío la mayor parte de la semana. Dios, menuda jeta. ¡Qué puta jeta! Y eso no es más que el principio.

Era imposible decir algo, no había nada que decir.

–Lo siento mucho, Sam.

–Lo sé.

–¿Lara estuvo alguna vez en Nepal?

–No, nunca. Yo quería llevarla, para buscar orfanatos.

–Pero sí que había estado en Asia.

–Sí, en Tailandia y esa mierda. Eso es lo que quiero enseñarte.

Fruncí el ceño, sin comprender.

–¿Qué quieres enseñarme?

Sam guardó silencio.

–Bah, no le des mucha importancia, olvídalo. Era solo por si te pasabas por mi casa. ¿Vas a venir?

–No puedo, estoy en Londres. Mi familia vive aquí, ya sabes.

–Dijiste que no veías a tu familia.

–Es un poco difícil de explicar. ¿Qué es?

–Oh, nada importante. El caso es que me puse a guardar las cosas de Lara, porque me ponía de los nervios tenerlas ahí. Mi hermano, Ben, insistía en que lo tirara todo, y cuando regresó con mi madre a Sussex supe que tenía que hacerlo. Así que empecé a repasar sus cosas. He estado toda la noche con ello, metiéndolo en bolsas y esa mierda. De cualquier modo, Lara no va a volver. Entonces encontré un viejo cuaderno, que no sabía que tenía.

–¿Un viejo cuaderno? ¿Qué clase de cuaderno?

Mi teléfono no tenía suficiente batería para esa conversación. Acerqué la silla al enchufe y volví a conectar el cargador.

–Es un diario –dijo–. Un antiguo diario de Lara, de cuando vivió en Tailandia. Lo estuve hojeando. No podía soportar leerlo. Hay algunas mierdas muy raras ahí. Por eso pensé en enseñártelo. Para que primero te lo leas y luego se lo demos a la Policía. Eres la única persona que se me ocurrió que podría leerlo por mí.

–Sam, ¿qué quieres decir con mierdas raras? ¿Asuntos de droga?

–¿Lo sabías? Pues es otra cosa que a mí nunca me contó.

–No, no lo sabía. ¿Puedo leerlo? Podrías... ¿Podrías enviármelo? Sé que deberías entregárselo a la Policía, pero puedo hacerlo yo aquí después de leerlo.

No dijo nada durante un rato.

–¿Por qué no? –aceptó al final–. ¡Qué cojones! Tú eres mucho más cabal que yo. Y así saldré de casa. Me refiero a ir a Correos. Así tendré un recadito que hacer. Pasearme hasta el centro y volver. Y comprobar si la gente se me queda mirando. Dame una dirección.

–Ahora mismo. –Saqué del bolso unos papeles que llevaban el membrete del hotel y se lo leí.

–Pero, Iris...

–¿Qué?

–Cuando vuelvas, tienes que pasarte a verme. ¿Lo harás? Por favor.

El sentimiento de culpa me provocó una punzada de dolor.

–Pues claro, te lo prometo.

–Si quieres, ven con tu novio. No te pienses que soy un asqueroso ni nada de eso.

–Ah, no pasa nada. Mi novio... –Respiré hondo y me sorprendió lo tranquila que salió mi voz–. Ya no tengo novio.

–Vaya, lo siento –dijo sumiso, y mientras tomaba aliento para preguntar otra cosa le interrumpí.

–Oye, Sam, ¿conoces a Leon Campion?

–Por desgracia, sí.

–Alguien me habló de él el otro día.

–Es el padrino de Lara. Me odia, desde siempre. Están muy unidos. Si lo ves, no le des recuerdos de mi parte. Dile que le jodan. De hecho, si alguien se la ha cargado, él sería el primero de mi lista. Él y Olivia.

–Vaya.

Colgó, no sin antes prometer que me enviaría el diario. Esperé que lo hiciera de verdad, aunque no las tenía todas conmigo.

La casa de los padres de Lara era grande y fea, un enorme mazacote, más intimidante de lo que me esperaba. Mi cabeza seguía flotando entre los restos tóxicos de Martini y Prosecco, una bebida a la que jamás volvería a acercarme, de eso estaba segura.

Donde antes debió de haber un jardín, ahora había asfalto y dos coches aparcados. Uno –supuse que el de su padre– era un enorme Jeep, ostentosa e innecesariamente equipado para todo tipo de terrenos y eventualidades, y totalmente incongruente en aquel ambiente de periferia urbana. El otro parecía el de uso diario, el pequeño Peugeot de la esposa.

Resultaba extraño pensar que estos fueran los orígenes de Lara. Por lo que yo sabía, se crio aquí, aunque no estaba completamente segura de ello. Era una casa que no destacaba, sin estilo, de gente de pasta pero sosa. Intenté imaginar a una Lara adolescente, rubia, hermosa y rebosante de energía, regresando a casa con el uniforme del colegio. Me imaginé a Olivia, enfurruñada y altiva, detrás de ella.

La imagen que tenía de Lara estaba cambiando, volviéndose esquiva. Sam tenía razón: yo no conocía a aquella mujer en absoluto. Solo la había visto cuatro veces y la consideraba una potencial amiga encantadora. Nunca me habría imaginado que tuviese un lado oscuro.

El timbre de la puerta hacía sonar la melodía de «Twinkle, twinkle, little star» en el interior de la casa. Permanecí en el umbral sin tener ni idea de lo que iba a decir, y pasado un rato oí el ruido de alguien acercándose. Quienquiera que fuese hizo girar lo que sonaba como varias cerraduras, y a continuación la puerta se abrió y me encontré a Lara delante de mis narices.

No era ella, por supuesto, pero se le parecía tanto que, durante un tiempo que se me hizo bastante largo, no fui capaz de pronunciar palabra. Me di cuenta, como a cámara lenta, de que la mujer, con su pelo rubio, su vestido cruzado verde y su complexión fuerte, era la madre de Lara. No me la imaginaba así. Parecía tan etérea que no era posible que hubiese dado a luz a un bebé, y mucho menos a dos.

Me miraba con el ceño fruncido y un gesto interrogante, pero no dijo nada.

–Esto... Hola –conseguí decir por fin–. ¿La señora Wilberforce?

Asintió con el mayor de los recelos.

–Me llamo Iris. Soy una amiga de Lara, de Cornualles. Solo...

Las palabras me traicionaron: no tenía ni idea de por qué estaba allí.

–Hola.

Su voz era débil, pausada. No me invitó a pasar ni se movió un ápice. Era el tenue fantasma de una mujer.

–Lo siento, se parece usted mucho a Lara.

Asintió.

–Sí.

–No sé si Olivia le habrá hablado de mí. Estuve con ella el otro día, tomando algo. Estoy...

Y entonces me di cuenta de que no podía decirlo. ¡Qué ridículo explicar que había venido desde Cornualles para hacer de sabueso y demostrar la inocencia de su hija desaparecida! No podía decirle que era probable que su hija me hubiese robado el pasaporte y volado a Bangkok. Las palabras, en mi cabeza, resultaban de lo más inverosímiles. Sonaría insultante, y la mujer se iba a pensar que yo era una demente.

Respiré hondo.

–Estoy en Londres, me acordé de Lara, y solo quería pasar a verla y decirle que no creo todo lo que cuenta la gente sobre su hija. Lo siento, debería haber llamado antes.

–Bueno –dijo–. Igual te apetece pasar, querida, ya que estás aquí.

Abrió un poco más la puerta y vi a un hombre, el padre de Lara, acercarse por un recibidor amplio y cubierto por una gruesa moqueta. Estaba tremendamente gordo, y tenía entradas. Me estudió con la mirada.

–¿En qué podemos ayudarte? –dijo.

Su actitud era simple y llanamente hostil. La madre de Lara se hizo a un lado. Él ocupó su lugar, llenando la puerta. Volví a soltar mi historia, tartamudeando.

–¿Que eres amiga de Lara? Bueno, pues aprecio que hayas venido, pero, para serte sincero, han venido tantos periodistuchos diciendo lo mismo que no estoy dispuesto a arriesgarme.

–Pero Olivia... –empecé a decir.

–Me importa un comino lo que diga Olivia –respondió, y tras cerrarme la puerta en las narices le oí bramar–: ¡Ibas a dejarla entrar! Sí, te he oído... ¡Joder, Victoria!

Me quedé allí un rato, esperando que la madre reprimida de Lara reapareciera para hablar en secreto conmigo, pero no lo hizo. Al final me marché, de regreso a la estación del interurbano. Entré en una tienda, me compré una empanada de queso Ginsters, pedí que la calentaran en el microondas hasta conseguir un estado pastoso e hirviente y partí de regreso a la ciudad. Leería los mensajes de Alex por el camino, esperaba encontrar las palabras adecuadas para poder responderle.

24

La oficina de Leon Campion estaba en el tercer piso de un gran edificio cerca de la estación de Liverpool Street. Era uno de esos inmuebles enormes de fachada blanca que en otras partes de Londres habrían sido transformados en pisos de lujo, pero que en la City albergaban una oficina tras otra.

No tenía nada planeado. Todavía me dolía bastante la cabeza y sentía el alcohol circulando por mi organismo. Esperaba no oler a bebida. Mis zapatos repiquetearon sobre el suelo hasta que llegué al mostrador de recepción. Quería llamar a Alex y pedirle disculpas. Ya casi estaba preparada para hacerlo.

Lo curioso de aquel día era que nada me importaba. Me daba igual si Leon Campion me insultaba a la cara. La forma en que me había despachado el padre de Lara me habría causado humillación y rabia si hubiera venido de cualquier otro, pero prácticamente me dejó indiferente.

–¿Sí? –me preguntó una joven de aspecto aburrido. Al menos no me miró de los pies a la cabeza horrorizada.

–Hola –dije–. Tengo una cita con Leon Campion, de Campion Associates.

–De acuerdo. Si me firma aquí.

Me hubiera gustado que terminase la frase. ¿Qué pasaría, si firmaba ahí? No iba a obtener respuesta, pero al menos la mujer no lo había dicho con tono desafiante. En realidad, no tenía esperanzas de superar ese punto. Mi plan B era quedarme fuera del edificio y esperar a que Leon saliera a almorzar en algún momento.

Firmé, con mi nombre de verdad, monté en un pequeño ascensor lleno de espejos y apreté el botón 5, como me habían indicado.

Salí a una amplia recepción donde vi a una mujer de aspecto intimidante tras un mostrador. Hablaba por teléfono y manejaba unos papeles, sin mirarme.

Se había cepillado el pelo como si fuera un caballo para domar su espesa y reluciente melena. Llevaba tanto maquillaje que resultaba imposible imaginar cuál sería su aspecto verdadero, y sus pendientes de oro le estiraban tanto las orejas que el agujero que no estaba pegado al teléfono se alargaba y parecía a punto de rasgarle el lóbulo. Puse un gesto de dolor, por empatía. Yo nunca fui capaz de llevar pendientes.

El suelo estaba cubierto por una gruesa moqueta y un aire lujoso y refinado impregnaba el ambiente. Sin embargo, no era más que una pequeña empresa: solo había una puerta en la recepción, y no me imaginaba que diese a un enorme complejo de oficinas o a un vasto espacio lleno de mesas y actividad. Parecía más bien una empresa unipersonal.

La mujer me sonrió y me indicó que estaría conmigo en un momento.

–Sí, señor –dijo al teléfono–, pero me temo que necesitamos algo más. Harán falta inventarios detallados de todo antes de que el señor Campion acceda siquiera a una discusión preliminar... Sí, en los mismos términos... Entonces quedo a la espera de su llamada. Adiós.

Colgó sin esperar respuesta.

–Dígame. –Adoptó un gesto profesional forzando una sonrisa sin ningún reflejo en sus ojos–. ¿En qué puedo ayudarle?

Aquel era el momento crucial. Tenía que hacerlo bien. Ya había hablado antes por teléfono con esa mujer, pero ella no tenía por qué saberlo. No podía ponerme a adivinar si la secretaria recordaría todas las conversaciones que mantenía.

–Buenas tardes. Me preguntaba si podría hablar con el señor Campion –dije a modo de introducción.

El gesto de la mujer no delató nada.

–Me temo que está ocupado. ¿Esperaba su visita?

–Soy amiga de Lara. Me gustaría mucho hablar con él. Es un asunto personal.

Siguió sin reaccionar.

–Bueno, como le he dicho, el señor Campion está ocupado. De hecho, se encuentra fuera del país. Si quiere dejarle una nota o algo así, le aseguro que se la haré llegar.

–Gracias. Le dejaré mi número y mi correo electrónico.

–Como le he dicho, puede que tarde un poco en recibir noticias del señor Campion.

–Es el padrino de Lara, ¿verdad?

–Eso es un asunto de la vida privada del señor Campion.

Dirigió su atención al teclado de su ordenador, tecleando de un modo agresivo con los dedos en paralelo a las teclas para conservar sus uñas largas e inmaculadas. Capté la indirecta, y me senté en el pequeño sofá de la esquina, con el folio y el bolígrafo que la mujer me había dado. Usé una revista, *Management Today,* para apoyarme, e intenté decidir qué escribir. Tendría que ser algo lo bastante bueno para llamar la atención de esa persona que parecía preocuparse por Lara.

«Leon», comencé, procurando sonar segura de mí misma. «He intentado localizarle por teléfono y en persona. Me llamo Iris Roebuck y soy una amiga de Lara, de Cornualles. Estoy…»

Llegada a este punto, me detuve. ¿Cómo hacer que sonase bien? Taché el «estoy» y escribí: «Al igual que su familia, estoy muy preocupada por ella, y convencida de que Lara no hizo eso tan horrible. Tengo una cierta idea de lo que pudo sucederle, y es algo que me gustaría hablar con usted, porque tiene que ver con el pasado de Lara, con Asia. Olivia…»

Las puertas del ascensor se abrieron, interrumpiendo mi inspiración. Alcé la vista, y al instante supe que era él. Hice lo que pude para pasar lo más desapercibida posible en el rincón, esperando que Leon no me viera y se pusiera a hablar con la recepcionista, pero me miró directamente nada más salir.

Ya sabía qué aspecto tenía, con su melena gris y su nariz grande, pero me esperaba a alguien mucho más intimidante.

Este hombre parecía amistoso, y triste. Me cayó bien a primera vista, más de lo que suponía.

Me miró un segundo, con una media sonrisa, y luego se dirigió a la mujer.

–¿Alguna novedad? –preguntó, y no tuve claro si se refería a mí o en general.

La secretaria recitó una anodina lista de llamadas y mensajes, algunos de los cuales provenían de periodistas, y añadió:

–Y esta mujer, la señorita Roebuck, una amiga de Lara Finch. Ya le he dicho que estaba usted ocupado, y se disponía a dejarle una nota.

–Gracias, Annie.

Se me aceleró el corazón cuando Leon se acercó, pero su actitud me aplacó.

–Señorita Roebuck –dijo, sonriendo con cortesía mientras me estudiaba con la mirada.

Me levanté, odiando la desventaja de estar en el sofá.

–Señor Campion –contesté.

Me ofreció la mano. Su apretón era firme y cálido.

Estaba leyendo mi nota.

–¿Ha venido desde Cornualles?

–Sí.

–Fui tan grosero con usted por teléfono... Le ofrezco mis más sinceras disculpas. Están siendo unos días complicados, como supondrá.

–No pasa nada.

–No, sí que pasa. Verá, ahora que la veo, recuerdo que Lara me habló de usted. Usted es la amiga del pelo largo que monta en bici. Salió en una foto trepando la valla para ver a la pobre viuda de Guy Thomas.

–Sí, era yo.

–¿Qué fue a hacer allí?

–A darle el pésame de parte de Sam.

–Y veo –dijo mirando de nuevo mi nota a medio escribir– que sabe algo sobre el pasado de Lara en Asia. Estoy de acuerdo en que eso puede ser fundamental en este caso. Pase a mi despacho, querida. Aunque me temo que, como estoy un poco paranoico, primero tendré que comprobar un par de cosas. ¿Me entiende?

–Claro.

–Siempre me he sentido responsable de Lara. Y es terrible que... –Me miró, incapaz de terminar la frase–. Annie –dijo finalmente–, ¿café?

–Ahora mismo se lo llevo.

Su despacho era enorme, con grandes ventanales en dos de las paredes, que en el pasado debieron de ofrecer vistas panorámicas de Londres pero que ahora daban a un par de tejados pegados a otros edificios colindantes más altos. Sin embargo, la sala estaba inundada de luz. En la calle, los autobuses pasaban lentamente y los taxis, a toda prisa, pero no se oía ningún ruido. En el ambiente se captaban varios estratos de olores lujosos, desde el papel caro al abrillantador de suelo; del café a la colonia de Leon.

Ignoró la enorme mesa de madera llena de papeles y me condujo a un par de sillas semicómodas en una esquina.

–Bien –dijo, después de que ambos nos sentáramos–. Háblame de Lara. No te estoy poniendo a prueba, porque te creo, pero no puedo arriesgarme, así que te haré unas preguntas básicas. ¿Cómo la conociste?

Me sorprendió su tono profesional.

–Bueno –respondí, sorprendida–. Llevo casi cinco años viviendo en Cornualles, en las afueras de Falmouth.

Sacó un iPhone del bolsillo interior de su chaqueta.

–¿En las afueras de Falmouth? ¿Dónde, exactamente?

–Cerca de Budock. Es un pueblo, pero grande, desde el que se puede ir andado fácilmente hasta el límite con Falmouth. Pero vivo fuera del pueblo. Es un lugar bastante apartado, aunque no cuesta mucho llegar a los sitios.

Leon estaba buscando mi casa en Google Earth. Le conduje hasta ella, y luego él me pasó el teléfono.

–¿Vives aquí? ¿Tú sola?

Ahí estaba nuestra casa. Mi casa.

El fantasma de Laurie podría seguir por allí: llevaba tanto tiempo conmigo que no podía evaporarse como si tal cosa. Me pregunté si, cuando regresara, sentiría su presencia, aunque solo fuese por una fracción de segundo. Deseé que así fuera. Me aferraría a sus últimos vestigios, si podía.

Echaba de menos mi estufa, mis gatas y mi vida sedentaria, apartada del mundo. Echaba de menos a Laurie más que nunca antes.

–Sí –logré decir–. Ahí vivo. Sola.

–Vale. ¿Y de qué conoces a Lara?

–Nos conocimos en un *ferry*. Yo estaba cruzando a St Mawes sin ningún motivo en particular, y ella hacía lo mismo. –Le conté la historia–. Mantuvimos el contacto. Una tarde fui a tomar té a su casa. Cuando estaba allí, recibió una llamada que resultó ser de alguien que le ofrecía un trabajo en Londres.

Leon sonrió ligeramente.

–Ese debía de ser yo.

–Lara quería hablar con Sam del tema, se le notaba, así que me marché. La volví a ver en el centro después de que empezara a trabajar aquí, pero en realidad sus fines de semana eran para Sam. Vino a mi casa la víspera de Navidad, y unos comimos unos *mince pies*. Yo no tenía ni idea de que tuviera un amante ni nada parecido. –Seguí hablando, presentando mis credenciales con tanta impaciencia que me odié por ello.

–Y cuando ella desapareció…

–Me presenté en su casa aquella mañana de sábado, solo porque me apetecía verla. De hecho, quería…

Me callé, pues no deseaba desvelar demasiado sobre mí. Con un gesto amable e interrogante Leon me animó a continuar, y le conté lo de la lotería y la sensación acuciante de que debía hacer algo.

–Me mudé a Cornualles por un motivo concreto –dije, esperando que mi tono fuera lo bastante firme–. Y la verdad es que estoy pensando que ha llegado el momento de un cambio.

Me detuve un instante. Respira, me dije. Sigue. Aspira, inspira. Necesitas decir esto. La ola de dolor me engulló como hizo cinco años atrás, y esta vez no iba a poder esconderme de ella.

Leon sacó un pañuelo perfectamente planchado de un bolsillo y me lo ofreció.

–Gracias.

Hice un enorme esfuerzo y hablé entre lágrimas.

–Quería hablar con Lara porque es la única persona que conozco allí que podía aconsejarme. –Hasta ahí llegué, y me soné la nariz ensuciando todo el pañuelo–. Lo siento –añadí.

–No pasa nada, soy yo el que lo siente. Por el problema que tuviera, fuese cual fuese, y por haberla obligado a revivirlo. Tómese su tiempo.

–Gracias. Entonces llamé al timbre, contestó Sam y… –Le conté todo lo que pasó aquel día: la Policía, la llamada contando que habían asesinado a Guy, los agentes llevándose a Sam para interrogarlo–. Pero yo sabía que no había sido Lara –terminé–. Sé que no ha sido ella.

–Ya veo. Y ha conseguido desenterrar parte del fracaso de Lara en Asia. –Su voz sonaba inesperadamente amistosa–. ¿Se cree una especie de Miss Marple?

–Si quiere llamarme así… –dije, secándome de nuevo la cara–, vale. Si fuera un hombre no sería tan despectivo. Ríase de Miss Marple, si quiere. Decidí volver a Londres, lo cual, ya que estamos, me resulta tremenda y enormemente difícil, para ver si podía descubrir qué pasó realmente. Puedes burlarse; Lara no lo haría.

–Dejémoslo en Sherlock Holmes, entonces. Es usted una Sherlock. Se podría usar Sherlock como nombre de mujer, resultaría bastante atractivo. Mis disculpas si he sido sexista. Sinceramente, no era mi intención burlarme. Me impresiona usted, señora Roebuck. Entonces, cuando llegó a Londres, fue a ver a Olivia.

–Se portó muy bien.

–¿Olivia? –comentó Leon, alzando una ceja.

–Sí, la verdad. Venía con la predisposición de que me cayera mal, pero no fue así. Me gusta. Lara y ella se llevaban fatal, pero creo que Olivia ha recibido un trato algo injusto.

–Es interesante eso que dice. Bien, ¿ha probado a visitar a la familia Wilberforce?

–No saqué mucho en limpio. La madre de Lara, ¿Victoria?, quería dejarme entrar, pero su padre me cerró la puerta en las narices. No lo culpo, evidentemente.

Llamaron a la puerta y esta se abrió antes de que Leon pudiera responder. Annie dejó la bandeja del café en una mesita a nuestro lado y se marchó sin pronunciar palabra.

–Gracias, Annie. Oiga, Iris, lo siento, de verdad. Comprendo por qué Bernie le cerró la puerta en las narices. Es el mismo motivo por el que me he visto obligado a ponerla a prueba. Odio a la prensa, y de entrada parece usted una periodista. La creo, desde el momento en que la vi en persona, pero no cuando me llamó. Si hubiera sido una farsante, la habría pillado cuando busqué su supuesta casa en Google Earth. No habría sido capaz de contar una excusa convincente. Estoy medio tentado de llamar a Sam para comprobar quién estaba con él aquella terrible mañana pero, para serle sincero, no podría soportar la conversación que se derivaría. Pero... ¿Annie?

Leon apenas había alzado la voz, pero la secretaria regresó casi al instante al despacho.

–Annie, ¿podrías hacerme un favor? ¿Quieres llamar a Sam Finch y enterarte de quién estaba con él la mañana del sábado quince?

–Ahora mismo –respondió sin pestañear.

Leon se volvió hacia mí.

–Esto ha sido horrible, una auténtica pesadilla. Intento convencerme de que Lara aparecerá sana y salva. ¡Pues claro que no mató a Guy Thomas! Pues claro que no, no sería capaz de algo así. Y, como sabe, lo de Tailandia fue un trauma enorme y siempre pensó que le pasaría factura. Yo le decía que no, que era agua pasada, pero nunca logró olvidarlo del todo.

–Se lo comenté a la Policía como una línea urgente de investigación, pero no estaban interesados, porque para ellos el caso estaba cerrado y solo les falta encontrar su cadáver. Algo que por supuesto no han conseguido, porque sigue viva. O eso es lo que deseo con todas mis fuerzas.

Me acordé de Alex, y del diario, pero decidí no mencionarlo hasta que no lo hubiera leído.

–Sí, yo también he hablado con la Policía, pero tampoco les apeteció demasiado repasar lo de Asia. Estoy pensando que debería salir ahí fuera y buscarla yo.

Suspiró. De repente parecía más mayor y débil.

–Pero, Iris, ¿puedo llamarte Iris?

–Claro.

–Iris, si Lara ha huido a alguna parte, o ha abandonado el país de algún modo, tiene que haber constancia de ello. Y no la hay, así de simple. Es lo único que me hace temer por su seguridad. Lara es una jovencita con recursos, la conozco de toda la vida. Pero aun así no puede desvanecerse sin dejar rastro.

–Leon –dije–, tienes razón. Bueno, ahí está la cosa.

Cuando estaba a punto de contarle lo del pasaporte, Annie regresó con una sonrisa de disculpa.

–Perdonen que les interrumpa de nuevo. He hablado con Sam. Al principio se ha mostrado reticente, pero al final me ha contado que aquel día estuvo con Iris, una amiga de la señora Finch, y por la descripción que me ha dado se refería a la señorita Roebuck. –Señaló hacia mí con una sonrisita–. Ha dicho exactamente que se presentó en bicicleta, con el pelo de dos colores. Le está agradecido por el apoyo. Dice que ha hablado con ella esta mañana.

–Cierto –confirmé.

–Gracias, Annie. Bien, una vez más, mis disculpas, Iris, por la paranoia.

–No pasa nada. Es comprensible. Es bueno ser minucioso.

Le conté lo del pasaporte, y lo del vuelo a Bangkok.

–Esto es sorprendente –dijo, poniéndose en pie y paseándose por la estancia–. Entonces debemos ir a buscarla. Me has traído las primeras buenas noticias que recibo en mucho tiempo. Te ayudaré en cada paso que des. Yo me encargaré de todo, de los gastos, sean los que sean.

–Tú, o al menos eso creo, la acompañaste a una comisaría para retirar una declaración que había hecho sobre tráfico de drogas –le dije.

–¡Santo Dios! –Exclamó, con los ojos como platos–. Eres buena. Si alguna vez buscas trabajo, ven a verme, lo digo en serio. De modo que sabías eso…

–Sí, lo sé.

–Entonces entenderás lo delicado que es esto.

–Sí. –Era un farol, pero él apenas me escuchaba.

–Ha ido a Bangkok.

–Quiero ir –me oí decir–, a buscarla.

Leon no me miraba. Fruncía el ceño, cavilando.

–¿Lo harás? ¿Harías algo así? Si podemos hacerlo nosotros, sin implicar a la Policía, no la asustaríamos. No me imagino por qué habrá regresado allí. A menos que no haya ido por voluntad propia. Si Jake se hubiera fugado, si de algún modo la tuviera bajo su control…, entonces puedo entender por qué Lara iría a Bangkok. ¿Cuándo tomó el vuelo la persona que tenía tu pasaporte? ¿Sabemos si viajaba sola?

–Ni idea.

Me moría de ganas de preguntar por ese tal Jake, pero no lo hice. Quería que Leon pensara que yo sabía más de lo que en realidad sabía, para que confiara en mí.

Suspiró.

–Iris, tomemos una copa juntos. Salgamos de este despacho y hagamos unos cuantos planes.

Le sonreí, sintiendo que, por fin, las cosas se movían.

–Vale –acepté–. Pero hoy solo tomaré refrescos. Anoche me pasé un poquito.

Al día siguiente me desperté cruzada sobre mi cama de hotel. Iba a volar a Bangkok. Leon y yo habíamos reservado mi vuelo la víspera. Me convenció para tomarme una copa de vino aterciopelado, en un pequeño bar de la City, y lo planeamos todo.

Ahora tenía una idea de quién podría ser Jake. Incluso si Sam no conseguía cruzar Falmouth para enviarme el diario –y estaba convencida, de hecho, de que se lo habría pensado mejor y habría acudido a la Policía–, todavía podría ir a Bangkok a buscarla. Bostecé y me estiré, disfrutando del hecho de no tener resaca. Necesitaba telefonear a Alex.

Llamaron a la puerta y crucé tambaleante la habitación para responder. Según mi móvil eran las nueve y media. Hacía años que no dormía tan bien.

–Un paquete para usted, señora –dijo un joven, y me entregó un sobre acolchado.

Le di las gracias, preguntándome si esperaría propina.

Puse agua a hervir antes de rasgar el sobre. Sam había garabateado mi nombre y la dirección del hotel con un rotulador grueso.

El libro era un diario de tapa dura, negro y grueso, desgastado, sucio en los bordes de las páginas. Me senté en la cama y comencé a leer.

TERCERA PARTE

Diario de Lara

21 de marzo de 1999
Sídney

¡¡Jake ha vuelto!! Estoy que me da algo... Es tan maravilloso y tan terrorífico a la vez... Solo quiero tocarlo y mirarlo.

Se acerca el momento de abandonar Australia. Jake llegó por la tarde, proveniente de dónde sea que va entre trabajo y trabajo, así que esta mañana, para hacer algo de tiempo, fui a recoger mis cartas del apartado de Correos. No tenía intención de hacerlo, y ahora desearía no haberlo hecho. Una de mamá, una postalita irritante de Olivia y una carta de Leon y Sally, escrita por Sally.

Garabateé una rápida respuesta a mamá:

«Estoy pasando una semanita en Sídney, porque necesitaba salir de Tailandia para renovar mi visado», escribí con tono cursi. «Es una ciudad preciosa y espero volver algún día para pasar más tiempo aquí, pero ahora tengo que regresar a Bangkok por el trabajo.»

Eso los tendría a todos contentos. Es lo que escribiría Lara, la niña de oro.

Si realmente tuviera ese trabajo del que hablo, ellos se encargarían de tramitar mi visado. Pero a ninguno se le ocurrirá pensar en eso, excepto quizá a Leon.

Me muero de ganas de salir de aquí. ¡Australia está demasiado limpia! Necesito volver a Tailandia. Al menos, ahora Jake está conmigo. Eso significa que las cosas avanzan.

Me gustaría que mi padre me contase si mamá sabe la verdad –de lo suyo– o no. Su carta ha hecho que me dé el bajón. Los demás, con sus madres maternales, me dan envidia. Mi vida sería totalmente distinta si hubiera tenido una madre que no hablara con sus hijos como si fueran pequeñas molestias a las que apenas reconoce. ¡Imagínate una madre de verdad, de esas que van a las obras de teatro del colegio y etcétera con auténtico entusiasmo! Esa persona podría haber conseguido que Olivia y yo nos soportáramos, pero ella nunca se preocupó por intentarlo. Si mi madre hubiera estado dispuesta a cualquier tipo de interacción, yo nunca habría tenido que acercarme tanto a papá, y ahora no estaría aquí, haciendo esto para salvarle el culo.

¡Así que todo es culpa de mi madre! Si se lo dijera, se limitaría a responderme: «Vaya, ¿sí? Lo siento», y se marcharía.

Cuando nos escribimos nuestras cartitas, ¿estamos las dos callando el problemón, o tal vez la inocencia de mi madre es auténtica? «Las cosas no van muy bien en la empresa de tu padre –me decía en la carta de hoy–, pero así es la vida, hay que tirar para adelante.»

Sí, a papá le iban tan mal las cosas en su empresa que me dijo que le devolviera el dinero que se gastó en mis colegios privados, colegios a los que, por supuesto, yo nunca le pedí ir. Y eso es lo que estoy haciendo. No puede ser que mamá lo sepa, de lo contrario no me habría escrito eso, ¿o sí?

Rompí en pedacitos la irónica postal del palacio de Buckingham de Olivia. Ni siquiera me pedía perdón, solo escribió algo del estilo «espero que lo estés pasando bien», que era lo más amistoso que se podía esperar de ella. No va a tener noticias mías en mucho tiempo, o puede que nunca jamás.

¿Qué más da? Mi familia está en la otra punta del mundo, el mejor lugar en el que podrían estar. Mañana es el día. La emoción me hace sentir viva de un modo que nunca había sentido antes.

Ahora debo irme porque Jake quiere que salgamos a comer algo barato y tomar un par de birras. Haré un esfuerzo por comer, aunque no tengo ni pizca de ganas. Estoy demasiado nerviosa para tener hambre.

Mañana estaré en Tailandia. Mi cuarto viaje. Igual debería de haberlo dejado después del tercero. Tal vez sea tentar demasiado a la suerte, pero sé que puedo hacerlo. Se me da bien. Crucemos los dedos…

22 de marzo
Bangkok

Calor, humedad, malos olores. ¡Me encanta!

Lo he hecho. Mi letra es terrible porque me tiembla el pulso. ¡Lo he conseguido!

Este es el subidón más increíble. Deseo salir y cantar y bailar por la calle Khao San. Deseo subirme a uno de sus precarios tejados de uralita, alzar los brazos y gritar al cielo: ¡nadie puede conmigo! ¡He ganado al sistema!

Me encantaría poder contárselo a Olivia, solo para dejarla de piedra. Nunca se lo creería.

No hice nada que resultara sospechoso para los demás. Me limité a hacer exactamente lo mismo que todos los que me rodeaban. Luego, tomé un taxi hasta la calle Khao San para mimetizarme con los mochileros, y me metí en una pensión de mala muerte. Cuando llegó Jake, estaba en un café leyendo un libro y tomándome mi tercera coca-cola. Me dio un abrazo y me dijo que estaba preciosa, mientras Derek –que tenía peor aspecto que nunca, con ese pelo y esa barba salvajes de mochilero, supongo que para llevar el camuflaje al extremo– agarraba la chaqueta y desaparecía. Cuarta misión, completada con éxito. Había sabido mantener la calma todo el tiempo.

En cada ocasión, hay una parte de mí que desea que algo falle. Si no fuera así, no lo haría. Si estuviera desesperada por aferrarme a mi vida normal, por volver a casa y seguir siendo la maldita niña de oro, no sería capaz de mantener la cabeza fría y canalizar el miedo. Viviría como cualquier otro aburrido mochilero por esta región, tratando al mundo como mi lugar de recreo y creyéndome original o diferente.

No me puedo creer que, por fin, esté siendo mala. Recuerdo cómo miraba a la gente que daba miedo en el instituto: los que no iban a clase si no les daba la gana, los que no se preocupaban por sus deberes, los que se peleaban y decían palabrotas sin importarles las consecuencias. Yo sabía que podría haber sido una de ellos pero, por algún motivo, no lo era. Lo llevaba ahí, oculto en mi interior, y ahora lo he sacado fuera.

Rompo las reglas a una escala que ninguno de esos idiotas del instituto jamás podría ni soñar. Y ahora tengo que dejar este diario –Jake perdería los papeles si supiera que hay una evidencia escrita en un papel– y salir a tomarme unas buenas copas para celebrarlo.

Bangkok, te quiero.

25 de marzo

Envío casi todo el dinero a casa. Es triste, pero al final sigo siendo la niña buena.

Resulta extraño estar en Bangkok como un viajero cualquiera. Por una parte, me siento totalmente segura, pero también es una especie de decepción. No me quedan energías para visitar más monumentos. Hoy, Jake y yo nos metimos un «desayuno inglés completo» en la mejor cafetería que hay para contemplar a los transeúntes. Jugamos al Scrabble y nos dedicamos a mirar a la gente que pasaba. Me gusta observar los extremos: por un lado, los adolescentes que salen por primera vez de viaje, con los ojos bien abiertos y asustados, todavía puros. Casi puedes verlos apuntando sus primeras impresiones para transmitirlas a casa. Cuando los veo, me entran ganas de levantarme y seguirlos unas semanas, para ver qué sucede a medida que se van adaptando.

En el otro extremo están los derrotados. Son inquietantes, y por motivos distintos a los evidentes. Por aquí se ve a mucha gente blanca, viajeros privilegiados, pero los yonquis sin remedio me provocan escalofríos. Con sus barbas descuidadas –todos los derrotados que he visto son hombres–, sus ojos de trastornado y unas ropas que llevan años sin cambiarse, son un recuerdo constante de que las cosas pueden salir mal.

En fin. Le gané a Jake al Scrabble y él fingió que no le molestaba. Luego me anunció que nuestro próximo viaje sería dentro de tres semanas.

«Tengo que ocuparme de unas cosas –dijo–. Así que, muñeca, voy a tener que dejarte sola por un tiempo. Ve a una playa. Te conseguiré un teléfono móvil y te llamaré cuando te necesite.»

Me molestó un poco, pero lo disimulé. No me importaría pasar unas semanas en una playa tailandesa, no es algo a lo que poner pegas. Además, me encanta que me llame «muñeca». En Londres, nadie me llamaría así. Allí nunca estuve entre las muñecas. Lara, la empollona de la clase, se ha ido para siempre. Ha muerto. En su lugar hay una muñeca que vive al margen de la ley y tiene un teléfono móvil tailandés.

27 de marzo
En el autobús, saliendo de Bangkok

Jake se ha ido. No quiero saber nada más. Sé que cumplo con mi papel a la perfección, y ahí termina mi trabajo. Es extraño lo feliz que me siento cuando me dice que nunca ha conocido a nadie que lo haga como yo. Curioso talento, el mío.

Mi teléfono nuevo está guardado en la mochila. Lo tendré cargado y escondido, y tengo que mirarlo varias veces al día. Aparte de eso, estoy de vacaciones. Echo de menos a Jake, pero hay pocas cosas mejores en la vida que estar en un autocar con una gruesa novela policiaca, observando el paisaje tailandés pasar a toda velocidad y guardando las distancias cada vez que alguien parece intentar entablar conversación.

Es un autobús turístico –en el extremo más barato posible de la escala turística– y aquí todos son mochileros como yo.

El autobús se dirige a Krabi, y desde allí voy a tomar un barco a Koh Lanta, para tumbarme en la playa, leer y relajarme. Me da igual no hablar con nadie.

Mi mochila, vacía –que yo sepa– de cualquier contenido sospechoso, está atada en el techo junto a todas las demás. Como es un autobús barato, avanza traqueteando, con las ventanillas abiertas y sin aire acondicionado. Resulta difícil escribir.

Creo que, si alguien encuentra este cuaderno, sabré librarme. Diré que me lo invento todo. Me mirarán y me creerán. Además, creo que no lo he dicho explícitamente.

Un hombre al otro lado del pasillo insiste en hablar conmigo. No quiero perder el tiempo, así que voy a fingir que estoy dormida.

31 de marzo, creo

Estoy tumbada en la playa, pensando en Jake. No tenemos futuro, y esa es una de las cosas que me encanta de lo nuestro. Apenas tenemos nada que contarnos. ¡Es genial!

Cuando lo conocí, toda ilusa y herida por lo de Olly, pensaba distinto. Al instante, mi mente se puso a intentar encajarlo en lo que se esperaba de mí.

Un australiano guapo: ¡qué gran *souvenir* para traerme de mi viaje!, pensaba. Quizá un guapo marido australiano. ¡Así aprenderán!

Luego, cuando descubrí de qué iba Jake, tuve que introducir cambios en la historia. Fue liberador. No vale para marido, está más que claro. Esta es una aventura que vivimos juntos, y pronto, muy pronto, los dos pasaremos página. Eso es lo más emocionante de todo. Solo compartimos sexo y negocios, y solo mientras nos convenga a ambos.

Nos conocimos en la calle Khao San. ¿Dónde, si no? Yo me sentía sola, recién llegada de Londres y estaba bastante alterada. Mi padre estaba furioso conmigo por haberme ido, y más todavía con Olivia por provocar mi marcha. Estaba soltera y cabreada con el mundo, no conocía a nadie en todo este continente y no tenía ni idea de cómo funcionaban las cosas. Ese día me había comprado algo de ropa en un puesto, para integrarme un poco, y mis planes consistían en sentarme en una cafetería a leer un libro, quizá con una cerveza. Eso sería un logro.

Entonces levanté la vista, y vi que él me miraba desde el otro lado de la calle.

Se acercó directamente hasta mí, se plantó delante y sonrió. «Hola –se presentó–. Me llamo Jake.»

No lo pude evitar. Le devolví la sonrisa y contesté: «Lara».

Dimos un paseo juntos y ahí empezó todo. Esa noche, esa misma noche, descubrí los placeres del sexo y comprendí lo que me había estado perdiendo en mis aburridas relaciones anteriores. Jake tiene treinta y tres años, once más que yo. Me encanta su acento australiano y su pelo rizado que le cae constantemente por la cara. Adoro cómo me mira. Me encanta el modo en que despierta en mí ganas de romper las reglas, de ser mala para él. No somos almas gemelas. Es lo mejor que me ha pasado nunca.

2 de abril

Escribo esto sentada en la cama, bajo la mosquitera. Hoy me he echado una amiga, Rachel. Estoy muy contenta.

Todavía no tengo noticias de Jake, aunque miro todo el rato mi teléfono. En realidad no las espero, porque no quiero saber nada sobre las transacciones ni ese tipo de cosas, no son de mi incumbencia, para nada. Mis tres semanas de vacaciones implican que me aguarda un trabajo importante.

De todos modos, es mi novio, y no me importaría recibir una llamada ocasional. Le mandé un mensaje para decirle que estaba aquí y no me ha contestado. Espero que esté bien, porque hoy he pensado que podría haberle pasado algo y yo sin saberlo.

Sin embargo, no puedo hacer nada más que esperar.

Sé que hay un cibercafé en la calle principal, pero me mantengo alejada de él. No me apetece leer correos, ni enviar postales ni nada parecido. Solo quiero tumbarme en la arena y leer.

Koh Lanta es una isla más grande de lo que pensaba. El barco pasó por otra que se llama Koh Jum, que es más pequeña, y allí se bajó un montón de gente con pinta de alternativos. Igual debería ir a ver cómo es aquello. Pero no creo que lo haga, porque requeriría reunir energías y hacer la mochila, y disfruto de no tener que ocuparme de esas cosas.

Estoy en el sur de la isla, y estiro el presupuesto todo lo que puedo.

Ya he mandado a casa miles y miles de libras, dinero que he ganado arriesgando mi vida. Dinero sucio, asqueroso, de las drogas. Papá debe de saberlo. Solo Leon ha tenido la ocurrencia de cuestionar mi trabajo en el «banco americano». Para mi padre es mucho más fácil aceptarlo así.

En su última carta incluso escribió «lo saques de donde lo saques». Cabrón.

En fin, que estoy en Koh Lanta. Me alojo en una cabaña de madera, un poco chabola, a la que llego subiendo cientos de escalones por las rocas. Tiene vistas al mar, y se avista tierra al otro lado de la bahía. Por la noche se pueden ver las lucecitas de los barcos de pescadores. Aquí arriba hace calor y no corre el aire. Cuando apago el ventilador del techo a veces el ambiente es tan sofocante que me despierto en plena noche, pegajosa de sudor y casi sin poder respirar. Es el único momento en que la ansiedad se adueña de mí.

Me encanta vivir así más de lo que puedo admitir. Haga lo que haga con el resto de mi vida –y ahora tengo una buena idea de cómo me gustaría que fuese, en un minuto vuelvo a eso–, sé que nunca será mejor que esto. Este ha sido mi punto de inflexión. Hablando con Rachel ha sido la primera vez en que he sentido que solo me apetecía estar con alguien y relajarme. Sentí que la tensión se disipaba.

Vine aquí sin equipaje. Todos los viajeros visten igual, con la ropa que se compran en los puestos: pantalones holgados, camisetas de Coca-Cola en tailandés, sandalias. Estoy a un millón de kilómetros de esa chica estirada de Londres, educada en colegios de pago, que evitaba los problemas a toda costa.

De modo que las cosas podrían salir de dos formas para esta nueva yo mejorada. Podrían pillarme esta vez, y entonces ya veríamos qué sucedía. Sería terrible, lo sé, pero casi me da igual. Prefiero lo que eso implicaría a tener que volver a mi vida de antes. Si me pillan, saldré en los periódicos y la gente me perdonará porque soy joven y mujer. Todos en casa se quedarían de piedra. Mi padre se sentiría fatal y lo avergonzaría delante de todos sus «contactos».

La segunda opción es dejarlo. Quedarme en Asia, conseguir un trabajo serio en Bangkok, Singapur o Kuala Lumpur. Podría vivir en una de esas ciudades y dedicarme a viajar. Cuanto más lo pienso, más ganas tengo de hacerlo. Por primera vez, no quiero que me pillen cruzando la frontera, lo que resulta bastante preocupante porque significa que me juego demasiado.

3 de abril

Estoy sentada en mi balconcito medio podrido, a primera hora de la mañana, y puedo ver a Rachel trasegando en su cabaña, comprobando si se han secado el *sarong* y el biquini que tendió anoche.

Rachel es mi nueva amiga. Es de Nueva Zelanda. Hace un par de días tuvimos un momento «amistad a primera vista», parecido al que tuve con Jake de «deseo a primera vista». A veces, ser mochilero es como tener cuatro años. A esa edad, vas al parque, te acercas a otro crío y dices: «Tengo cuatro años», él te responde: «Yo también», y os hacéis amigos. Pues algo así. Vi a Rachel, me gustó y empezamos a hablar, así que ahora somos amigas.

Es alta, esbelta y guapa. Ahora que la estoy mirando, me gustaría tener su cuerpo y su pelo largo. Parece una estrella de cine francesa o algo parecido, y es muy divertida.

Se acaba de dar la vuelta. Me ha sonreído y me ha preguntado por qué la miro. Incluso ha dicho: «¿Estás escribiendo sobre mí?».

Nos conocimos aquí mismo. Yo había salido al balcón a primera hora, a contemplar el mar. Me desperté temprano y salí a ver los barcos de pescadores con el brillo rosado del alba. Estaba ahí, en camiseta ancha y zapatillas, mirando y pensando, cuando ella dijo: «¡Buenos días!», y me asustó tanto que solté un chillido.

Luego me reí porque me sentí estúpida. Rachel estaba en el balcón de al lado, a unos metros solo, haciendo justo lo mismo que yo: contemplar el mar.

–Me llamo Lara –le dije, aunque nunca soy tan atrevida; normalmente guardo las distancias todo lo que puedo.

–Rachel.

–¿Australiana?

–No. Kiwi.

–Oh, perdón. ¿He metido la pata?

–Solo si estuviera muy buena y fuese una guarrilla.

Y nos hicimos amigas, así de sencillo. Desayunamos juntas, nos tumbamos juntas en la playa, charlamos cuando nos viene en gana, intercambiamos libros y nos quedamos calladas cuando no nos apetece decir nada. Rachel encontró un extraño Scrabble en la estantería de un bar y no paramos de jugar. Estamos muy igualadas.

Nunca había tenido una amiga como ella. Ahora comprendo que se debía a que mi vida familiar fue tan constreñida, elitista y miserable que nunca conseguí una amistad de verdad. Qué patético.

Rachel tampoco vive una situación idílica en casa, aunque no habla mucho de ello. Yo no le he contado la sórdida historia de mi aburrido novio –el asunto que me trajo hasta aquí–, pero algún día lo haré.

Y ahora el sol pega más y necesito ponerme algo de crema y un sombrero, o me quemaré. Rachel sale de su cabaña y se dirige por las escaleras a la mía. Igual le propongo que compartamos habitación para recortar gastos.

6 de abril

Guardo el teléfono en una baldita astillada a la que solo puedo llegar subiéndome a una silla desvencijada, y aunque todavía lo enciendo y lo miro dos veces al día, cada vez me apetece menos recibir noticias de Jake.

Ojalá pudiera quedarme aquí para siempre. Nadie puede localizarme. No hay cartas, ni postales, ni correos electrónicos. Solo Jake sabe mi número de teléfono. Nadie en el mundo entero tiene ni la más remota idea de dónde me encuentro.

Es extraño vivir en un mundo en el que mis propios padres, Bernard y Victoria Wilberforce, dependen del dinero sucio que les consigue su corrompida hija favorita. Solo así pueden guardar las apariencias en su urbanización. Tal vez no sepan de dónde sale su dinero, pero deberían preguntármelo. ¿Cómo pueden permitir que haga esto, y en la otra punta del mundo? ¿Cómo es posible que no les importe? Hace que me cuestione si de verdad me quieren.

Siempre he fingido que yo no era su preferida, aunque nada podía resultar más evidente. Olivia decía que me querían cien veces, probablemente mil veces más que a ella, y siempre lo negué porque no iba a decir «Sí, claro que sí». Ahora estoy lo bastante lejos para analizarlo. No tengo ni idea del motivo, pero papá siempre pareció odiar a Olivia. No es de extrañar que haya salido tan mala.

Nunca le perdonaré por lo de aquel día. Me llevó a su despacho, una habitación a la que raras veces se nos permitía entrar. Allí huele a tabaco no ventilado, porque fuma con una rendijita de la ventana abierta, pensando que así ventila.

Nos sentamos delante de su estúpida y reluciente mesa, y recuerdo que brillaba tanto que pude ver mi cara reflejada en su superficie, aunque no pretendía hacerlo.

«Lara –me dijo–, mira, voy a contarte algo que necesito que guardes en secreto.»

Pensé que iba a confesarme que tenía una amante. Se me pasó por la cabeza que podría haberla dejado embarazada, dado que se rebajaba a hablarme de ella.

Pero, en vez de eso, dijo:

–Mi empresa de comercio de vinos... no va tan bien como le hago creer a la gente. Tengo un plan con el que podríamos arreglarnos, aunque supone unas condiciones en las que no voy a entrar ahora. Pero por el momento estamos más cerca de lo que me gustaría de…, bueno, de la quiebra, supongo. Estoy intentando solucionarlo. Tu madre tiene una ligera idea de que las cosas no van bien, pero piensa que es una mala racha cualquiera. Pero no es así.

Recuerdo sostener las yemas de los dedos sobre la mesa reluciente y mirar cómo encajaban con su reflejo. Hacía eso porque no se me ocurría nada que decir.

–Sé que estás buscando trabajo, y pronto te saldrá algo, ¿verdad, cariño? Tienes una buena preparación en un campo excelente.

–Sí, estoy segura.

–Habéis recibido una educación muy cara.

–Cierto.

Y ahí fue cuando me contó su plan de salvación. Lo que estaba dispuesto a hacer si yo no le ayudaba de algún modo a salir del aprieto. Dijo que Leon le había estado ayudando hasta entonces, pero que ya no podía pedirle más. Mencionó un seguro de vida, y comprendí a qué se refería.

Lo odié. Hasta entonces solo había odiado a Olivia. Aquel instante me abrió los ojos. Mi padre era vulnerable, rastrero y patético. Ya no tenía que intentar quedar bien delante de él. Podía odiarlo. Eso suponía que no tenía que comportarme como una oveja asustada, siempre pensando en lo que le agradaría y lo que no. Aparecieron nuevos caminos, brillando ante mí.

Murmuré algo.

–No tienes ni idea de lo que significa para mí, Lara mía –dijo.

Debería haberle dicho que siguiera adelante con su plan y se suicidara. No lo habría hecho. Los negocios se hunden constantemente. La gente lo supera, sin amenazar a su hija de veintidós años con quitarse la vida a no ser que le consiga por arte de magia algo de pasta.

Trabajé de camarera en una cadena francesa de cafeterías cerca de Victoria hasta que conseguí reunir un puñado de dinero y luego, en lugar de dárselo, volé a Bangkok con una mochila.

Se enfureció. No me importaba. Podría haberse suicidado, pero no lo hizo. Y entonces, cuando Jake me hizo su propuesta, comprendí que podría arreglarlo todo.

8 de abril

Rachel se ha instalado conmigo. Compartimos una cama doble, cerramos la mosquitera alrededor del colchón por la noche y creamos nuestra pequeña fortaleza.

Tenemos planes. Yo necesito seguir por aquí, lejos de Londres. Aquí es donde quiero construirme una vida.

Rachel necesita dinero. Habla de volver a Nueva Zelanda porque se está quedando sin pasta. Yo pago por las dos, e intento convencerla para que se quede. Mi deseo de quedarme y su necesidad de pasta han provocado que se me ocurra un plan. Se lo he contado hoy, en el bar. «Nos iremos a Singapur. No está lejos de aquí. Podemos volar desde Krabi. Luego, tú te buscas un trabajo de profesora. Puedes dar clases de inglés, o trabajar en una escuela inglesa, o lo que sea. Yo también buscaré curro. Trabajaremos duro, compartiremos piso en Singapur y ahorraremos. Luego, podemos irnos a Nepal, a vivir en las montañas una temporada.»

Le ha parecido un plan excelente. Vamos a intentarlo.

Es la única persona que conozco que cree que vivir en una montaña de Nepal no es una idea rara y estúpida.

10 de abril

Mierda.

Rachel ha subido a la cabaña antes que yo esta tarde. Yo seguía en la playa, dormitando y preguntándome cuándo recibiré noticias de Jake; fantaseaba con tirar al mar el teléfono. Había dejado este cuaderno encima de la cama, sin pensar, y ella debe de haberlo leído.

Es mejor no leer los diarios de una amiga, nunca conduce a nada bueno. Me la puedo imaginar abriéndolo por curiosidad y empezando a leer. Luego seguiría y seguiría, al comenzar a comprender la verdad.

Para cuando llegué aquí, ya se había leído hasta la última palabra y había hecho su mochila.

–¿Drogas? –me dijo en cuanto estuve cerca.

Su rostro estaba desencajado y parecía otra.

–¿Traficas con drogas?

Intenté razonar con ella:

–Es porque…

Pero le dio igual.

–Para enviar dinero a casa, claro, ya lo sé. Me lo he leído todo, Lara. Lo de tu padre y blablablá. Sabía que me ocultabas algo y al final pensé: bueno, voy a leer ese cuaderno en el que siempre está escribiendo a ver si me entero. Te dedicas a cruzar fronteras con cosas horribles encima, estúpida, y luego le mandas el dinero a tu padre. Es la mayor mierda que he oído en mi vida.

Esas fueron sus palabras exactas. Nunca las olvidaré, porque tenía razón.

Le pregunté adónde iba y me respondió que a pedirle a su hermano que le enviase pasta para volver a Nueva Zelanda. Luego se calló y quiso irse, sin más. No me quité de en medio, así que tuvo que subirse a una roca junto al camino para pasar a mi lado.

15 de abril

Sin rastro de Rachel. No hago otra cosa que buscarla.

Jake llamó, por fin, con noticias.

Tenemos un «proyecto» en marcha. Por la cantidad que paga, supongo que se trata de algo gordo. Tengo que encontrarme con él en Krabi dentro de tres días, lo cual significa que debo empezar a pensar en marcharme de la bahía de Kantiang.

No estoy segura de tener el coraje para volver a hacerlo. Se lo dije, pero se burló y me comentó que de ningún modo podía echarme atrás.

Solo me queda huir. Jake ya reclutará a otro.

Si lo hago, será la última vez, y a partir de ahí comenzaré una nueva vida. Me buscaré un trabajo en Singapur, escribiré a papá y le diré que ya no voy a mandar más dinero. Cuando reúna unos ahorros, me marcharé y alquilaré una casa en Nepal, justo como tenía planeado hacer con Rachel. Escribiré a mi amiga y le diré dónde estoy, e igual algún día se presenta, trepando por las laderas.

O también podría comenzar ese proceso sin tener que hacer este encargo. Podría escaparme ahora mismo, tomar un vuelo desde Krabi mañana y a partir de ahí empezar de nuevo. Jake nunca me encontraría. Ni siquiera lo intentaría. No me queda dinero y tendría que buscar un trabajo cuanto antes, pero eso da igual. Ya me las arreglaré, como hacen los demás.

El dinero que Jake va a pagarme me permitiría comprarme una casa en el Himalaya, estoy segura de ello. Sin embargo, es una locura, y está mal a tantos niveles que no puedo ni imaginar en qué he estado pensando. ¿De verdad he hecho esto cuatro veces ya?

Tengo que dejarlo, hay alguien en la escalera.

Más tarde

Me asusté al verla, pensé que había vuelto para delatarme. La acusé de haber ido a la Policía. Esperaba que viniesen a detenerme.

De hecho, debo acordarme de guardar bien este cuaderno. En realidad, debería tirarlo al mar. Lo haré. Lo arrojaré por el balcón, por encima de las rocas, hasta el agua.

Rachel dice que necesitaba irse y pensar un poco. Su actitud conmigo ha cambiado. La he pillado varias veces mirándome fijamente, en silencio. Pero dice que me echa de menos y que no podía marcharse dejando así las cosas. Teníamos que hablar.

Esta noche hay una hoguera en la playa, y como siempre que pasa esto, aparece gente con guitarras que sacan de la nada. Ahora mismo, algunos chavales del pueblo, creo, están tocando y cantando «American pie». Rachel y yo estamos a punto de bajar a unirnos a ellos. No me importaría tomarme unas cuantas copas, emborracharme y cantar.

Más tarde todavía (y un poco borracha)

Hemos estado sentadas a la orilla del mar, en el calor de la noche, charlando. Cuando se acercaba alguien callábamos, pero básicamente me he pasado cuatro horas bebiendo y hablando con Rachel. Se lo he contado todo, hasta el último detalle. Lo de la empresa de papá, lo de Olivia y Olly, todo.

Quería saber cómo lo hago. Le conté lo del trance, la absoluta confianza con la que actúo, aparentando ser una niña buena. Le conté que me paso los vuelos leyendo, escribiendo o viendo una película, siempre con mucha calma y con todo bajo control. Le conté lo del gélido temor que se adueña de mí cuando veo la bolsa en la cinta. Le describí cómo agarro la maleta, o me pongo la mochila a la espalda, y cruzo el control de aduanas con la certeza absoluta de que parezco incuestionablemente convencional, sin sentir el más mínimo miedo.

Y luego le describí el subidón, la alegría fascinante y abrumadora de haber pasado.

Le dije que estaba pensando no hacer este último. Y ella dice que debería hacerlo una última vez, ya que se me da tan bien. Me preguntó si podía volar conmigo, para ver cómo lo hacía. Luego, nos quedaríamos juntas en Singapur y podríamos comenzar nuestra nueva vida, ahora que había prometido que el dinero que sacase de esta operación sería para mí, no para mi padre. Hablamos de Nepal. Le apasiona la idea tanto como a mí. Ya nos veo a las dos viviendo en las montañas. Es algo con lo que siempre he soñado, y podríamos hacerlo realidad. El dinero que he conseguido aquí habría sido suficiente para mantenerme toda la vida, pero se lo he dado a mi padre para que sus amigos no se enteraran de que se le había hundido el negocio. Rachel dice que ahora me toca a mí sacar algo de esto.

Voy a hacerlo.

16 de abril

Echo de menos a Jake. Estoy increíblemente excitada ante la idea de verlo. Deseo rasgarme la ropa desde ya, y me sorprende que Rachel no se dé cuenta. Quizá sí se da cuenta. Sé que ella tuvo novio, pero no sabría decir si fue uno aburrido estilo Olly –ahora me río al pensar que hasta su nombre era soso– o uno estilo Jake. Por el modo en que habla de él –con amargura–, me da la impresión de que lo quería de corazón.

En fin, que echaré de menos a Jake cuando Rachel y yo comencemos en Singapur nuestras vidas de ciudadanas respetuosas con la ley, trabajando con la vista puesta en las montañas, pero ya me buscaré a otro. No quiero formar parte de su mundo a largo plazo. Ha sido maravilloso y sé que nunca, jamás, me podré conformar con alguien soso y prudente. Siempre estaré agradecida a Jake por enseñarme eso. Voy a tener que esperar a la próxima persona que me haga vibrar de los pies a la cabeza, que me impida pensar en otra cosa que no sea sexo.

Tengo ganas de hacer este encargo, y más aún de que llegue el momento en que lo acabe: será el primer momento de mi nueva existencia. Por supuesto, tendré que empezar mi vida en un continente en el que no esté mi familia.

También le he contado a Rachel todo lo que pasó con Olivia después de leer aquel correo de una sola palabra –«Perdón»– que tanto esfuerzo le debió de suponer. Cuando lo leí, sonreí porque ya no me importaba, así que le describí a Rachel la escena y nos reímos. Ahora, tirada en la arena mientras Rachel se da un chapuzón en el mar, voy a escribirlo, para demostrar que ya no ejerce ninguna influencia sobre mí.

Yo llevaba casi dos años saliendo con Olly, desde finales de mi primer curso en la universidad. Era don Cabal. Un muchacho de escuela privada con una educación impecable. Yo le gustaba, porque era sumamente adecuada para él: una chica de colegios de pago sin un lado salvaje aparente. Formábamos la pareja más sosa del mundo. Él era, cómo no, más alto y más fuerte que yo, jugaba al rugby, tenía la cara colorada y una actitud chapada a la antigua que denotaba que se sentiría en paz con el mundo el día que cumpliera los cuarenta y seis.

Así pues, nos dirigíamos inexorablemente hacia un futuro soso. Nos prometeríamos –sé que él le habría pedido mi mano a mi padre–, después nos casaríamos por la Iglesia, yo iría de blanco y sería entregada a él, y mi hermana echaría chispas enfundada un vestido horrendo de dama de honor que yo le obligaría a llevar, para divertirme. Luego, tendríamos dos hijos, un niño y una niña, y Olly desarrollaría una exitosa carrera en la City mientras que yo trabajaría a media jornada y daría órdenes a la asistenta.

En algún momento, yo sufriría una crisis nerviosa y cometería alguna locura, seguro, ¡joder!

Pues eso, que pensaba que íbamos tirando, felices, con nuestro sexo preceptivo un par de veces por semana y saliendo por bares de Fulham llenos de gente como nosotros. Éramos de mediana edad antes de tiempo, pero esto, pensábamos, era genial. Nos sentíamos unos buenos adultos.

Y entonces, un día, estaba yo en Bloomsbury paseando por Tavistock Square, y decidí, en un capricho magnánimo, acercarme por el cuchitril de estudiantes de Olivia, para saludarla. Mi hermana vivía en un piso en el sótano de una de esas casas adosadas medio en ruinas. La vivienda tenía seis dormitorios diminutos repartidos en dos plantas, con un minúsculo baño en cada piso, una cocina en el pasillo junto a la escalera y una franja de «jardín» de cemento. De todos modos, su ubicación, entre una hilera de hoteles baratos en Tavistock Place, era fabulosa. Olivia insiste en que siempre vivirá en el centro de Londres. Es una de sus maneras de rebelarse contra el hecho de haber crecido en las afueras.

Una de sus compañeras de piso abrió la puerta. Era la chica rubia gordita de gafas que siempre se hacía un moño que se le iba soltando, mechón tras mechón, horquilla tras horquilla, a lo largo del día. En cuanto vi el gesto afectado en la cara de la gordita, supe que Olivia andaba metida en algo.

–Hola –dije–. ¿Está Olivia?

Pude ver el cerebro de la muchacha funcionando al ralentí.

–Esto… ¡No! No está, lo siento. ¿Le digo que te llame?

Estaba intrigada; la aparté a un lado y crucé la puerta para acceder al mugriento recibidor. Olía a curry, a alcohol rancio y a baños sin limpiar. La gorda intentó detenerme, así que apreté el paso, pasé frente al cuarto de baño. Un hombre que solo llevaba puesta una toalla salió y abrió los ojos como platos al verme. Intenté no fijarme en el estado de la mesita junto a las escaleras o en los platos apilados en el fregadero, y corrí escaleras abajo, a la planta inferior.

La habitación de mi hermana era la última, justo bajo las escaleras y junto a la puerta que daba al patio. La gorda, desesperada, gritó:

–¡Olivia! ¡Lara está aquí!

Escuché revuelo. Susurros, pies arrastrándose asustados y cuchicheos. Sin embargo, ni siquiera entonces se me pasó por la cabeza lo que estaba ocurriendo, ni por medio segundo. Si no hubiera visto la evidencia, todavía no me lo creería.

Aceleré el paso y abrí la puerta, pensando todavía que la cosa no iba conmigo aunque, tal como se revelaba, sí que lo iba. Y allí estaba mi hermana, atándose apresurada el cordón de una bata, y mi novio, en calzoncillos, saliendo por la ventana que daba al patio.

Por lo visto, llevaban un tiempo follando. Olly intentó explicármelo, decirme eso de que las cosas no iban «del todo bien» entre nosotros, porque de lo contrario esto no hubiera sucedido, pero no me preocupé por escuchar ni una palabra.

–Me voy de viaje –le dije a Olivia–. Todo tuyo, que te aproveche.

A Olly no le dije nada, ni una palabra, nunca. Lo único que quería hacer era irme, y la idea más atractiva era Tailandia. Lo hice sin mirar atrás. Oliver y Olivia, la pareja perfecta.

Mi padre acababa de pedirme dinero para salvar su negocio en bancarrota. Se enfureció al enterarse de que me iba de viaje, pero le dije que encontraría una manera de ayudarle, y lo hice.

He ignorado todas las cartas y correos de mi hermana, y seguiré haciéndolo. Ya no tengo hermana.

Olly no ha venido a buscarme, y no lo hará, gracias a Dios. Sé que es lo bastante lógico como para calcular las posibles consecuencias de acostarse con mi hermana y para aceptar que, si yo me enteraba, lo nuestro se habría acabado irrevocablemente. Es un estúpido, sí, pero no tanto. Ya no volveré a verlo.

Qué refrescante resulta revivir esa escena y descubrir que, en realidad, les estoy agradecida a los dos por su traición. Ahora son ellos los que tienen que aguantarse el uno al otro. Yo, no. No necesito tener nada que ver con ninguno de los dos nunca más, y eso es lo más liberador del mundo. No tengo que casarme con un tostón de tío que además es una mierda en la cama. No tengo que casarme con nadie. No necesito tener una hermana. Estoy sola. Rachel es mi hermana, y nos vamos otra vez a la playa.

18 de abril
Krabi

Krabi está lleno de *falangs,* es decir, extranjeros. Aunque soy consciente de que yo también soy una de ellos, sigue sin gustarme ver tantos juntos. Hay algo repulsivo en el modo en que todos se creen –nos creemos, debería decir– especiales. Solo hace falta echar un vistazo a tu alrededor para ver que no es el caso. Todos visten igual, actúan igual y se piensan que Tailandia es un parque temático. Me gustaría que los tailandeses pudieran ir a otra parte del mundo y pavonearse por ahí pensando que molan visitando a los pobres.

En fin, que Rachel y yo nos hemos ido de Koh Lanta –la preciosa Koh Lanta– esta mañana. Estuvimos en la cubierta del barco varias horas mientras nos llevaba al continente –con una parada para recoger a los alternativos de Koh Jum–, y tardé un buen rato en controlar mis nervios.

Agarré este cuaderno y pensé en tirarlo al agua, sabía que era lo que debía hacer.

Pero no pude. Igual, antes de subir al avión, lo destruyo en Krabi.

Jake nunca ha hecho caso a mis reparos. Una vez dijo una cosa que se me ha quedado grabada: «En todos los países hay drogadictos, pero muy pocos son productores de droga. ¿Te haces idea de cuánto tráfico hay? Es una industria floreciente, Lara, y el número de los que pillan es mínimo. Los de aduanas solo te pillarían si tuvieran un chivatazo, o si algo en tu forma de actuar despertara sospechas. Y eso nunca ocurrirá porque eres la puta ama. Nosotros no hacemos operaciones de esas. Son pequeños trabajitos que escapan del radar de las autoridades. Nadie se chiva de nadie porque no pisamos a nadie ni nos jodemos entre nosotros. Es más seguro que cruzar la carretera».

Eso último me hizo gracia, porque era una sandez. Media hora más tarde, me atropelló un *rickshaw,* y ahora tenía un corte en la pierna y un moratón en el brazo. De modo que, al menos en mi caso, Jake tenía razón.

Aun así, sufro un ataque de remordimientos de conciencia.

Hemos llegado a Krabi a la hora de comer. Hemos ido en taxi a una pensión barata en una de las calles principales y alquilado dos pequeñas habitaciones con ventilador pero sin aire acondicionado, en un patio, una al lado de la otra. Para llegar a las habitaciones hay que pasar por detrás de la recepción, atravesar la cocina y sus cazos desgastados de aluminio y sus olores mitad tentadores, mitad asquerosos, y la zona donde vive la familia. Luego, sales al patio, con sus seis cabañas y tres retretes-ducha en la esquina.

Con este tipo de vida, todo parece muy sencillo. ¿Quién necesita televisiones, alfombras y demás basuras con las que crecí aislada? El sol brilla sobre mi diario, estoy sentada a una mesa de plástico, y siento que puedo hacer cualquier cosa. Rachel está a mi lado leyendo *La playa*. Más tarde vamos a quedar con Jake en un bar. Estoy emocionada, y mareada.

19 de abril

Tengo algo de resaca. Nos tomamos unas cervezas con la comida, pero luego Jake ha sacado una botella de Sang Thip, y cuando aparece una botella de esas sé que es el principio del fin.

Estaba nerviosa cuando le presenté a Rachel, por si no se caían bien. No solo son mis dos mejores amigos, son mis únicos amigos. Rachel lo sabe, Jake no. De cualquier modo, resultó que congeniaron bastante bien. Directamente pasaron al «He oído hablar mucho de ti»; Jake estaba exagerando, porque él y yo apenas habíamos hablado, pero se portó muy bien con ella. Parecía que los tres fuéramos viejos amigos. Todos ignoramos la extraña realidad en la que estábamos metidos.

Había olvidado cuánto adoro estar con él.

Me gustaría poder retroceder en el tiempo y verme hace un año, cuando salía con Olly e iba a comer a casa de mis padres todos los domingos. Agarraría a esa tonta aburrida que fui y le diría que dentro de poco iba a estar en Tailandia con un novio australiano traficante de drogas. Me gustaría ver qué cara hubiera puesto.

Me he levantado temprano. Jake sigue dormido en nuestra cama y Rachel aún no ha dado señales de vida. No sé qué hora es, pero el gallo canta tan alto que me sorprende que nadie más se despierte. Me apetece salir a dar un paseo, aunque Krabi es un lugar de paso, no un destino turístico propiamente dicho. Me quedaré un rato sentada al fresco de la mañana.

Cuando estábamos todos borrachos, Rachel le preguntó a Jake si podía viajar conmigo. Por lo que recuerdo –que no es muy fiable, porque me duele la cabeza–, él se rio y dijo que sí, siempre que no hiciera ni dijera nada que pudiera estropearlo todo.

Necesito agua. De la cabaña de enfrente acaba de salir un alemán con unos calzoncillos dados de sí. Lleva una toalla y un neceser con estampado de cachemira, y se dirige hacia la ducha. Me sonríe y me da los buenos días con mucha cortesía. La gente está empezando a despertarse. Voy a ir a la tienda a comprar una botella de agua. Luego, podemos salir en busca del mejor desayuno para la resaca que pueda ofrecer Krabi. Si algún sitio está a la altura de las circunstancias, ese es Krabi. Una ciudad poco hermosa, como un pueblo fronterizo del salvaje oeste, una puerta a otros sitios. Un lugar para comer, beber y esperar un autobús, un barco o un avión.

20 de abril

El vuelo es mañana. Tres cuartos de hora y todo cambiará.

En cuanto lleguemos a Singapur, voy a cortar con Jake.

Eso sí, cuando él esté de paso por Singapur, lo recibiré con los brazos abiertos, pero sin compromiso.

Ayer, Rachel y yo nos sentamos delante de dos ordenadores y miramos páginas de potenciales empleadores en Singapur. Hay puestos para las dos. Ella llamó a todas las escuelas internacionales, y concertó citas para hablar con un par de ellas la semana que viene. Yo he encontrado dos ofertas que me van bien. He impreso los formularios, largos y burocráticos, y he comenzado a buscar lo que hace falta para solicitar un permiso de trabajo.

Derek estará esperándonos en el aeropuerto de Changi. Meteremos mi mochila en el maletero de su coche y nos dejará en el hotel con suficiente pasta para hacer lo que queramos.

Debo superar mis recelos por el hecho de que Rachel me acompañe. No le entrará el canguelo. Lo va a hacer bien.

21 de abril

Excitada. Nerviosa. Incapaz de ordenar una frase.

Esta noche nos tomaremos unas copas en el hotel Raffles, es lo que todo el mundo hace en Singapur. Solo nos queda llegar allí.

Estoy sentada en el avión. Rachel no va a mi lado, porque Jake dijo que no convenía. Aquí estoy, procurando mantener la cabeza fría. Debo pasar esto. No puedo esperar. Nada de alcohol en el avión. Las copas para luego, en el Raffles.

Más tarde

Esto no puede estar pasando. No puede ser, no puede ser, no puede ser.

23 de abril
Singapur

No soy capaz de escribir lo que ha pasado.

En vez de eso, solo diré que estoy tirada en un colchón infestado de chinches en una pensión de mala muerte en Orchard Road, en Singapur.

Y ni siquiera puedo llorar. El mundo se ha terminado.

Estoy sola. Yo sola.

Más tarde

Voy a intentar. Intento escribir lo que ha ocurrido, paso a paso. Así podré enseñárselo a la gente que no me cree, como prueba. Nadie me cree. ¿POR QUÉ NADIE ME CREE?

Rachel y yo tomamos el avión. Yo llevaba la mochila caqui que me dio Jake. Rachel llevaba la suya, de color azul, con un montón de cosas mías dentro. El resto de mi equipaje iba con Jake, como siempre.

El aeropuerto de Krabi es pequeño. Yo estaba a lo mío, poniéndome en situación. Prácticamente ignoraba a Rachel. Hicimos cola durante siglos antes de facturar.

Rachel no hablaba, pero parecía estar bien. De vez en cuando, me miraba a los ojos y forzaba una sonrisa, pero no hablábamos. Yo no quería que me distrajeran.

Jake estaba en la cola, mucho más atrás. No se iba a sentar con nosotras. Siempre hacía lo mismo. Los hombres tienen muchas más probabilidades que las mujeres de que los paren. A las mujeres no las registran nunca, a no ser que la Policía esté sobre aviso.

Facturamos sin problemas. Fui yo la que habló, y ambas pusimos cara de sorpresa y respondimos «No» a la pregunta «¿Podría alguien haber manipulado sus...?». Nuestras mochilas desaparecieron, con pegatinas de la compañía con nuestros nombres.

En la zona de embarque, fingimos no conocer a Jake. Intenté animar a Rachel. Tomamos un café, comimos algo y dimos una vuelta por las tiendas. Estaba asustadísima por mí –se lo veía en los ojos–, pero ya era demasiado tarde.

Ninguna de las dos teníamos ni puta idea.

En realidad, no era demasiado tarde. Podríamos haber fingido una emergencia y habernos quedado en Krabi. Solo habría hecho falta recorrer unos metros. ¿Qué más daba la burocracia? También podríamos haber volado hasta aquí y habernos ido del aeropuerto sin el equipaje. Pero todo parecía inevitable y forzoso.

Cuando subimos al avión, a Rachel le costaba mantener la compostura. Intenté ignorarla, pero iba sentada cinco filas por delante de mí y no paraba de levantarse para ir al lavabo. Le sonreía cuando pasaba a mi lado, pero su cara era como una máscara, y tuve que ignorarla porque necesitaba meterme en mi papel.

Entonces aterrizamos. La esperé, para poder salir juntas del avión. Ese no era el plan, pero Rachel necesitaba que le echara una pequeña bronca.

«Vamos a separarnos», le dije. Parecía demasiado asustada, no conseguiría pasar con ella a mi lado, cantaba demasiado. Necesitaba estar sola para entrar en mi trance habitual. Si la paraban porque resultaba sospechosa, pensé, no ocurriría nada porque Rachel no tenía nada que ocultar. Si me llevaban a mí con ella, pensé, sería desastroso.

Las mochilas, ambas un poco maltrechas, una azul y otra caqui, aparecieron por la cinta bastante pronto. Eso era buena señal. Agarré la mía –la caqui–, la coloqué en un carrito y eché a andar. «Te veo en un segundo –susurré al pasar a su lado–. Ya casi está.»

Me convertí en la niña buena, atravesé el control con la cabeza bien alta y sonreí al llegar al otro lado mientras el alivio empezaba a recorrer mi interior. Unas copas en el Raffles, en eso estaba pensando, y en que mi primer paso en suelo de Singapur suponía el comienzo de mi nueva vida.

Derek estaba esperándome. Me dio un beso en la mejilla como quien recibe a una amiga, tomó mi mochila y se la echó al hombro. Mientras él se iba a buscar un taxi, me quedé a esperar a Rachel.

Tardé siglos en darme cuenta. No era extraño que le costase un rato salir. Si yo fuera agente de aduanas, la habría parado. Me alegré de no tener ya mi mochila, porque si Rachel se iba de la lengua, no tendrían pruebas.

Seguía sin salir.

No podía ver a Jake, pero sabía que estaría observándonos en la distancia. Miré y esperé, pero desde el vestíbulo no se veía nada. Pensé que Derek volvería, pero no lo hizo.

De pronto, apareció Jake. Vino derecho a mí, me agarró del brazo y me condujo hacia la salida.

–¿Qué está pasando? –dije–. ¿Dónde está Rachel? ¡Jake! ¿Dónde está Rachel?

Me aparté de él, y sacudió la cabeza.

–Lara, por lo que más quieras, no montes una escenita aquí.

–Pero ella no ha hecho nada. No puede pasarle nada.

–Luego te lo cuento –dijo–. Te lo contaré, pero no aquí.

Me sacó de aquel edificio con aire acondicionado al húmedo mundo exterior, hacia un taxi.

Yo me negué a montarme. No pensaba abandonarla. Tuvimos una fuerte discusión, pero sin alzar la voz y con tono educado, ambos desesperados por no llamar la atención.

–Está bien –dijo Jake al final–. Monta en este taxi o te dejo aquí sin tu dinero y sin ninguna posibilidad de enterarte de qué ha pasado y nunca volverás a ver a tu amiga.

Lo odié, pero subí. Dijo al taxista que nos llevara a Chinatown. Nos sentamos en la terraza de un bar y Jake pidió unas cervezas. No quería bebérmela, pero luego lo hice, muy rápido. No la saboreé ni me apetecía, pero el alcohol inmediatamente hizo su efecto. Me infundió valor.

–Venga –dije–. ¿Dónde está Rachel?

Y entonces me lo contó. Y después de contármelo se levantó y se fue, y sé que nunca volveré a verlo.

25 de abril

Les he suplicado que me detengan. Se han negado, y han dicho que van a deportarme.

La mochila caqui iba llena de heroína. Era, de lejos, el mayor alijo que he transportado nunca. Al haberlo introducido sin percance en Singapur, el lugar más temido del mundo, he hecho algo impresionante y excepcional. Eso dijo Jake.

Jake también había escondido –ahora lo sé– otro kilo en la mochila de Rachel. No dijo por qué. O no pudo evitarlo o la usó deliberadamente como señuelo, consciente de que, de cualquier forma, se notaría su nerviosismo y su sentimiento de culpa. Jake se la jugó, y ahora le importa una mierda.

Me contó que, para empezar, todo este viaje había sido una apuesta muy arriesgada. Derek y él sabían que las autoridades tailandesas tenían sus movimientos controlados. Esta, dijo alegremente, era la última vez que tenían pensado usarme. Le grité: «¡Era *yo* la que había decidido no hacerlo más! *¡Yo* iba a dejarte a ti!».

Pasé por el control del aeropuerto con tanta heroína encima que nada me hubiera librado de una condena a muerte. Rachel también llevaba suficiente para ello, y ni siquiera lo sabía. La pararon, y ahora su vida se ha acabado.

Cuando Jake terminó de contármelo, me agarró de la muñeca y dijo: «No cometas ninguna estupidez, Lara». No pude soltarme.

Me eché a llorar porque sabía que no podía hacer absolutamente nada. Lo intentaría, y lo intenté, y lo intento, y nunca pararé de intentarlo, pero no sirve de nada. Me puse hecha una furia, le dije que lo odiaba. A él le importaba una mierda. Nunca me amó, ni siquiera le gustaba especialmente. Solo es un empresario, que traslada su empresa a otro sito.

Me contó que él también había pasado algo de droga. Como si eso, de algún modo, pudiera hacer que lo perdonase. La verdad es que Jake casi nunca lleva: un par de veces le encargó a Derek que lo delatara a la Policía, y luego él pasaba delante de mí y lo paraban, dejándome el camino despejado para atravesar un control de aduanas vacío. Y esta vez también lo hizo. Estábamos sacando un cargamento masivo, y solo costó el cruel sacrificio de mi mejor y única amiga.

Antes de irme, Jake me dio una mochila mucho más pequeña y me obligó a aceptarla. «Te hemos reservado una habitación en el YMCA, allí está el resto de tus cosas.»

No podía mirarlo. Le devolví la mochilita, pero me ordenó que me la llevara. «En serio, Lara», dijo. «Te lo has ganado. No seas estúpida.»

Era mi ropa, una llave de hotel y algo de dinero suelto, además de un papelito con el número de la habitación del hotel y la combinación de una caja fuerte. Ya lo habíamos hecho así antes, pero solo una vez. Normalmente nos montábamos juntos en el taxi.

Así que me subí y me fui, sin siquiera mirarlo.

Tomé un taxi de vuelta al aeropuerto y entré corriendo al vestíbulo de llegadas. Cuando intenté acceder al control de aduanas, esperando que Rachel estuviera todavía por allí, unos hombres con cara de pocos amigos aparecieron y me cortaron el paso. Eran bajitos y delgados, pero muy intransigentes. No hubo sonrisas, y el contacto visual era gélido.

Me derrumbé del todo. No podía soportarlo. Aullé, grité y lloré. Aquello destruyó cualquier posibilidad que hubiera de que me tomaran en serio.

«Mi amiga está aquí», les repetía sin parar.

Primero me echaron del control de aduanas y luego del aeropuerto. Yo no paraba de confesar mi delito. La primera vez que les conté que había transportado drogas, me dijeron que iban a registrar mi bolso. Se lo llevaron un rato, pero no encontraron nada interesante.

Después de eso, sin otra evidencia que mi despotrique cada vez más alocado, me agarraron y me echaron a la calle.

Me senté sobre el asfalto, delante del aeropuerto de Changi, un lugar ordenado donde nadie se sienta en el suelo, y supe que me encontraba en el momento más bajo de mi vida.

Una agente de Policía se acercó y me pidió que me moviera. Fue bastante amable, pero cuando empecé a despotricar cambió de actitud. Aquello me dio una idea: intentaría actuar aún más alocadamente, con la esperanza de que me arrestaran y así entrar en el engranaje judicial.

Al final, la Policía registró mi mochila. Vio que tenía dinero y una llave del YMCA y me montó en un taxi.

El dinero estaba en una caja de seguridad portátil, fajos y fajos de pasta. Intenté pensar en un plan, pero era complicado. Tenía que sacar a Rachel de donde estuviese, y tenía que hacerlo yo sola. La última vez que estuve verdaderamente sola fue cuando paseaba por la calle Khao San de Bangkok, justo antes de conocer a Jake. Daría cualquier cosa por poder volver atrás en el tiempo y pasar de largo.

Acudí a la Policía y se lo conté todo a un hombre aterrador que poseía tal aire de autoridad que me hizo temblar mientras hablaba. Casi me meo encima cuando le conté todo el asunto del tráfico de drogas, pero me aliviaba tanto confesarlo que conseguí hacerlo.

Lo único que quería dejar claro era que Rachel había sido una pieza insignificante en la partida, que la habían metido en esto en contra de su voluntad, y que deberían soltarla. Sin embargo, comprendí que mi argumento de «por qué no la sueltan ya» no iba a ser bien recibido.

Aun así, el hombre lo anotó todo. Solo estaba interesado en Jack y Derek, así que le conté absolutamente lo que sabía sobre ambos. Sé que no les pasará nada. Mientras hablaba, me di cuenta que ni siquiera serían sus verdaderos nombres.

Y cuando volví al tema de Rachel, el hombre ni me confirmó si la habían detenido. No iba a contarme nada en absoluto sobre mi amiga. Luego, como yo no llevaba drogas encima ni tenía ninguna prueba de lo que le había contado, me pidió que me fuera. «Creo su historia, señorita Wilberforce, incluso sin pruebas –dijo–. Y por esa razón le ordeno que se marche de Singapur cuanto antes, y que no vuelva.»

Escribió algo en mi pasaporte, más tarde comprendí que me habían deportado con cortesía y sin prisas.

Eso fue hace dos días. Todavía no me he ido. Necesito visitar a Rachel antes.

Ha salido en los periódicos de aquí, pero como es neozelandesa no creo que aparezca en la prensa británica. Me marché del YMCA y me he instalado en esta horrible pensión. En parte, porque parece un buen sitio para pasar inadvertida, y también porque, de un modo extraño, me gusta lo sórdido.

La detuvieron con un kilo de heroína en la mochila. Eso supone automáticamente una condena a muerte.

29 de abril
En el avión

No les gusté a los agentes del control de pasaportes. Tampoco me importó. Deseaba que me arrestasen, pero claro, si quieren que te vayas de un país y descubren que sigues allí justo cuando estás a punto de irte, es poco probable que te detengan.

Grité cuando me metieron en el avión. Los odiaba. Les insulté. Era algo enfermizo: yo quería que me arrestaran, pero no lo hacían. Se limitaban a devolverme a mi casa. Una vez que se cerraron las puertas del avión y estuvimos en el aire, paré. Me importaba una mierda lo que pensase la gente. No puedo hacer nada. Nunca haré otra cosa que no sea intentar sacar a Rachel.

Jake es un puto cabrón. Lo odio sin límites, y si alguna vez puedo vengarme, lo haré.

15 de mayo
En casa de mis padres

Si me quedo aquí un segundo más, voy a asfixiarme en este ambiente asqueroso y putrefacto. No puedo soportarlo. Viven tan preocupados por trivialidades… ¿A quién le importa? ¿Qué más da cuándo hay que sacar la basura o qué hacen los vecinos?

Conseguí encontrar noticias de Rachel en una página web neozelandesa. Nunca volveré a verla, porque lo más probable es que la ejecuten.

Mi amiga va a morir, por mi culpa. Seguramente la ahorcarán, por lo que he podido descubrir. Mi mejor amiga, la única amiga de verdad que he tenido, va a acabar colgada con una soga al cuello hasta morir.

Es culpa mía. Si no me hubiera conocido, Rachel habría regresado a Nueva Zelanda y seguiría con su vida. Yo la maté por dedicarme a traficar con drogas. Lo mires por donde lo mires, soy el mal.

Y sé que no puedo hacer nada para evitarlo. Todos los días escribo cartas. Guardo copias de todas las que envío, porque he escrito a tanta gente que de otro modo me olvidaría.

No puedo abandonarla. Mamá y papá están preocupados por mí, porque ya no soy la chica buena de antes.

Si ellos supieran…

21 de septiembre

He visto algo en el periódico.

He tenido guardado este cuaderno bien escondido, envuelto en una tela al fondo de la balda de mi armario. Este es el único sitio donde puedo escribir en él. No me gusta tener esto en casa.

Estaba leyendo el periódico del sábado, sola en mi piso, aunque luchaba por no revivir todo aquello. Ahora vivo en un estudio en el norte de Londres, en una zona que la gente no considera «buena». Una zona, de hecho, conocida principalmente por una prisión de mujeres, lo cual a veces me parece una burla del destino, para asegurarse de que nunca olvido.

El piso que he alquilado no está mal, aunque acabo de hacer una oferta por una casita adosada en Battersea. Todavía no se me da bien esto de vivir sola. La verdad es que necesito un novio o algo, creo, para evitar que mi mente intente desviarse a lugares incómodos.

Estaba leyendo el periódico, procurando no pensar en Rachel. A cada instante, todos los días, intento no pensar en ella. Y ahí lo encontré, de repente: una fotografía borrosa de él: Jake. «Cae el cerebro de una red de narcotráfico en Tailandia», ponía. Su nombre no era Jake. En realidad se llamaba Donald, y parece que sus «pequeños trabajitos que escapan del radar de las autoridades» no lo eran tanto. Lo detuvieron en Bangkok: no en el aeropuerto ni pasando droga, sino en una operación policial. La noticia no explicaba mucho, pero creo que Jake reclutó a una joven que resultó ser una agente de Policía infiltrada.

Debería sentirme contenta. No debería estar histérica, ni ponerme a llorar, temblar y tirar cosas al suelo. Sé que esto evitará que se lo vuelva a hacer a alguien, y sé que él, al contrario que Rachel, se lo merece. Pero hizo que todo volviera a mi memoria. No puedo controlarme.

De modo que Jake está en la cárcel. Igual que Rachel, atrapada en el fuego cruzado. Estoy segura de que ya habrán pillado también a Derek, o estarán a punto de hacerlo. Jake no lo encubrirá.

Yo había estado sentada en un cuartucho de una comisaría de Singapur contándole a la Policía todo sobre Jake. Los conduje hacia él, estoy convencida. Rachel y yo lo hicimos. Sí que me escuchaban, al fin y al cabo.

De todas las personas que conocía implicadas en este asunto, yo soy la única que continúa en libertad.

Soy la única que ha arruinado las vidas de los demás.

Busqué información sobre Rachel. Sigue viva. Le volví a escribir, pero sé que lo máximo que voy a recibir es una carta furibunda y despiadada de su hermano pidiéndome que la deje en paz.

24 de enero

Una última entrada. Luego, voy a esconder este cuaderno en alguna parte. No puedo tirarlo, pero tampoco quiero volver a abrirlo.

Hoy he conocido a un hombre. Después de rechazar a gente que quería invitarme a una copa, de ignorar a los que me abordaban en la calle y todo eso, finalmente he conocido a alguien. Estaba convencida de que cuando conociese a la persona adecuada lo sabría, y ha pasado.

No es Jake, y por eso lo he elegido. No me hace sentir salvaje e impulsiva. No me entran ganas de quitarme la ropa cuando me mira. Pero me hace sentir segura. Este nunca me pediría que arriesgara mi vida para hacerle rico.

El sábado por la tarde, estaba sola en Soho. Tengo amigos del trabajo, pero no quiero relacionarme mucho con ellos. Rachel ha sido la única amiga que he tenido, y mira lo que acabé haciéndole. La maté.

Me escribió una carta, hace meses. La quemé en el lavabo porque me hacía demasiado daño, aunque ahora desearía tenerla. Decía que sabía lo que estaba haciendo.

«No tienes tanta culpa como piensas», escribía. «Yo le pedí a Jake si podía hacer lo mismo que vosotros. Me dijo que no te lo contara porque no quería que te preocupases por mí. Así que no fue exactamente como te imaginas.»

Eso explicaba por qué estaba tan asustada en el avión. Pero yo ignoraba su explicación.

Mi plan era darme un paseo y disfrutar de Londres, y quizá acabar en el cine o en una galería de arte. Pero mi mente estaba en la cárcel de Changi, el lugar donde debería encontrarme. Estaba con Rachel, una Rachel que me odiaba tanto que no me dejaría visitarla, no hablaría conmigo, solo pediría a su hermano que me dijera que me fuese. Me la imaginé apretujada en una celda con otras presas, incapaz de entenderlas, vacía de toda dignidad.

Me la imaginé muerta. Intenté apartar esa imagen de mi mente, pero sabía que hoy era el día en que estaba prevista su ejecución.

Y no podía soportarlo. Fui a un bar, me pedí una cerveza y me senté sola, junto a la ventana. Solo quería emborracharme. Llovía.

Se formó condensación en el cristal de la ventana. Dibujé una cárcel. Un simple edificio cuadrado, pero con barrotes en las ventanas. Dibujé un monigote de Rachel fuera.

Justo antes de poner la soga en su cuello, alguien me interrumpió. Una interrupción de tipo «¿Está libre esta silla?».

Contesté que sí. Pensé que quería llevarse la silla para unirse a sus amigos, pero en vez de eso se sentó conmigo a la mesa.

Y entonces lo miré. Era atractivo. Necesito a alguien. Me proporciona una sensación de seguridad. Este, pensé, serviría. Podría salvarme.

Pedí un café, para fingir que no estaba bebiendo sola tan temprano. Si me hubiera preguntado por el botellín de cerveza vacío, se lo hubiera dicho. Pero no lo hizo, así que yo tampoco.

Charlamos. No estaba mal. Luego, no sé muy bien cómo, acabamos en el cine. Ha sido todo tremendamente corriente. Él es normal. No va a reclutarme para nada. Se ha colado por mí, y sé que estoy a salvo.

Se llama Sam.

Cuarta Parte

Tailandia

25

Iris

Prácticamente todo tenía sentido.

El sol calentaba desde lo alto del cielo, pero era un calor brumoso y asfixiante, no el bochorno abrasador que me había imaginado. Esta ciudad era demasiado para mí, y lo único que podía hacer en los momentos en que me veía superada era agarrarme al borde del asiento y cerrar los ojos con fuerza.

Por supuesto, eso no servía para neutralizar el olor: una mezcla de polvo y suciedad, cocina, basura putrefacta, calor mareante y residuos tóxicos. El aire siempre me había parecido algo puro y a lo que no prestaba la menor importancia, pero ahora me estaba atacando. Notaba su ardor en la nariz, la garganta y los pulmones, y me hacía toser.

Iba en el asiento trasero de un *tuk-tuk,* cuyo motor vibraba con violencia bajo mis posaderas del esfuerzo que hacía por competir con los vehículos de verdad. Acabar bajo las ruedas de un camión era un final hipotético y macabro que no veía lejos. Casi me daba igual. Eso mismo ya le había sucedido a Laurie, y no estaría mal que me pasase también a mí. Llevaba todos estos años escondida precisamente para escapar de cosas así.

El *tuk-tuk* estaba abierto al mundo por ambos costados, y gracias al movimiento, que escupía un aire ardiente en mi cara, no me desmayaba ante ese clima hostil. No estaba hecha para eso.

Cuando abrí los ojos, vi que zigzagueábamos entre coches, camiones y taxis, todos ellos un millón de veces mejor equipados para la carretera que nosotros. Los edificios eran un caos, algunos de cemento resquebrajado, otros modernos, de acero y vidrio. Había puestos de comida, personas gritando y gente por todas partes.

Salí despedida del asiento debido a un frenazo repentino y el conductor se giró y sonrió.

–¿Hemos llegado? –pregunté.

–Llegado, sí –dijo.

Le pagué, aliviada al ver cómo se alejaba traqueteando. Una vez en la acera, sintiendo todavía un hormigueo en el cuerpo como recuerdo de las vibraciones, me entraron ganas de llorar.

Lo de volar a Tailandia para encontrar a Lara, bien escondida del terrorífico Jake/Donald o bien bajo su control –o, posiblemente, muerta a manos de él–, me había parecido una buena idea. Ahora que estaba aquí, comprendí al instante lo ridícula que resultaba. Ni siquiera había estado cerca de saber lo que pasó en Londres, una ciudad que yo conocía, en la que vivía su familia y la gente que la amaba y deseaba localizarla. Ahora me encontraba en un continente en el que no conocía a nadie, excepto a Lara, si seguía viva, buscando a un exconvicto por tráfico de drogas que, por lo que descubrí en Internet, había sido trasladado a una cárcel australiana hacía cuatro años y puesto en libertad un par de años después. A partir de ese punto, Jake parecía haberse desvanecido sin dejar rastro, lo que resultaba inquietante. Podría estar en cualquier parte.

Mandé un mensaje de disculpa a Alex, y antes de partir le envié por correo el diario. Hasta el momento, no había sido capaz de hablar con él. Cuando leyese la historia de Lara, comprendería por qué estoy aquí.

Lara envió a Jake a la cárcel. Él había vuelto a por ella. Me lo podía imaginar subiéndose al tren nocturno y asesinando a Guy para tender una trampa a mi amiga. Lara sospechaba que algo pasaba, seguro, de lo contrario no habría tomado la precaución de robarme el pasaporte.

Me pregunté qué me disponía a hacer. ¿Deambular por Bangkok con una foto antigua de Jake que imprimí de Internet y preguntar a todos los que tenían aspecto sospechoso si lo habían visto últimamente? ¿Perseguir con buenos modales a un asesino psicótico y drogata, yo solita? ¿Subir y bajar por la famosa calle Khao San, mirando a todo el mundo, por si una de ellos fuese Lara? No había pensado bien este plan, y era estúpido.

Venir aquí era un gesto ambicioso y fútil, que solo iba a servir para recordarme que no estaba hecha para este tipo de cosas. Nunca fui una aventurera, ni siquiera cuando era feliz y Laurie estaba vivo. Aquello me superaba.

Había reservado una pensión al azar. Era bastante cara, así que pensé que también sería lo bastante buena. Por fuera estaba pintada de color verde claro, y en cuanto atravesé la puerta principal, de plástico, el aire acondicionado me atacó con la fuerza de una ducha fría. El vello de mis brazos se erizó y tirité.

Este sitio, esta ciudad, este continente, no eran para mí. Recordé la descripción que hizo Lara de cómo se paseaba por esta calle, cómo conoció a un atractivo australiano y cómo se convirtió en traficante de drogas. Parecía tan increíble que casi resultaba divertido. Lara era mucho mejor que yo en todo. Se lio sin esfuerzo con un hombre guapo e inalcanzable del tren. Robó mi pasaporte con la mayor frialdad posible. Amaba tanto Asia que quería ganar dinero en una parte de este continente y luego retirarse a sus montañas. La verdad es que nunca me habría interesado tener una amiga como ella. Yo estaba hecha para una vida más simple.

La habitación era pequeña y básica, pero tenía un balconcito con las puertas cerradas, y disponía de aire acondicionado y ventilador. Era un buen sitio para esperar, un escondite. Me senté en la cama, que tenía un colchón fino y duro que probablemente fuera bueno para la espalda, e intenté infundirme valor.

Era ridículo. Estaba bloqueada. Lo único que podía hacer era intentar olvidarme de todo leyendo el libro que me había comprado en el aeropuerto. Se trataba de una novela de misterio, pero no me enteraba ni de una palabra. Todos los músculos de mi cuerpo estaban en tensión.

Al final, llamé a Leon. Respondió tras medio tono.

–¡Iris!

–Hola, Leon.

Se notaba lo expectante que estaba, en la otra punta del mundo, y me sentí mal porque iba a decepcionarle. No dije nada.

–¿Has llegado bien? –preguntó, finalmente.

–Sí, gracias. Esto es un poco…

–¿Un choque cultural?

–De los gordos. Dios, no sé si estoy preparada.

–Puedes hacerlo. Vuelve a probar con su correo electrónico y con todas sus cuentas de redes sociales. Dile que estás ahí. No menciones a nadie o la asustarás. Asegúrate de decir que estás tú sola. Ni Olivia, ni Sam, ni la Policía, ni yo. No escribas el nombre de Jake, la asustarías. Hazlo sencillo. Que sea algo entre tú y ella.

Asentí, comprendiendo al momento que él no podía verme.

–Vale –logré decir.

–Iris, ¿has visto la cantidad de idiotas de por aquí que van a Tailandia? Si ellos lo aguantan, tú también puedes, créeme, ¿vale? Sal por ahí. Vete a la calle Khao San y date una vuelta. O ve a visitar un templo o algo así. Te aclimatarás.

Respiré hondo.

–Tienes razón. Sí, voy a intentarlo.

–Seguimos en contacto. Lo estás haciendo muy bien. Estoy pendiente del teléfono a todas horas, día y noche.

Jamás me acostumbraré al calor, eso seguro. Yo estaba hecha para las nubes de Londres y el aguanieve de Cornualles. De todos modos, cuando me cambié y me puse una falda holgada y una camiseta, lamentando no haber pensado en el calzado cuando preparé el equipaje, me sentí un poco más preparada. Me recogí el pelo en una coleta, lo cual me hizo sentir al instante como una quinceañera, y me maldije por no haberme hecho todavía ese corte de pelo largo tiempo pospuesto.

Luego, con mis absurdas botas de motera en los pies, partí a la búsqueda de sandalias. Estaba bien tener algo que hacer.

Las aceras eran irregulares, el aire tan espeso como una pared de calor y con un aroma tan poco familiar como antes, y no había ni rastro de la más mínima brisa. Tenía los pies pegajosos y sudados. Sabía qué zona buscaba: la famosa calle Khao San que aparecía en el diario de Lara, de la que hasta yo había oído hablar como el epicentro mochilero del sureste asiático. Quedaba a un par de manzanas. Sabía que llegaría allí y me compraría un par de sandalias. No sabía nada más.

Había atardecido. La noche, el día siguiente y los días sucesivos se extendían delante de mí. Cuando vivía en Budock, con nada más que mis gatas y un fantasma como compañía, me sentía mucho menos sola que ahora. Y eso que estaba en Tailandia, un paraíso, como dice la gente.

Me estaba acercando al nirvana de los mochileros. Lo notaba porque cada vez había mucha más gente blanca. No conocía a nadie, y me entraban ganas de esconderme de todos y cada uno de ellos. Cuando vi una zapatería con las puertas abiertas, decidí ser valiente.

La regentaba un hombre rechoncho que mostró una amplia sonrisa al verme. Debía de estar asándose con esa camisa formal y un chaleco de lana, pero no lo parecía.

–Quiere unos zapatos –aventuró, y luego miró mis pies–. ¡Oh, vaya! Usted *necesita* unos zapatos.

–Sí. Me olvidé de traer calzado.

–Le buscaré unas sandalias. Cuando se las ponga, le parecerán tan maravillosas que nunca volverá a comprarse zapatos en otra tienda.

Me imaginé volando hasta aquí cada vez que necesitase calzado.

–Puede ser –convine.

–Cuénteselo a sus amigos: los mejores zapatos están al final de la calle Khao San.

–Se lo contaré a mis amigos –repetí.

Me pregunté qué diría ese hombre si supiera los pocos amigos que tengo: una mujer sospechosa de asesinato que estaba suplantando mi identidad; un policía que me había besado a pesar de conocer mis preocupantes delirios; un novio muerto que ahora se había desvanecido y un empresario sesentón de la City que era la única persona con la que me hablaba.

–Sí –añadí–. Se lo contaré a todos.

Salí de la tienda con un par de cómodas sandalias que permitían que el aire –que de repente parecía fresco y limpio– calmara mis pies acalorados y malolientes con cada paso que daba. Decidí ir a tomarme un café. Me planteaba un objetivo a cada paso. Una vez que estuviese sentada con algo para beber, volvería a encender mi teléfono y haría algo útil con él.

La tristemente célebre calle Khao San, el lugar en el que Lara conoció a Jake y donde, quizá, podría estar ocultándose ahora mismo uno de los dos, no era para nada como me la había figurado. En mi imaginación, era sórdida e intimidante, llena de víctimas de la droga y terroríficos traficantes, con tarados, chulos y presuntuosos acechándome entre las sombras. Me había imaginado un sitio en el que yo parecería una inocente extranjera, un blanco para todo tipo de personajes siniestros.

Sin embargo, era una calle más. Al principio había puestos de comida; tuve un antojo y me compré una bolsa de rodajas de piña y continué mi paseo dejando que el jugo resbalara por mi barbilla. La calle estaba flanqueada de vendedores, la mayoría tras tenderetes de ropa, además de cafeterías, pensiones y tiendas propiamente dichas, con puertas. Corría una mínima brisa cálida y volví mi cara hacia ella, agradecida.

Una pareja de mediana edad me sonrió al pasar. Llevaban el pelo gris muy cortito –un corte sensato–, bermudas y camisetas de explorador. Parecían de esos que dedican sus vacaciones a darse largas caminatas por los Alpes suizos más que mochileros buscándose la vida por Tailandia. En una mesa cercana, dos mujeres que tendrían mi edad hojeaban una guía y tomaban notas. Vestían camisetas sin mangas y minifaldas, y podrían estar en Italia. Estudié el lugar, buscando tipos raros y gente chunga, pero lo máximo que encontré fue a un hombre con una larga barba gris y ojos penetrantes, y los había visto peores en el metro de Londres. No era Jake; al menos, eso supuse. No tenía una fotografía clara para cerciorarme. Pero las posibilidades de que fuera Jake eran remotas.

Escogí una cafetería con un extraño tejado de paja y me senté a una mesa junto a la calle.

Alex me había enviado ya cinco correos. Por primera vez desde que escapé corriendo de él, realicé el esfuerzo de abrir uno.

«Iris», decía el más reciente. «He ido a tu hotel. No en plan acosador, sino porque estoy extremadamente preocupado por ti. Me han dicho que te marchaste hace unos días. He llamado a tu casa en Cornualles, pero no hay respuesta, como era de esperar. No sé muy bien qué hacer. ¿Te has pirado a Asia para buscar a Lara? ¿O estás escondiéndote de mí en Londres? No tienes por qué volver a verme pero, por favor, te lo ruego, dime que estás bien. De lo contrario, voy a tener que ponerme mi gorra de policía y empezar a buscarte en serio.

Una vez más, te pido perdón por todo lo que ha pasado. Me propasé un poco, lo reconozco. Fui tan insensible. No sé en qué estaba pensando.

Eso es todo. Por favor, cuídate, y por favor, por favor, dime que estás bien. Después, si no quieres, no hace falta que vuelvas a tener nada que ver conmigo nunca más.

Tu amigo,

Alex»

Me costó tragar saliva. Este correo precisaba contestación, y me esforcé por escribirla, tecleé una respuesta breve y formal en mi teléfono y la envié sin repasarla: «Estoy en Bangkok, no muy bien, pero se me pasará. Siento haberme marchado así. Fue una locura. De todos modos, no te preocupes. Te llamaré cuando vuelva. No corro peligro. Y, Alex, te he enviado por correo algo que te ayudará a comprender por qué estoy aquí.

No sabía adónde enviarlo, así que llegará a la comisaría de Falmouth. Tienes que recogerlo y leerlo. Gracias».

Me arrepentí nada más mandarlo. En esa respuesta no se reflejaba nada del cariño que sentía por él. De todos modos, al menos sabría que estaba bien y que tenía que comprobar el correo en Falmouth. Escribí otro tuit a la cuenta de Lara, aunque sabía que era poco probable que contestara. Le dije que tenía dinero. A menos que hubiera vuelto a las andadas, seguramente necesitaría pasta. Luego mandé un mensaje a su antigua dirección de correo electrónico, aunque tenía claro que sería inútil porque Alex me había dicho que la estaban controlando, y que si se conectaba una campanita saltaría en alguna comisaría. Lara no sería tan imprudente.

Dejé un puñado de bahts en la mesa y me encaminé hacia el hotel, con mis botas descartadas en una bolsa que me cortaba la muñeca. Hice una llamada por el camino para reservar un vuelo de regreso. Fue sencillo con mi tarjeta bancaria.

Me encontraba en la esquina, girando hacia la pensión, cuando mi sandalia nueva se coló en un agujero del asfalto y me tropecé. Alguien se materializó delante de mí y extendió las manos para evitar que me cayera al suelo. Di un traspié, pero recuperé el equilibrio sin ayuda.

Alcé la mirada, abochornada, y cuando lo vi cerré los ojos.

–No –dije–. No, imposible.

–¿Qué tal, Iris? –me dijo con su inconfundible voz–. ¡Ten cuidado!

Sacudí la cabeza.

–No –le dije–. Tú no estás aquí. Esto se acabó.

–Casi se acabó.

Me aparté.

–Estás en mi cabeza. Aunque tienes mejor aspecto; siento haberte hecho tan patético al final.

–Bueno –dijo–, no pasa nada.

Le lancé una rápida mirada y luego miré a lo lejos. Era diferente del Laurie que no salía de la casa de Budock. Este se parecía al Laurie de verdad. Este era como había sido mi pareja: alto y fuerte, con los ojos brillantes y una piel suave y clara, y vestido para Tailandia con unos pantalones cortos, una camiseta ancha y chanclas. Estiré el brazo para tocarlo, pero lo retiré. Quería mantener la ilusión, solo un poco más.

–Te hubiera encantado esto –le dije.

–¡Pues claro! Es Tailandia. A ti también te gustará, si le das una oportunidad. Por cierto, Iris...

Algo en su tono me asustó.

–¿Qué?

Lo miré. Sus ojos brillaban y parpadeaba mucho.

–Iris, eres una tonta. Has conocido a alguien. Es un buen tipo, serás feliz con él. Dile que sientes haberte portado como una gilipollas y que te encantaría volver a verlo. Lo que tuvimos tú y yo fue maravilloso, pero debes superar esta barrera. Has hecho lo que has podido para afrontar la logística, pero incluso la gran señorita Roebuck no ha sido capaz de seguir con ello y, ¿sabes qué?, me alegro. No te estaba haciendo ningún bien, idiota. Quiero que seas feliz. Y vas a encontrar la felicidad, y lo sabes. Está aquí. Pero ten cuidado con él.

–Laurie...

Había tantas cosas que quería preguntarle acerca de todo lo que había dicho. Pero se fue.

Me senté en la acera y lloré hasta que un conductor de *tuk-tuk* se detuvo para ver qué me pasaba. Luego me fui al hotel y me tumbé en la cama a mirar al techo y elaborar un plan.

26

Lara

Mis dedos se ciernen sobre el teclado. Ambas manos, en suspenso y listas para teclear, me tiemblan. No tengo ni idea de qué hacer.

Al principio, seguí el plan: todo dependía de que lo aplicara bien. Al menos, sabía qué hacer. Había previsto distintas circunstancias. Pero ni por un instante se me pasó por la cabeza que Guy moriría.

Una vez más, la realidad me golpea. Guy ha muerto. El amor de mi vida, el hombre al que adoraba, ya no está. Sus hijos han perdido a su padre; sus padres, a su hijo; su esposa, a su marido; yo, he perdido mi futuro. Y todo ha sucedido por mi culpa.

Cuando llegué aquí, me imaginé como otra persona, una marioneta, rondando por la única ciudad que pensé que serviría para desaparecer, para escapar del malo. Eso pronto dejó de funcionar. Ahora no tengo ni idea. Estoy viviendo un tiempo prestado. Algo va a tener que cambiar.

Me rasco el nacimiento del pelo. Esta cosa me da tanto calor… Cada día la odio más, pero no me atrevo a quitármela. Incluso por la noche la dejo en la almohada, como un pulpo desmembrado, lista para ponérmela en caso de emergencia. Y además me impide ir al mar a refrescarme.

Y me he quedado sin pasta.

Me gustaría poder ignorarla. No debería meterse en esto: no tiene nada que ver con ella. Pero debo dejar que me encuentre.

No tengo dinero, ni paz, nada de nada. He perdido literalmente todo lo que tenía, todo lo que fui. Estoy medio asilvestrada.

Abandoné la ciudad porque me estaba absorbiendo y acabaría por hacer algo terrible. Ella dice que tiene dinero. Eso es lo que importa. Tiene dinero y es la única que se ha acercado a mí. Puedo confiar en ella. Tengo que confiar en ella.

Respiro hondo y tecleo en la pantalla: «Muy bien, me has encontrado. No se lo digas a nadie. ¡A nadie!».

No escribo su nombre, me duele solo de pensarlo. Pero es Iris la que me ha encontrado, no él. A estas alturas, Iris ya sabrá que fue él.

Escribo un plan en varios mensajes privados de Twitter. Termino diciendo: «Si las cosas se tuercen, ve a Food Street».

Es una apuesta arriesgada, pero no tengo elección. Si apenas como, me queda dinero para cinco días. Y ella tardará tres en llegar aquí.

27

Iris

Lara tenía razón sobre Koh Lanta. Me estremecí, de pie en el balcón de la cabaña, intentado sacudirme el terror. Aquí fue donde Lara conoció a Rachel, y por eso Rachel estaba muerta. La bahía de Kantiang era un lugar del que tuve conocimiento hace unos días, al leer el diario de Lara, y ahora me encontraba allí.

Era tan idílico como contaba ella. Una larga playa siguiendo la curva de la bahía, con rocas en ambos extremos, salpicada de palmeras, restaurantes y hotelitos. La zona donde yo me alojaba estaba bastante urbanizada, con una cafetería tras otra y hoteles de cabañas levantados en cualquier rincón disponible. Más lejos, se veía un complejo de lujo, donde la gente se movía en pequeños *buggies,* y los chalés, muy separados unos de otros, estaban rodeados de cuidados jardines.

Rachel estaba muerta. Lo comprobé y confirmé. Incluso mandé un correo a un hombre que pensaba que era su hermano, y recibí una fría respuesta al poco tiempo: «¿Quién eres? Por favor, deja en paz a mi familia. Mi hermana se quitó la vida hace tres años. Te ruego que no vuelvas a escribir. Philip Atkins».

Podría ser mentira, claro, pero no me lo parecía. Rachel no fue ejecutada. Conmutaron su pena y la repatriaron a una cárcel neozelandesa, donde se suicidó. Había mucha información al respecto en Internet, si buscabas en la prensa neozelandesa. A Jake, sin embargo, tras una brevísima nota sobre su indulto, ya no lo mencionaban en ninguna parte. A él, como a Lara, se lo había tragado la tierra.

Jake querría venganza. Habría dado con Lara y habría ajustado cuentas con ella. No obstante, Lara –supongo que era ella– me escribió en Twitter, aterrada. Estaba escondida y tenía miedo, y me suplicaba que no se lo contase a nadie. Corría peligro, y comprendí que debía protegerla. Al menos que yo supiese, no era posible que Jake anduviera tras mis pasos, porque no podía tener ni idea de quién era yo.

Pero quizá sí, ¿quién sabe? Me di cuenta de que podía saber cómo me llamo, por mi pasaporte robado. Había dos Iris Roebuck en Tailandia, y yo era una de ellas. Eso llamaba la atención.

La persona que me contestó desde la cuenta de Twitter de Lara podría, claro está, no ser ella. Podría tratarse de Jake, controlando sus comunicaciones. Podría haber sido Rachel, si no hubiera estado muerta. Cualquiera podría haber escrito aquel correo electrónico haciéndose pasar por su hermano. Nunca puedes fiarte de unas palabras en una pantalla. No tenía ni idea de en qué me estaba metiendo, y no podía contarle a Alex lo que hacía porque sabía que me diría que no continuara.

Lara, o quien fuera la persona a la que me disponía a ver, había elegido un lugar difícil para la cita, un sitio que implicaba trepar por rocas en una costa inhóspita, al sur de la playa principal. Si era una trampa, no tendría escapatoria. Pero pensaba ir de todos modos. Me sentía temeraria.

Había gente tumbada en la arena, tostándose. Una familia de aspecto perfecto, altos y rubios, jugaban con un *frisbee*. Los niños corrían a recogerlo cuando se escapaba, pidiendo disculpas a las personas que tomaban el sol. Había un hombre en el agua, nadando tenaz por la bahía. El lugar estaba atestado de veraneantes occidentales.

Nunca se me dio muy bien escalar, y no paraba de golpearme los dedos de los pies contra las rocas mientras me abría paso. Era un terreno horrible, en particular con ese calor. Llevaba el móvil encajado de un modo chabacano en la braga de mi biquini, y cuando estuve lo bastante lejos como para no darme la vuelta, deseé haberme puesto una camiseta porque, aunque hacía buenísimo comparado con el febrero de aguanieve que había dejado atrás, empezaba a tener demasiado calor.

Me remojé en un charquito entre las rocas. El agua estaba tan caliente que casi me escaldo los pies, y salí rápido. Mis uñas de los pies seguían de color lila. Recuerdo estar pintándomelas junto al fuego, manteniendo una conversación agónica con Laurie en mi imaginación. Me parecía que habían pasado siglos desde aquello. El esmalte se estaba desconchando y desaparecía.

Rodeé el cabo, y las rocas dieron paso a una playita de guijarros. Era un lugar completamente recóndito y casi inalcanzable. Se me aceleró el corazón, y supe el motivo: aquí era, como Lara, totalmente vulnerable.

Había una silueta sentada en una roca, con el rostro serio mirando en mi dirección. Era yo.

Estaba esperándome a mí misma. La mujer tenía mi altura, aunque era más delgada, y llevaba ropa de mi estilo. Yo nunca tenía tiempo para arreglarme mi cabello de dos colores, y mi doble tampoco. Su pelo era un poco más largo que el mío, oscuro en las raíces y rubio en las puntas. Me lo hice en un arrebato, hacía meses, y desde entonces me estoy arrepintiendo.

Durante un instante nos quedamos en extremos opuestos de la playita, mirándonos.

Cuando por fin hablé, mi voz salió bajita:

–¿Lara?

Se levantó. Pude ver bien su cara. Era ella, sí.

–Iris.

No pude evitarlo. Quería guardar la calma y la compostura, pero en vez de eso me deshice en lágrimas histéricas. Era el rostro de Lara, bajo mi pelo, encima de un cuerpo malnutrido y esquelético. Esta era Lara Finch. Mi amiga. Lara Wilberforce, traficante de drogas tremendamente cualificada. Era la amiga y la maldición de Rachel, la novia de Jake, la ahijada de Leon, la amante de Guy Thomas, la esposa infiel de Sam. Y la tenía frente a mí.

–Iris –dijo–. Ay, Dios. ¡Eres tú! No me lo puedo creer. Fue por el pasaporte, ¿verdad? Siento mucho lo del pasaporte. ¿Te ha seguido alguien?

–No, todo el mundo piensa que estás muerta. Todos.

–Lo sé. Me volví loca leyendo las noticias. –Su voz temblaba–. Piensan que maté a Guy. ¿Cómo iba yo a...?

–Yo no, jamás lo pensé, ni por un momento. Lo he descubierto, Lara. Sam encontró tu diario y no sabía qué hacer con él, así que me lo dio. Nada más leerlo, supe que fue Jake. ¿Qué pasó? ¿Te encontró en el tren y te la jugó? ¿Cómo lograste escapar?

Lara frunció el ceño.

–¿Qué?

El sol me quemaba la coronilla, el calor se irradiaba por mi cabello. Podía sentir cómo grababa una franja colorada en mi raya del pelo. Entonces oí una voz masculina a mis espaldas.

–Hola, chicas –dijo con tono amistoso–. ¡Qué bien veros a las dos aquí!

Me volví. Conocía esa voz, pero me costaba ponerle cara. Antes de poder hacer la conexión, que no tenía sentido, se abalanzó sobre mí y apretó algo contra mi rostro. Aunque di patadas y forcejeé mientras encajaba las piezas, ya demasiado tarde, no sirvió de nada. Sentí que me fallaban los sentidos y se perdían volando por el aire, y que todo lo que me proporcionaba fuerzas se disipaba hasta desaparecer.

28

Lara

Me las ingenié para escapar. Engañé a todo el mundo, cuando a la única persona a la que necesitaba despistar era a él. Y, al final, él dio conmigo. Mató a mi amante, al hombre al que yo adoraba, delante de mis narices, y me dijo que era por mi propio bien. Y ahora me ha encontrado.

Mi mente regresa al tren, y una vez más revivo aquellos minutos, los más terribles de mi vida.

Abrí la puertecita del compartimento, esperando ver a Guy. Seguía algo atontada y tenía ganas de besarlo y de pasar el resto de la noche entre sus brazos. Lo encontré tirado en la cama en un charco de sangre rojo oscuro. Había un cuchillo. Corrí hacia él, lo abracé y lo zarandeé, intentando despertarlo. Le saqué el cuchillo de la garganta. No me di cuenta de que había alguien más en el compartimento hasta que habló.

Ahora, esa misma persona posa a Iris con cuidado en el suelo, tumbándola sobre la arena como si realmente le preocupara el estado de mi amiga. Supongo que le debe algo: ella lo ha traído directamente hasta mí. Tenía que haber sido más específica cuando le dije a Iris que no confiara en nadie, pero ni siquiera me atrevía a teclear su nombre porque mi paranoia me hacía pensar que él tenía una alarma que saltaría si lo escribía. Creía que alguien lo habría visto en el tren. Pensaba que cuando Iris me dijo que lo sabía, realmente lo había descifrado todo.

Pero Iris creía que había sido Jake. Lo de Jake sucedió hace mucho, y no tiene nada que ver con esto. Yo también pensé siempre que Jake vendría a buscarme algún día. Tengo que dar las gracias al Jake imaginario porque, gracias a él, siempre he estado preparada para huir. Sin embargo, nunca se me pasó por la cabeza que Iris llegaría a la misma conclusión, porque nunca se me pasó por la cabeza que algún día leería mi diario.

–Bien –dice él con una sonrisa, y aunque llevo semanas sin pensar en otra cosa no consigo encajar al hombre que creía conocer con el hombre que ahora sé que es–. Aquí estamos. De momento nos hemos encargado de esta. Volvemos a estar donde lo dejamos. ¿Cómo estás, preciosa? ¿Cómo te ha ido? Lo has hecho muy bien, te pedí que escaparas, y lo hiciste. Estoy orgulloso de ti.

No puedo mirarlo a los ojos.

–¿Qué estás haciendo aquí?

–Te he encontrado. Como te dije en el tren, estoy enamorado de ti. Eso significa que haré cualquier cosa por ti, Lara. Cualquier cosa. –Se ríe–. Creo que ya te lo he demostrado con creces.

Me arrodillé junto a Guy. Observé el cuchillo en mis manos. Acaricié su cara. Necesitaba pedir ayuda, pero tenía la sensación de estar soñando. Entonces, alguien que se hallaba detrás de mí me tocó la cabeza, y me volví.

–Se supone que no debías ver esto –dijo Leon–. Verás, no podía soportar que pusiera sus sucias manazas en tu cuerpo. Lo siento, querida. No me odies. Siempre supe que tendría que decírtelo algún día, y pronto, pero no era precisamente mi intención que fuera así.

Permanecí allí, incapaz de asimilar lo que me decía, mientras Leon me contaba que siempre me había amado, desde que era una cría.

–Cuando estabas con Finch no me importaba –dijo con disgusto–, porque en realidad no lo amabas. Seguías siendo mi

Lara. Lo nuestro era especial. Pero este, este iba a robarte. Lo siento, pero no podía permitir que eso sucediera.

–Pensaba que habría sido Jake –recuerdo que dije, como una estúpida.

–Pues te equivocabas.

Siempre estuve preparada para una emboscada, pero no para esa. Estaba sobrecogida y aturdida, y tenía que actuar. Me había concienciado para salir corriendo lo más rápido posible si alguien quisiera hacerme daño, y llevaba encima todo lo que necesitaba. Solo que no me esperaba que ese alguien fuera Leon.

Me observó y sonrió.

–Probablemente, lo mejor es que salgas de aquí –comentó–. Ya iré a buscarte cuando pueda.

Yo pensaba que mi kit de emergencia era fruto de una paranoia exagerada. Sin embargo, al final resultó que lo iba a necesitar, aunque no para escapar de alguien que me odiaba, sino de alguien que me amaba hasta la locura.

Cuando el tren llegó a Reading, me bajé por una puerta del vagón de clase «ganado», con un grupito de gente, disfrazada con la peluca que encargué en Hendon imitando el cabello de Iris. Me tapé la cara con el pelo y me escabullí por las puertas abiertas entre un puñado de extraños, y después tomé un autobús para Heathrow.

Elegí Bangkok porque era el único sitio donde sabía que alguien como yo podría desaparecer, y donde podría vivir casi sin dinero. Me fui apartando cada vez más de los lugares frecuentados por occidentales. Dormía en los sitios más baratos que encontraba y en los que todavía me sentía medio segura, comía en puestos callejeros y enfermaba con una regularidad alarmante. Me conectaba a Internet y leía horrorizada cómo por todo el planeta se extendía la idea de que era una asesina, y repasaba con terror los artículos donde se decía que me habían visto. Pero no era por aquí, ni siquiera cerca. Quería contarle al mundo que había sido Leon, no yo. Quería hablar con Sam, con mis padres, con Olivia, que, como pude ver en la prensa mundial, estaba de mi parte. Deseé no haber malgastado tanto tiempo odiándonos, cuando el auténtico malo de la película rondaba a nuestro alrededor, desapercibido.

Al final, Bangkok fue demasiado para mí, nada tenía sentido, y volé al único otro lugar que se me ocurrió: Koh Lanta.

Iris, que trajo a Leon hasta mí sin querer, está fuera de juego, y mi padrino, el hombre al que quise y en quien confié durante treinta y cinco años, me sonríe con un gesto conspiratorio, como si ahora yo fuera a estar de acuerdo con él en que nos hemos quitado de en medio todos los obstáculos y vamos a estar juntos para siempre.

Guy murió por mi culpa. Ahora, Iris va a seguir sus pasos. No puedo escapar de este sitio porque está rodeado de rocas por todas partes.

Solo puedo hacer una cosa. Trago saliva e intento ganar tiempo.

–Vaya, Leon, parece que me quieres de verdad –digo, con una coquetería grotesca. Las palabras se me atragantan, pero las obligo a salir–. Me has encontrado. Bien hecho. Tú ganas.

Se acerca a mí. Tiene un aspecto ridículo con esa camiseta blanca demasiado ajustada marcando sus horribles pezones, esas bermudas y esas chanclas. El calor no le pega a Leon Campion.

–¿Lo dices en serio? –pregunta–. ¿Te apetece intentarlo? ¿Tú y yo? Soy como uno de esos príncipes de los cuentos: he superado todo tipo de pruebas por ti. ¿Me merezco la mano de mi gentil doncella?

Me acerco hasta él y lo beso en la mejilla.

–Pues claro. –Arrastro las palabras por mi garganta–. Ahora, ¿qué vas a hacer con Iris? Por favor, no le hagas daño, por favor, Leon. Es mi amiga. No te ha hecho nada. Te ha ayudado. No la mates.

Le sonrío, desearía saber qué se esconde tras su mirada. Leon reflexiona sobre mi petición.

–De acuerdo –acepta con un suspiro–. Por ti, Lara, no lo haré. No digas que nunca hago nada por ti, mi amor. Me la llevaré, pero no la mataré. Tienes mi palabra.

29

Iris

Me desperté amodorrada y con mucho calor. El ambiente era asfixiante. Mi respiración débil y acelerada por el pánico introducía en mis pulmones un aire abrasador. En cuanto me di cuenta, me esforcé por ralentizarla, por tranquilizar el ritmo cardíaco y analizar lo que estaba pasando.

No tenía ni idea de dónde me encontraba, pero podía oír agua. Estaba medio a oscuras, porque me hallaba en el interior de algún tipo de habitáculo. Me sorprendió estar viva, y luego me pregunté si en realidad no estaría muerta.

Me esforcé por enfocar la vista. Estaba dentro de algo de madera, pensé. Era una cabaña o una choza, una caseta. El agua sonaba cerca. Me encontraba en Tailandia, casi seguro; en Koh Lanta, cerca del mar.

Fue Leon. ¡Leon! Y yo había confiado en él sin reservas. Acudí a él, me sometí a sus pruebas para demostrar mis intenciones, y luego se lo conté todo. Recordé su sonrisa, ese gesto amable que tanto me gustó. Yo había confiado en él, y él me había utilizado para llegar hasta Lara. No podía centrarme en los detalles, pero sabía que había hecho algo terrible, horrible.

Siempre supe que alguien se la había jugado, pero nunca me imaginé que hubiera sido él, su dulce padrino, su mayor defensor y valedor.

Leon era un monstruo. Y yo sabía que Lara corría peligro y prácticamente la había matado al presentarme aquí.

No me podía mover, y me costó unos cuantos minutos descubrir que no se debía solo a lo que me había puesto en la cara, sino porque me había atado las manos a la espalda y las piernas entre sí. Mi cara estaba libre, sin embargo. Probé a hablar, y funcionó.

–Laurie –dije, y luego recordé lo de Laurie–. Alex –añadí.

Alex constituía una fuente de auxilio más realista, pero se encontraba a miles de kilómetros y no tenía ni idea de lo que estaba ocurriendo. Me giré para intentar descubrir si mi teléfono seguía en el biquini, pero no estaba, claro que no. Un hombre que te pone narcóticos en la cara, te ata y te esconde en una cabaña, es poco probable deje tu teléfono asomando en tus bragas.

No podía asimilar de qué iba todo aquello, pero sabía que había cometido el error más terrible de mi vida. Mi alegría absoluta por encontrar a Lara duró solo unos segundos antes de transformarse irreversiblemente en este horrible revés.

Leon me había perdonado la vida. Deseé que Lara estuviera bien. Esperaba que ella tuviera otro plan, yo ahora no podía hacer nada. Me dormí, regresando a la oscuridad.

Me desperté cuando el agua tocó mis pies. Al principio, al ir recuperando lentamente la conciencia, me agradó. Sentaba bien. Estaba sudando y cada vez me costaba más respirar. Esto no se parecía en nada a Cornualles o a Londres. Me dije que, cuando volviese, apreciaría más el clima de Europa. El agua me sentaba genial, era relajante y maravillosa.

Entonces recordé que estaba en Tailandia, atada, dentro de algo parecido a una cabañita, y que el agua no estaba ahí la última vez que me desperté. Eso significaba que el agua estaba entrando.

Pero nadie pondría una caseta en un lugar en que la marea alta pudiera sumergirla. No se construía en playas ni rocas. No tenía sentido, así que no podía estar pasando.

Ya estaba más lúcida, así que me revolví e intenté investigar. Me dolían los hombros, tenía los músculos tensos y doloridos, y en cuanto lo noté se hizo insoportable. Me había atado las muñecas con cordón naranja, de ese que se desprende en fibras cerosas. Supuse que sería fácil de encontrar en una playa tailandesa, y esa idea me proporcionó de repente la esperanza de poder romperlo. Me sorprendió que Leon no hubiera usado nada mejor.

Tenía las piernas atadas con el mismo material, con montones de cuerda, arriba y abajo a lo largo de mis extremidades inferiores.

El agua iba subiendo. No podía ser la marea. Antes la notaba en los dedos de los pies y ahora en los tobillos. Pero había estado revolcándome por el suelo desde entonces, así que me había desplazado por la cabaña sin darme cuenta. Me aparté todo lo que pude del agua, por muy atractiva que resultara. Entonces fue cuando descubrí que también estaba atada a un poste.

Pasados veinte minutos, tuve que admitir que el agua estaba subiendo. Leon Campion, no sé cómo, había encontrado una cabaña que se hundía con la marea alta. Sabía que Alex se preocuparía al ver que no me ponía en contacto con él después de encontrar a Lara, pero también sabía que esa preocupación tardaría bastante en traducirse en que alguien diera conmigo. Demasiado. Estaba sola.

Me acurruqué lo más lejos que pude del agua, pero no podía evitar que esta me tocara las piernas. Pronto alcanzó mis muslos, un baño templado que tenía grotescas reminiscencias de tratamientos de spa y playas paradisiacas. No había posibilidad de que la marea cambiara y comenzara a bajar antes de cubrirme por completo; un hombre como Leon Campion no dejaría eso al azar. Iba a hundirme en agua marina templada y espléndida hasta que no pudiera respirar.

El agua me llegó a la cintura. Trepaba por mi vientre. Froté con fuerza el cordel naranja contra las paredes de la cabaña, pero no había nada que pudiera romperlo. El hombre sabía lo que hacía.

Me enfurecí con mi mente. Durante cinco años mantuve vivo a Laurie porque no podía soportar perderlo. Ahora, justo cuando habría estado bien tener alucinaciones e imaginarlo a mi lado, agarrándome la mano y besándome mientras el agua me cubría el cuello, la barbilla, la boca, no había nada.

No había nada ni nadie.

30

Lara

–Prométeme que no la has matado –susurro.

Me acaricia el pelo.

–Te lo prometo, querida. ¡No soy un monstruo! Me pediste que no la matara y no lo he hecho.

–Gracias.

–Por ti, querida, lo que sea. Es tu amiga y eso es importante. Te ha devuelto a mí, y eso lo es más aún. Estoy en deuda con Iris Roebuck. Los dos lo estamos.

Nos alojamos en una villa de un lujo escandaloso. Guy está muerto. Mi amado Guy está muerto. No hay nada que pueda hacer, nunca lo habrá. Llevo varias semanas almacenando el dolor, y hago un esfuerzo por seguir almacenándolo. Ya me encargaré de él cuando pueda. Ahora no. Ahora tengo que estar despejada.

Estar con su asesino, fingir que acepto sus deseos y saber que si nunca hubiera conocido a Guy seguiría vivo, todo junto hace que me resulte casi imposible seguir con esta patética actuación. Pero me fuerzo a hacerlo porque no tengo elección.

El mobiliario es de maderas tropicales y hay jarrones con flores exóticas por todas partes. En Bangkok vivía en la miseria, consciente de que cada baht que ahorraba me mantendría más tiempo oculta. Entonces deseaba tener una fuente de ingresos, ahora daría cualquier cosa por volver a la mísera clandestinidad, a un mundo en el que Iris estaría a salvo en Gran Bretaña y Leon no tendría ni idea de dónde me encontraba.

No lo hice, pero podría haberle contado a Leon lo de mis planes de huida, lo del pasaporte robado y la peluca de Hendon. De habérselo contado a alguien, habría sido a él. Ahora resulta que hubiera dado igual.

Las paredes tienen paneles de madera. El aire acondicionado enfría más de la cuenta. La cama de matrimonio es enorme, y mi próximo reto va a ser conseguir que Leon me deje dormir en la otra habitación. Se cierra con llave, lo he comprobado. Si pudiera estar ahí, al menos podría respirar.

Leon me observa desde el otro lado de la sala. Está de pie, paseándose, mirándome con satisfacción.

–¿Te acuerdas de un día...? –dice–. Tendrías doce años. Te llevé de compras por Marylebone. ¿Lo recuerdas? Los dos solos. Ahí, creo, fue cuando decidí que algún día sería algo más que tu padrino. Supe que te convertirías en una mujer hermosa. Y aquí estás.

Lo recuerdo, por mucho que no quiera.

–Me compraste un vestido amarillo.

–Y unos zapatos.

–Eran preciosos. Los llevé hasta que se me quedaron pequeños.

–¡Sí que te acuerdas!

–Pero, Leon, estás casado. Sally y tú...

–Eso da igual. Sally y yo llevamos años sin dormir juntos. No te preocupes por eso. Se alegrará de que me quite de en medio.

–¿Ella sabe...? Esto... ¿Dónde cree que estás?

–Oh, por ahí. Le importa una mierda.

–Vaya.

Tenía muchas ganas de dejar de usar esa peluca, pero ahora que ya no tengo que ponérmela, deseo llevarla. Daba calor y picaba, pero era un disfraz espectacular. Nadie –ni policías de fronteras, ni otros agentes, ni los sórdidos personajes de la calle Khao San– ve más allá de un pelo así. Define por completo a quien lo lleva.

Ya sabía que Iris era el punto débil de mi plan de huida. Sabía que se daría cuenta de que le faltaba el pasaporte y en algún momento lo relacionaría conmigo. Nunca imaginé, sin embargo, que saldría a buscarme por el mundo, ni que confiaría en Leon, un hombre al que no conocía, ni parecía probable que pudiera conocerlo.

A pesar de las promesas de Leon, estoy seguro de que Iris ha pagado un precio terrible por esto. Como Guy y como Rachel, si Iris no me hubiera conocido, estaría viva y disfrutando de una vida de perfecta felicidad y todo esto sería totalmente inimaginable para ella. Y yo podría haber cambiado la situación con solo advertirla de que tuviera cuidado con Leon. Pero por el miedo a teclear su nombre la he condenado a… lo que le haya hecho. Muerte.

–Y ahora –reflexiona Leon–. Ahora me pregunto, ¿qué hacemos?

Me estiro y bostezo. En caso de emergencia, el plan era ir a Food Street, en Singapur. Debo intentar que me lleve a Singapur, solo por si Iris ha escapado de él, o por si le contó a la Policía o a alguien adónde iba y por qué.

–Vamos a Bangkok. –Doblé las piernas–. A ver, aquí no podemos quedarnos, ¿no?

–Pues no, la verdad es que no, por muy tentador que resulte en muchos sentidos.

Camina hacia mí mientras me tumbo en el sofá; finjo estar relajada. Cuando se arrodilla delante de mí, lucho por no estremecerme. Puedo oler su aliento. Yo quería a este hombre como a un padre, y durante toda mi vida lo he considerado la única persona en el mundo que se preocupaba por mi bienestar. Leon fue a quien acudí cuando mandé a la cárcel a Rachel. Él me volvió a poner en pie. Recuerdo que me sacaba a comer por ahí, me escribía correos, me llamaba a casa de mis padres cuando me pasaba días y noches contemplando el techo y cociéndome en un rico caldo de autodesprecio. Cuando acudí corriendo a una comisaría a pedir que me detuvieran, Leon fue quien me obligó a retirarlo todo. Cuando, siguiendo su consejo, busqué trabajo, él me escribió cartas de referencia y me explicó qué decir en las entrevistas.

Ahora veo que solo lo hacía porque quería poseerme.

–La cosa es… –dice, a escasos centímetros de mi cara.

Espero que no note cuánto temo que me bese, porque si lo supiera, estoy convencida de que lo haría.

–No estoy tan seguro sobre Bangkok. Acabas de venir de allí. Te lo conoces al dedillo, sabes dónde esconderte. Me temo que estaré en desventaja, si te da por intentar echar a correr. Yo no he estado nunca en esa ciudad, ¿sabes?

El vello de mis brazos se eriza. Puedo ver todos los pelitos.

–Vaya. –Me muerdo el labio–. ¿Y si te prometo que me portaré bien?

–Lara, querida, te vas a portar bien. Solo estoy tomando todas las precauciones.

–No me obligues a ir a Singapur –digo de repente, cerrando los ojos con fuerza–. No, por favor.

–Abre los ojos. Mírame.

Lo hago. ¿Cómo he podido no tener miedo de él, ni siquiera por medio segundo? Sabía que era distinto a otros. Sabía que era implacable con sus enemigos, y sospechaba que sus métodos empresariales podrían ser desagradables, pero nunca me preocupó porque conmigo era bueno.

–¿Tu fobia a Singapur es por lo de Rachel? ¿Porque la última vez que volaste allí tu amiga acabó en una prisión maloliente? –Asiento–. Pues creo que necesitas superarlo, niña bonita: es algo que debes afrontar. Ahora estás conmigo. Esas cosas pertenecen al pasado.

–Ni siquiera tengo permitida la entrada en Singapur. Me expulsaron del país y escribieron algo en mi pasaporte.

–No, eso se lo hicieron a Lara Finch, o Lara Wilberforce, mejor dicho. No a Iris Roebuck. Y, créeme, eres la única Iris Roebuck que va a pasar el control de inmigración de Singapur en mucho tiempo. Y a la tonta de nuestra amiga, la Iris original, nunca le han prohibido entrar en ninguna parte, seguro, porque esa estúpida no ha hecho nada interesante en su vida de mierda.

–Oh.

–Voy a reservar los billetes. Nunca has pasado una temporada allí, no conoces la ciudad. Yo la conozco bastante bien. Allí iremos.

–Pero…

Se inclina hacia mí.

–No te preocupes, mi Lara, es un sitio precioso.

Mientras teclea en su portátil, levantando la vista para mirarme de cuando en cuando, me doy cuenta de que estoy demasiado tranquila. Debería arrojarme por la ventana, ponerme a gritar el nombre de Iris, llamar a la Policía e intentar salvarla. Pero me limito a quedarme aquí tumbada. Leon me ha hecho algo, y hasta que se desvanezca el efecto estoy totalmente bajo su control.

31

Iris

Peleé hasta el último momento, luchando contra mis ataduras, intentando romper la cuerda. Pensaba que sería capaz de lograrlo pero, a pesar de emplear todas mis fuerzas, no pude. Estaba lo más lejos posible del agua, pero me acechaba, avanzando centímetro a centímetro hacia mi cuerpo.

Me imaginé a mis padres, a los que condené al ostracismo durante cinco años de dolor, abriendo la puerta a un agente. Me los imaginé sin dar crédito al principio. «¿Iris? ¿Atada en una extraña cabaña en una playa de una isla en Tailandia? No, eso no puede ser cierto.» Y luego, poco a poco, teniendo que aceptar que, por muy inexplicable que resultase, lo era.

Nadie sabía por qué estaba yo allí y qué estaba haciendo. Leon había atrapado a Lara; por lo que yo intuía, se escondería con ella para siempre, aunque –hice un esfuerzo por concentrarme– lo más probable es que la obligara a aceptar lo que él quisiera con la amenaza de denunciarla a la Policía pendiendo sobre su cabeza a cada paso. ¿Se la llevaría de vuelta a Inglaterra y la obligaría a vivir con él como su juguete? ¿Le hacía esto porque la quería o porque la odiaba?

La idea de Leon ocultando y sometiendo a Lara para siempre me produjo arcadas y acabé vomitando con estrépito sobre el agua que ya casi me llegaba al cuello. Fue desagradable: como había poco oleaje, el vómito se quedó flotando, estancado, a mi alrededor. Los peces lo advirtieron y, en cuestión de un minuto, los tenía en torno a mí, incluso los grandes, dándose un festín con los contenidos flotantes de mi estómago. Vi un agujero en la pared de madera que servía de puerta a los peces, y se me ocurrió empujar las partes sumergidas de la pared que tenía cerca. La cabaña no estaba en buenas condiciones, tal vez estaba podrida, e igual conseguía abrir un agujero a patadas.

Lo logré. Di patadas y abrí un agujerito. Me giré, con la cabeza justo al nivel del agua, e hice más grande el boquete con mis manos. Arranqué toda una sección. No cambiaba mucho las cosas, porque seguía atada a una gruesa viga, y esta seguro que no se rompería. En cualquier caso, no tardaría en morirme de sed. El calor era tan asfixiante que casi no había aire para respirar.

Pensé en gritar de nuevo. Ya lo había intentado antes, pero no hubo respuesta alguna, así que decidí reservar mis fuerzas para romper los nudos. Eso tampoco funcionó. Empecé a chillar.

–¡Socorro! –grité–. ¡Ayuda!

Si iba a morir, necesitaba que Laurie viniera a ayudarme. Él sabía lo que era esto, sentir que la fuerza vital abandonaba tu cuerpo. Había pasado por ello, de un modo diferente, pero en el fondo era lo mismo, y yo lo necesitaba. No vino. Me despedí de él, del Laurie de verdad, en Bangkok, y sabía que su manifestación fantasmal se había esfumado.

–¡Laurie! –grité de todas formas–. ¡Socorro! ¡Ayúdame! ¡Ven a sacarme de aquí!

Intenté con todas mis fuerzas creer en la vida después de la muerte. Me dije que cuando el agua, que ya me llegaba a la boca, alcanzara mi nariz, recorrería un largo túnel hacia una luz, y al final estaría Laurie, y mis abuelos; mis antiguas mascotas muertas, hámsteres, gatos y tres conejos, haciendo el payaso, bamboleándose y correteando junto a mis pies, y todo sería maravilloso y mágico y duraría eternamente.

Incluso en mi estado desesperado, no me lo tragaba. No podía creer en nada más que la aniquilación. Estaba a punto de desaparecer para siempre.

El agua cálida me llenó la boca. No podía escupirla, así que me la tragué. Durante un horrible segundo, pensé que aquello me haría vomitar de nuevo. Y eso no iba a traer nada bueno. Calculé el funcionamiento: ¿puedes vomitar en el agua sin inspirar después para tomar aire? No sería agradable. Usé toda mi fuerza de voluntad para contenerme. Ya no podía gritar. Si echaba la cabeza hacia atrás, podría respirar un poquitín más.

Entonces, el agua comenzó a llegar en pequeñas olas, dando brincos que llenaban mi nariz, y retirándose; volvía a llegar, y se retiraba de nuevo. Era molesto. Quería rendirme ya, pero algo, algún instinto de aferrarme a la vida todo lo posible, me hacía mantener la cabeza estirada hacia atrás, con los agujeros de la nariz por encima del agua, todo el tiempo que resistiera.

Pero llegó, lamiendo mi nariz. Llené mis pulmones con todo el aire que me fue posible, y al tomar lo que estaba segura de que sería mi última respiración, me pareció oír el ruido de un motor, a lo lejos, y luego una voz, y después el motor acercándose cada vez más.

32

Lara

Me echa tranquilizantes en la comida: cuando lo deduje, todo cobró sentido. Hace un día era capaz de concentrarme y mantener algo parecido a una conversación. Ahora, el mero hecho de mover un brazo o una pierna requiere un gran esfuerzo y un empleo atento de mis recursos mentales. Hablar es un triunfo, sobre todo si las palabras tienen que salir más o menos coherentes. Solo me dedico a dormir y estar tumbada. Prefiero dormir, al menos así me olvido de todo. Sean lo que sean estos tranquilizantes, evitan que piense. Me retienen aquí, convirtiéndome casi en una rehén voluntaria. Toda mi existencia me da pereza, y vivo dentro de una nube rosa en la que no hay grandes problemas por los que preocuparse.

Guy ha muerto, pero me da igual, porque todos nos vamos a morir algún día, no importa que sea ahora o dentro de treinta años; la naturaleza no entiende de fechas. Iris tampoco está, y también me da igual. No me preocupa lo que vaya a hacerme Leon, porque es mi padrino, y con él estaré bien.

Me ha comprado una ropa preciosa, y me cepilla el pelo. Me obliga a maquillarme, y lo hago con manos pesadas y lentas. Como y bebo lo que me pone delante, es lo que él considera que debo hacer: mantenerme sana y drogada, mantenerme delgada pese a mi vida de dejadez.

Que yo recuerde, no me ha tocado. Me alegro, porque me resultaría insoportable. Pero también me aterra, porque eso supone que tiene un plan a largo plazo. Si Leon no supiera adónde ir a partir de ahora y estuviera esperando la llegada de la Policía, ya se me habría echado encima. Puede hacerme lo que quiera –los dos lo sabemos–, y el hecho de que me tenga en un estado de pánico constante, de que esté demorando el momento, es casi peor que la otra alternativa.

Solo cuando el efecto comienza a desvanecerse, como ahora, mi ritmo cardíaco aumenta, se me agudiza la mente de repente y regresa el horror. Intento que él no se dé cuenta de que estoy recuperando mis facultades, y me pongo a pensar en un plan, desesperada. Necesito encontrar mi teléfono y llamar para pedir ayuda. El suyo también servirá. Llamaré a casa, a mis padres, y les pediré que den la voz de alarma.

Eso es ridículo. La alarma por mí ya está dada y elevada al máximo nivel de alerta, pero solo Iris fue capaz de dar conmigo. Podría intentar llamarla, pero Leon le quitó el teléfono y lo arrojó al mar. Vi cómo lo hacía. Y, de todos modos, a pesar de lo que él me dice, estoy segura de que la ha matado. Probablemente no lo hiciera él mismo, para poder jurarme que la dejó con vida. Pero ahora Iris ya estará muerta, porque es la única que sabe que fue él.

Podría escaparme por una ventana, pero esta villa tiene aire acondicionado y sus propietarios confían tanto en la eficacia del sistema de climatización que las ventanas no se pueden abrir. Lo descubrí la última vez que estuve lúcida y Leon me pilló intentando reventar una. Me invitó a sentarme con buenos modales y me obligó a beber un cóctel lleno de alcohol y lo que sean esas drogas, y acepté sumirme de nuevo en la indolencia. Esta vez tendré más cuidado.

Puedo oírle en su dormitorio, con el ordenador portátil. Me siento en el sofá y miro a mi alrededor. No hay ningún teléfono al alcance, como es natural. Siempre lleva el iPhone encima. Guardó mi teléfono tailandés en una caja de seguridad; tengo un recuerdo borroso de cuando lo hizo. Es un *smartphone* que me compré en Bangkok, que recargaba con tarjetas de prepago para que fuera ilocalizable: he visto *The Wire,* tengo una vaga idea de cómo funcionan estas cosas. Pero no tengo ni idea de la combinación de la caja. Sin embargo, sé dónde está.

Me levanto sin hacer ruido y avanzo de puntillas sobre el suelo de madera pulida. Leon para de teclear. Me quedo helada, preguntándome si debería regresar de un salto al sofá. Vuelve a teclear. A continuación, escucho su voz atronadora y paso un segundo aterrada, pero luego me relajo.

–¡Annie! –dice–. Soy yo. Solo llamaba para ver cómo van las cosas... Sí, bien, gracias. Quiero saber si has revisado el papeleo del asunto Hitchens. Los sigo de cerca, puedes decírselo. No vamos a aceptar lloriqueos.

Abro la puerta del armario. Chirría un poco, pero Leon sigue bramando al teléfono. Tengo la caja delante, una de esas pequeñas que hay en las habitaciones de hotel. Está cerrada.

Pulso un número y suena un fuerte pitido. Leon se calla un segundo, y corro al sofá a tumbarme con los ojos cerrados.

–Disculpa, Annie –dice, y luego lo tengo encima.

Siento su presencia sobre mí, pero no abro los ojos.

Un rato más tarde, vuelvo a recobrar el sentido. Sé que así no podré escaparme nunca. Mis períodos de lucidez son demasiado breves, porque Leon me observa constantemente y sabe que entre pastilla y pastilla mis sentidos se agudizan. Nunca podré fugarme en esos intervalos.

He intentado fingir que como, pero él me obliga. Cuando intenté gritar y pedir ayuda me amenazó con ponerme una inyección.

–No quiero hacerlo –dijo con tono suave–, pero si es necesario lo haré. No te preocupes, querida, cuando estés lista lo entenderás.

–¡No! –grité.

Perdí el control. Fue un error, y no volveré a cometerlo, porque me soltó una bofetada muy fuerte. Después se echó a llorar por lo que le había obligado a hacer hasta que le pedí perdón.

Los únicos momentos en los que no me vigila son cuando voy al servicio. La ventana del cuarto de baño es pequeña, de cristal esmerilado, y está alta. A veces se queda al otro lado de la puerta, posiblemente para asegurarse de que no me quito la vida. Aunque, por lo general, no suele hacerlo. Creo que le gusta ser un caballero y respetar mi intimidad.

No tengo ni idea de cuánto tiempo llevo aquí, o de qué día es. Podría no haber sido mucho. Sé que he dormido, y que me metió en la cama de matrimonio y él se fue a la cama pequeña en la esquina del enorme dormitorio. Me drogó a lo bestia antes de acostarme para que no tuviera posibilidades de escaparme mientras él dormía.

Si me concentro con fuerza, podría intentar discurrir algo. No obstante, eso implica que mi yo lúcido elabore un plan que pueda poner en práctica mi yo drogado. Si se me ocurre algo ahora, con mucho, mucho esfuerzo, igual puedo grabarlo en mi cerebro. Me gustaría poder escribirme una nota, pero sé que es imposible.

Llaman a la puerta de la villa. Intento no gritar. Leon aparece al instante.

–¡No te muevas, querida! –dice.

Asiento. Abre la puerta, entrega un dinero y dice:

–No pasa nada, ya contesto desde aquí.

Entra con una bandeja, cierra la puerta de una patada y se la lleva al segundo dormitorio, el que ha estado usando como despacho.

La trae de vuelta y me la pone delante, adulterada con drogas.

–Cariño –dice, sentándose a mi lado y sonriendo–, es hora de comer.

Así que es la hora de comer. Almaceno ese dato.

–Ven, siéntate conmigo.

Mi comida es un tazón de *tom yum pak,* una sopa de verduras, un plato de fruta cortada y dos bebidas. Para él, un plato de *pad thai,* una cerveza y un botellín de agua. Nos sentamos en la reluciente mesa, uno enfrente del otro, y me observa con atención.

–Cariño, mañana nos vamos de aquí –anuncia, buscando la reacción en mi rostro–. No quiero ninguna tontería, ¿entendido? Lo hago por ti, algún día lo entenderás. Jamás podrás volver a casa, no sin despertar demasiados interrogantes absurdos y tener a estúpidos policías asomando en cada esquina. No pienso permitir que te lleven a una de sus prisiones. A ti, no. Así que he organizado algo maravilloso. ¿Me estás escuchando? ¿Estás concentrada?

Asiento para que vea que sí.

–¿Dónde has querido vivir siempre?

–Pues... –Quiero decir lo correcto, pero no tengo ni idea de cuál es la respuesta. He querido vivir en sitios distintos en momentos distintos–. Esto... ¿En Londres?

–Ay, Lara. –Sonríe, y puedo ver que aprueba el hecho de que he dicho algo ridículo, porque eso significa que sus drogas están haciendo efecto–. No, no. No te preocupes, ya veo que te cuesta concentrarte. Pero ¿no te acuerdas de cómo hablábamos de Nepal? Siempre decías que algún día te comprarías una casa en las montañas, en el Himalaya; que lo dejarías todo y te irías a vivir allí. Sin Sam Finch, sin estúpidos coqueteos con hombres casados, sin nada. Respirarías el aire fresco de las montañas, darías paseos todos los días, igual tendrías unas cabras y unas gallinas, o lo que críe la gente allá arriba.

Vuelvo a asentir.

–Pues te la he comprado, cariño. Tenemos una casa, a tres horas en coche de Katmandú. Está apartada de las rutas que recorren los turistas y no hay más casas cerca. ¡Y me ha costado una puta miseria! Así que vamos a vivir allí, tú y yo, para siempre. Tu sueño hecho realidad, mi sueño hecho realidad.

Intento imaginármelo. No puede funcionar. Alguien vendrá y me encontrará.

–Pero... –digo con prudencia, porque puedo sentir el efecto de las drogas suprimiendo el horror. Experimento un enorme terror, seguido casi al instante por la calma–. Tu negocio. Está en Londres. Y Sally. Te buscarán.

–Ahí está la cosa, querida, que no lo harán. –Hace una pausa para tomar un bocado de fideos–. He dejado a Sally. Hace tiempo que se veía venir. Económicamente, no tendrá problemas. Ella cree que estoy hecho trizas por la separación y que me he ido a algún sitio cálido para superarlo. Probablemente se piense que estoy encerrado con un grupito de chicas asiáticas. Me parece bien. Annie sabe que no tiene que hacer preguntas, siempre que le responda al teléfono y controle los temas laborales. A nadie más le importo una mierda. Puedo decir que me he ido a vivir una temporada al extranjero y listo. Soy un empresario independiente.

–Oh.

No he podido captar todo lo que acaba de decir, pero sé que era algo malo. Dejo mi cuchara.

–Acábate eso por mí, corazón. Venga, rápido, y luego puedes acostarte.

Recojo la cuchara y hago lo que me dice. Me obliga a beber el agua y la otra bebida, un cóctel alcohólico sobre el que, estoy segura, ha espolvoreado todo tipo de sustancias. Quisiera no bebérmelo, pero no puedo.

Luego me pongo en pie, temblorosa. Sonríe, complacido.

–Buena chica –dice.

–Voy al baño –consigo decir.

–Pues claro. ¿Estarás bien?

–Sí.

–Date prisa. No queremos que te dé un síncope.

Todavía está terminando su comida y bebiéndose la cerveza. Cierro la puerta del lavabo y recuerdo con dificultad lo que debo hacer. La química aún no ha hecho todo su efecto: estaba exagerando. Rápidamente, mientras puedo, abro el grifo y el ventilador del extractor para que no me oiga, me arrodillo junto al retrete y me meto los dedos hasta la campanilla.

De adolescente, lo estuve haciendo durante una temporada. Seguro que la mayoría de las chicas lo hacen. Una vez que aprendes la técnica, provocarte el vómito es como montar en bicicleta. Encuentro el punto adecuado, empujo con los dedos y mi comida reaparece. Me cuesta cuatro arcadas hasta que ya no me queda nada dentro.

Tiro tres veces de la cadena para deshacerme de la porquería que flota en la superficie, y me lavo los dientes. Luego, cuando estoy segura de tener el aspecto correcto, pongo cara de estar a punto de desmayarme y me arrastro hasta el sofá.

–¿Todo bien? –pregunta Leon desde el otro lado de la sala.

–¿Eh? –respondo, derrumbándome en mi posición habitual.

–Nada, no te preocupes.

Cierro los ojos. Así mejor.

33

Iris

–Disculpe.

La recepcionista estaba al teléfono, tras el amplio mostrador cubierto por un mapa desplegado, dos libros de cuentas de los antiguos, unos prismáticos y varias pilas de papeles. Me sonrió y puso la mano en el auricular.

–Un segundo –dijo.

Miré el tablón que había a su espalda, con las llaves colgadas en ganchos. Mi cabaña era la número 36. Ahí estaba la otra llave, la mía la había perdido. Sonreí, le hice un gesto, y deslizándome por detrás de la ella me colé tras el mostrador y agarré la llave. La mujer no hizo nada para detenerme.

El sol, reflejado en las piedras del sendero, me hería los ojos. Me moría por comer algo, pero más aún por recuperar mis cosas, por ver si el psicópata había tirado al mar todas mis pertenencias y prendido fuego a mi cabaña, solo para no dejar nada al azar. Podría haber puesto una trampa en mi habitación, o haber pagado a una panda de matones para que me eliminaran desde los tejados vecinos si me acercaba.

Si había planeado mi muerte de aquella forma, no quería ni pensar qué le estaría haciendo a Lara. No fui capaz de encajar todas las piezas, aún no, porque no tenía ni idea de qué había sucedido en el tren. Sabía, sin embargo, que Lara estaba escondiéndose de Leon, y que yo lo había conducido hasta ella. También sabía que de no haber vomitado, atrayendo así a todos los peces de la zona, el barco de pescadores no habría descubierto la choza sumergida, y sus tripulantes no me habrían desatado ni llevado a tierra.

Mi cabaña estaba intacta, parecía que Leon no se había preocupado por ella. Busqué mi dinero y regresé corriendo hacia la recepcionista, que ya había acabado su conversación telefónica.

–Necesito hacer una llamada –dije–. Es muy urgente, por favor.

–¿Internacional?

En realidad no me prestaba atención, pues estaba buscando unos papeles, unos formularios de entrada de clientes, en un cajón archivador.

–Sí, por favor.

–Puede usar este teléfono, me paga después.

–¡Gracias!

–Marque el uno y luego el prefijo del país.

Me di cuenta de que no me sabía el número de Alex. Pensé desesperada en otra persona a la que llamar. No había visto a Alex desde que salí corriendo cuando me besó, hacía un millón de años, en un planeta muy lejano. La última vez que contacté con él fue desde Bangkok. Alex no tendría ni idea de lo que me había pasado.

No podía llamar a mis padres. Teníamos demasiadas cosas que hablar antes de ponerme a explicarles dónde me encontraba, y por qué. Las únicas personas que sabían todo sobre este asunto eran Alex y Leon.

Al final, pensé en el número de Sam Finch pegado en su frigorífico el día que Lara no se bajó del tren. Llamarle fue lo único que se me ocurrió. Me acordaba de habérselo leído a mucha gente cuando intentábamos encontrarla. Era, creía, el 551299.

Sam contestó tras seis tonos.

–¿Diga?

Respiré hondo y cerré los ojos.

–Sam –dije–, soy Iris.

–Hola, Iris. ¿Todo bien?

–No te habré despertado, ¿verdad?

–Son las cinco de la mañana, pero siempre estoy despierto. ¿Sigues en Londres?

Pensé qué contestar.

–Más o menos. No voy a volver a Cornualles en una temporada. Oye, Sam, necesito que hagas algo muy urgente por mí. ¿Tienes el número del agente Zielowski?

Sam refunfuñó y rebuscó un rato hasta dar con él.

–¿Para qué lo quieres? Ni siquiera forma parte de la investigación, solo participó en un primer momento. De todos modos, a esa gente ya no les interesamos, están ocupados de nuevo rescatando de los árboles los gatitos de nuestros niños.

–Es urgente. Te llamaré en cuanto pueda y te lo contaré todo, ¿vale?

Colgué y llamé a Alex, sin preguntarle a la recepcionista si podía hacer otra llamada. La mujer hablaba con unos turistas que acababan de llegar. Yo observaba atentamente a cada persona que pasaba: por el momento, todos podían verme, y no estaba en mi mano hacer nada por evitarlo.

Alex contestó al teléfono con un amodorrado «¿Iris?», y yo sentí tanto alivio que casi pierdo el control.

–Escúchame –dije–, no digas nada hasta que termine de contarte esto. Debemos movernos rápido y tienes que hacer algo por mí.

Esperé a que asimilara aquello, consciente de que lo acaba de sacar del sueño para meterlo en algo totalmente surrealista.

–... Podría haberla matado ya –terminé–. Pero nuestro plan de emergencia era acudir a un lugar llamado Food Street en Singapur, así que voy a ir allí a ver qué ocurre.

–Iris, no. Déjame que llame a los chicos de la Operación Acuario, se encargarán de que la Policía de allí lo capture. Déjame esto a mí.

Sonaba lógico.

–Claro –acepté–. Haz que la Policía tailandesa los busque. Pues claro, eso será genial.

–Y tú, vuelve, ¿entendido? Tu implicación finaliza aquí. He estado muy preocupado y, por lo que veo, con motivo. No me puedo creer que estés bien. No desafíes a la suerte, vuelve a casa. Has hecho más que suficiente, y no tienes que cruzarte otra vez con ese tipo. Dios sabe qué más habrá hecho.

–Lo sé. Oye, voy a ir a Singapur, solo por si Lara aparece en Food Street, y desde allí reservo un vuelo a casa, ¿vale? Te lo prometo.

Guardó silencio.

–Vale, pero mantenme informado. Estamos en contacto. Cómprate un móvil y pásame el número. Yo... Bueno, pondré las cosas en marcha. Puedo hacerlo, Iris. No estás sola.

–Gracias.

–Prométeme que me llamarás.

–Te lo prometo.

Cuando el pesquero me rescató y vi que estaba viva, supliqué a los pescadores que dijesen que me había muerto. Habría sido un gran plan, si hubieran podido entenderme. Eran encantadores: uno era grande y fuerte, y el otro, pequeño y más joven. Me cuidaron. Me sujetaron mientras vomitaba el contenido acuoso de mi estómago por la borda de su pequeña embarcación de madera, me ofrecieron sus botellas de agua e intentaron preguntarme qué demonios hacía atada en el interior de una choza inundada por el agua.

Tosí y escupí, dando gracias por que no pudiéramos entendernos. No hubiera sabido por dónde empezar.

Cuando vi la choza desde fuera, supe que era de esas que se sostienen sobre palos, y que por eso había resultado tan sencillo moverla. Había otras parecidas, abandonadas, pudriéndose en los alrededores. Leon la arrastró por la playa hasta más allá de la línea de la marea y la dejó allí. Es un demente.

Los pescadores querían avisar a la Policía. Les dije que no, y conseguí que me dejaran en la playa, bajo las cabañas del hotel. Estaban preocupadísimos por mi estado, así que el mayor saltó del barco conmigo con la intención de conducirme ante alguna autoridad –al menos ante la recepcionista del hotel–, entregarme y contar mi terrible experiencia, pero le indiqué con gestos que no hacía falta. Al final, tuve que gritar y chillarles para que se fueran, y lo hicieron, con el mayor de los recelos.

Me sentiría mucho más segura si dijeran que habían encontrado un cadáver y si esa noticia conseguía de algún modo saltar a la prensa. Pero las posibilidades de que hicieran eso eran nulas. Iba a tener que andarme con cuidado.

Contemplé la isla pasar volando por la ventanilla del taxi. No hablaba con el conductor, quien después de varios intentos renunció a entablar conversación conmigo. Miré los carteles que anunciaban interminables «Fiestas a la luz de la luna llena», la sucesión de cafés de carretera y hoteles. En algunos sitios, había señales advirtiendo que era una zona de *tsunamis*. El sol era implacable y llevaba la ventanilla bajada, dejando que un cálido aire tropical me diera en la cara. Había gente por ahí: nativos, viajeros, gente con mochilas. Después de leer el diario de Lara, esperaba que este sitio estuviera atestado de mochileros, pero no. De hecho, no estaba segura de que la gente siguiera viajando en plan mochilero. Al menos no como antes.

Todo parecía en tecnicolor e irreal ahí fuera. No me apetecía mirar las cosas desde una perspectiva más amplia. Lo único que podía hacer, por ahora, era salir de la isla.

Me recosté, dejando que el aire caliente me golpeara en la cara, e intenté dejar mi mente en blanco. Ya no podía hacer nada, esto me quedaba grande. Alex tenía razón: ahora tenía que dejárselo a los profesionales, ir a Singapur, echar un vistazo en Food Street por si acaso y regresar a casa. Ya había encontrado a Lara una vez, era difícil que volviera a suceder.

El taxi se detuvo en la terminal del *ferry* del norte de la isla, y el conductor abrió mi puerta y sacó la mochila del maletero. Salí al calor y comencé a sudar al instante, sintiendo que mi cabeza iba a estallar. Cuando pagué al taxista, que llevaba una camisa color borgoña y se marchó con una sonrisa, comprendí que necesitaba moverme. No podía permanecer bajo el bochorno de media tarde, a la vista de cualquiera, y esperar que todo saliera bien.

Inmediatamente, un hombre fibroso se acercó y me preguntó qué quería.

–¿Taxi? ¿Hotel? ¿Restaurante? ¿Barco?

Respiré aliviada.

–Barco –le dije–, gracias.

–¿*Ferry* a Krabi? Mañana por mañana. ¿Ahora quiere barco privado?

Tenía mucho dinero, así que asentí. Dondequiera que estuviese Leon, y adondequiera que se dirigiese, tenía que pasar por ese puerto. Igual ya lo había hecho, pero yo necesitaba escapar cuanto antes.

–¿Cuánto?

Veinte minutos más tarde estaba montada en una lancha motora, con una botella de agua fría, tras pagar lo que me pareció el equivalente a cien libras esterlinas para que me llevaran al muelle central de Krabi. Fue, por lo que a mí respecta, un dinero muy bien gastado.

En el viaje de ida casi no había estado en Krabi. En esta ocasión, me bajé con prisas de la lancha, di las gracias al piloto, le entregué una propina desmesurada y corrí hacia una agencia de viajes al otro lado de la calle. Pude oír a un perro ladrando por ahí cerca, y eso normalmente me habría asustado, pero ese día no me importó. Si el bicho se me acercaba enseñando los dientes, le arrancaría la cabeza de una patada.

Una mujer alta con el pelo recogido en un moño me sonrió al verme entrar.

–Hola, ¿sí?

Me indicó con un gesto que me sentara. Había dos niños con uniforme escolar sentados en la otra mesa de la sala, con las cabezas inclinadas sobre algo, entre risitas. Un póster descolorido de una joven sonriente amenazaba con descolgarse de la pared.

–Hola –dije–. ¿Puede venderme un billete de avión a Singapur?

La mujer se acercó el teclado.

–Pues claro –respondió–. ¿Cuándo le gustaría ir?

–¿Hoy?

Sacudió la cabeza y se mordió el labio.

–Hoy no, lo siento. Es demasiado tarde. Mañana, miércoles.

Respiré hondo.

–Sí, mañana, gracias.

–Serán diecinueve mil bahts.

–No hay problema.

Estuve a punto de pedirle un billete para Londres, pero me lo pensé mejor. Ya lo buscaría por Internet, o cuando llegase a Singapur. Comprarlo ahí no me parecía seguro.

–Bien. –Me sonrió–. Su pasaporte, por favor. También puedo reservarle un taxi para el aeropuerto. Acérquese por aquí cuando quiera ir.

Acepté encantada, y luego me puse a dar vueltas por Krabi, bajo un sol ardiente, preguntándome adónde ir. Era una ciudad de aceras polvorientas llenas de baches y el aire liberal de una localidad fronteriza. Había extranjeros deambulando por las calles, muchos sudando bajo el peso de enormes mochilas. Hacía calor, una mosca en particular no paraba de posarse en mi frente. Me la imaginé dándose un festín con mi delicioso sudor.

Ni siquiera intenté invocar a Laurie. Se había ido, y me parecía bien. Esta era la realidad: yo, sola, sin un plan concreto.

Necesitaba llamar la atención lo menos posible. Solo cuando vi mi reflejo en el escaparate de una tienducha recordé la otra cosa que tenía que hacer.

La tienda parecía vender un poco de todo: había cajitas de uñas postizas, hombreras, lapiceros y martillos. Podías comprarte unos prismáticos o, si lo preferías, informarte a fondo sobre las familias reales tailandesa y británica. El ambiente estaba cargado de polvo.

–¿Tiene unas tijeras? –pregunté al hombre que leía un periódico sentado en un taburete.

–¿Tijeras? Sí, claro –respondió animado–, ahí están. ¿Qué tipo de tijeras?

Las miré. Su colección iba desde las romas para niños que apenas cortaban papel a enormes tijeras de cocina de metal.

–Para cortar el pelo.

Tomó un par.

–Estas.

Las miré.

Era un hombre agradable. Vestía unos pantalones azules con la raya planchada, una camisa blanca almidonada y chanclas en los pies. Su aura sería cálida y amistosa, quizá amarilla y ámbar.

–¿Puedo usar su espejo?

–Pues claro.

Observó cómo me cortaba el pelo, a la altura de los hombros, y luego se rio y extendió una mano. Le entregué la mata de cabello de dos colores y la giró entre sus dedos, contemplándola maravillado, antes de tirarla a su cubo de la basura. Luego se situó detrás de mí, tomó las tijeras y arregló los trasquilones de mi melenita lo mejor que pudo.

Me ofreció una mirada de complicidad que decía «no pienso preguntar nada» más claramente de lo que lo hubieran hecho las palabras, y le devolví las tijeras aunque se las había pagado. Observé cómo el hombre las frotaba con esmero con un trapo y luego las colocaba de nuevo en el expositor.

Encontré una habitación en una pensión cercana, una que estaba segura de que a Leon Campion no le resultaría nada atractiva. Las habitaciones eran cabañas levantadas alrededor de un patio al que se accedía por la cocina. Tenía baños y duchas compartidas, y los cuartos eran de lo más básico. Había una cama con una estructura de hierro, un fino colchón cubierto por una sábana bajera de color azul claro y otra blanca doblada encima, y nada más aparte del candado para la puerta. Los servicios estaban al otro lado del patio. Podía oler que estaban friendo algo con especias de olor intenso, y se oían dos conversaciones, una en tailandés en la cocina y la otra en alemán justo delante de mi puerta.

Me pregunté, de repente, si esta sería la misma pensión en la que se alojó Lara, hacía siglos, cuando estaba con Rachel, Jake y Derek, la víspera de que su vida se derrumbara por primera vez. ¿Rachel habría pasado justo aquí su última noche en libertad? Temblé solo de pensarlo.

Leon nunca me buscaría aquí. Me senté en la cama, y luego volví a levantarme. Todavía no era momento de relajarse. Necesitaba salir y encontrar una tienda.

Dos horas más tarde estaba sentada en una tambaleante silla de plástico delante de mi cabaña, jugueteando con mi teléfono nuevo. No fui capaz de apañármelas –llevaba demasiado tiempo alejada del mundo moderno como para saber manejar un teléfono tailandés– pero el personal del hotel se reunió a mi alrededor y me lo configuraron. Resultaba extraño: durante años me estuve escondiendo de todo y de todos, aterrada ante las interacciones sociales y rehuyéndolas; ahora, encontraba gente amable en cada esquina, o mejor dicho, en cada esquina menos en la que me condujo hasta Leon Campion.

Llamé a Alex, pero me saltó su contestador, y le dejé varios mensajes. Estaba planteándome llamar de nuevo a Sam y conseguir el número de Olivia. Ella tenía que saber la verdad sobre Leon, y, además, sería una persona formidable para tener de mi parte. Confiaría sin reservas en su instinto y sus consejos.

No solo eso, también la familia Wilberforce tenía derecho a saber que Lara estaba –o había estado, hasta hace muy poco– viva. Y que se encontraba en Asia. Necesitaban saber la verdad sobre el hombre al que eligieron como padrino para su hija. Había que difundir esa información lo máximo posible, por si acaso.

Llamé a Sam. No contestó.

Se hizo de noche, y decidí no ir a ninguna parte. Me compré un plato de arroz y curry de verduras, añadí una cerveza y me senté en mi silla tambaleante junto a una mesa también tambaleante que tomé prestada del patio porque nadie parecía estar usándola. Había oscurecido muy rápido, y el ambiente estaba cargado por el calor y los zumbidos de los mosquitos.

Me comí el bol entero. Antes de llegar a Bangkok, no era consciente de cuánto me gustaba la comida tailandesa. En mi vida londinense, casi no la recordaba como una opción cuando salía la conversación de «¿Dónde cenamos hoy?» con Laurie. Pero ahora había decidido que era mi comida favorita. La cerveza estaba fría. Esto era justo lo que necesitaba.

Deseé que Alex me llamara. Probé de nuevo con Sam y, tras una charla complicada, me dio el número de Olivia.

–Oye –me dijo–, no soy tu servicio de información telefónica. No me paso el día junto al teléfono repasando los números de mi agenda, preguntándome cuál será la siguiente persona que odio con la que vas a querer hablar. Estás entretenida con el diario que te envié, ¿verdad? Por lo menos, me podrías contar algo.

–Lo siento –dije–. Es verdad que estoy muy liada, y te lo debo a ti. Te lo contaré todo en cuanto regrese.

Suspiró.

–Bah, ¿qué cojones importa? En realidad está bien que te llame alguien que necesita algo de ti. Ya nadie se interesa por mí, nadie sabe qué decirme, y ahora que todo el follón se ha calmado, me siento un poco solo.

–Vaya, Sam. –Me pregunté si debería contarle lo que estaba ocurriendo, que él tenía razón sobre Leon Campion y yo estaba equivocada–. Oye, iré a verte, en serio.

–Claro.

Olivia asimiló al instante todo lo que le conté.

–¡Santo Dios! –exclamó–. Leon, el muy cabrón, no puedo creerlo. Se ha pasado toda la vida mimándola. Lara confiaba en él más que en nadie. Mis padres confiaban en él, era íntimo amigo de la familia. ¡Jodido cabrón! Lo mataría ahora mismo con mis propias manos. ¡Cerdo! Y ¿sabes una cosa? Mientras me lo estabas contando comprendí que no me sorprendía nada. Era como si ya lo supiera, de un algún maldito modo. Vale, así que estás en Tailandia. ¿La has visto? ¿De verdad la has visto?

–Ay, Olivia –respondí–, sí, la he visto. La vi, pero de repente apareció Leon. La vi menos de un minuto. Alex, de Cornualles, el agente que estuvo implicado en la investigación un período breve de tiempo, va a encargarse de avisar a la Policía de aquí. Prefiero no tener que hablar yo con ellos, no quiero que me líen con burocracia y declaraciones. Leon se ha marchado con Lara, y lo único que puedo hacer es ir a Singapur y buscar una calle llamada Food Street, que era donde debíamos encontrarnos si las cosas salían mal. Estaré allí mañana a última hora. Mi vuelo sale de Krabi a las seis. Iré allí directamente y esperaré. Le dejaré unos mensajes, y si hay un hotel que se llame Food Street, me alojaré en él.

–No me puedo creer que estés en un sitio que se llama Krabi, suena fatal.

–No es bonito –convine–, pero no está tan mal. Me gusta. No he visto nada más que el patio de mi pensión, pero he estado con una mujer que me ha vendido un billete de avión, un hombre que me ha ayudado a cortarme el pelo y la gente del hotel me ha configurado el teléfono. Así que no está mal.

–Me alegro. Entonces no tenemos ni idea de adónde se ha llevado a mi hermana ese jodido bastardo.

–No, solo que Lara viaja con mi pasaporte. Si el nombre de Leon y el mío aparecen entre los pasajeros de algún vuelo, serán ellos.

–Y si solo aparece el nombre de Leon, eso significará que nunca volveremos a verla. Seguía viva, pero ahora podría no estarlo.

–Sí.

–Y la Policía de aquí ya lo sabe, así que no sirve de nada que vaya a contárselo. Tampoco voy a decírselo a mis padres, no hasta que haya algo que contarles. Te diré lo que voy a hacer: voy ir a ver a Sally, la mujer de Leon.

–Ay, Dios, ¿estás segura? Ten cuidado.

–Ten cuidado tú. Has estado a punto de morir. Has visto a Lara.

–Cuando advertí que tenía a alguien detrás, pensé que sería Jake. Hasta que reconocí la voz de Leon, justo antes de perder el conocimiento.

–¿Jake?

–Un novio de Lara de hace años; es una larga historia. Nunca me imaginé que sería Leon. ¡Y pensar que me presenté en su oficina y le serví en bandeja la información de que Lara había volado a Bangkok con mi pasaporte! Cuando le conté que creía que Jake estaba detrás de todo, me siguió la corriente. Me hizo pensar que estaba en lo cierto.

–Típico de él. Bueno, mantenme informada, por favor, Iris, te lo ruego. De cada paso que des. Si no estuviera embarazada, me plantaría allí, a tu lado, en un puto segundo. Llámame, ¿vale? ¿Me llamarás todos los días?

Su voz sonaba tan agotada y triste, tan extrañamente vulnerable, que me entraron ganas de correr a su lado y abrazarla.

–Pues claro –le prometí–, claro que sí. Cuida de tu bebé y yo me encargo del resto. Haré todo lo que esté en mi mano.

Colgué, desesperada e impotente. Lo único que podía hacer era volar a Singapur, acudir a nuestra cita y esperar. Pero estaba segura de que Lara no aparecería. Podría estar en cualquier sitio. Leon podría habérsela llevado a Bangkok, o a Kuala Lumpur, pues ambas ciudades estaban más cerca que Singapur, y desde allí haber volado a cualquier parte del mundo.

Ojalá Alex contestara al teléfono. Así sabría si la Policía había conseguido algo. Miré mi móvil, deseando que sonara. Nada.

Recogí mi mochila y eché a andar hacia la parada de taxis.

34

Lara

La peluca me da tanto calor y me pica tanto la cabeza que me muero de ganas de quitármela. Cada vez que lo intento, llevándome una mano al pelo en un gesto reflejo, él la aparta. Luego, me agarra de la mano con firmeza. Intento soltarme, porque su manaza seca provoca que la mía sude y esté escurridiza, pero la aprieta más fuerte.

Estamos en el asiento trasero de un coche, y nos dirigimos al centrto de Krabi desde el aeropuerto. Habíamos ido a la terminal para que Leon comprara nuestros billetes a Singapur. Desde allí, me ha dicho, tenemos reservado un vuelo a Delhi, y desde allí haremos transbordo a Katmandú, donde comenzará nuestra nueva vida.

Sigo logrando provocarme el vómito, pero todavía me encuentro mal. El aturdimiento de las drogas ya casi se ha ido, pero como devuelvo casi todo lo que engullo, continúo en una situación de gran desventaja. Me esfuerzo por mantener la concentración. Mi estómago ruge con frecuencia, pero Leon no parece haberse dado cuenta, de momento, del motivo.

Echo de menos la comida.

Cierro los ojos. Duermo todo lo que puedo, pues es el único recurso que tengo para escapar de él. Me vio llorar en el barco que nos sacaba de Koh Lanta.

–¿Qué te pasa? –me preguntó.

El hombre que asesinó a mi amante y a la amiga que vino a rescatarme; el hombre que deja al mundo pensar que yo maté a mi adorado Guy; el hombre que viajó hasta Tailandia y me atrapó; que me estaba llevando a las montañas para poder tenerme como una mascota. Ese hombre quería saber qué me pasaba.

–Nada –le dije.

Nos sentamos en un restaurante en la carretera principal que sale de Krabi. Es raro que Leon haya elegido un lugar como este, un restaurante turístico completamente normal, con una terraza abierta al aire libre por tres costados. No hay maderas nobles pulidas y barnizadas, ni plantas tropicales artísticamente dispuestas, ni aire acondicionado.

Veo la cara de asco que pone Leon al ver a la clientela, con sus mochilas y su pelo sudado. Se está esforzando por vestir informal y no llamar la atención, y se ha puesto unas bermudas grises y una camiseta blanca. No destaca para nada, se le da muy bien esto.

Escoge una mesa en un rincón del restaurante, detrás de una fila de pilares de madera y apartada de la calle. Tenemos al lado la valla metálica de una casa, con una hilera de ropa de colores pastel secándose en un tendedero. Miro con el mayor disimulo posible a la ventana. Hay un jarrón con flores de plástico en el alféizar y no hay signos de que haya alguien dentro.

Vuelvo a mirar a Leon.

Llevo la ropa de viaje que él me ha comprado: una camiseta verde y unos pantalones piratas ajustados, una horquilla con forma de flor en la peluca y unas sandalias verdes de tiras en los pies. Siempre me agradó el buen gusto de Leon. Ahora me produce náuseas. Intento no pensar en un futuro en una casita de una zona remota de Nepal, solos Leon y yo, para siempre. Me vestirá, como a una muñeca, con ropa que comprará por Internet sin que nadie sospeche nada. Jamás confiará lo suficiente en mí como para dejarme ir a cualquier parte o hacer algo sola. Seré su juguete, su mascota, su objeto, y nos quedaremos allí hasta que uno de los dos muera.

Me imagino la casita, en las montañas, con vistas espectaculares a un paisaje impresionante, cielos azules y cumbres nevadas. Cuando lleguemos allí voy a dejar que vuelva a drogarme, solo para abstraerme. Le suplicaré que me dé tranquilizantes.

Me está mirando con la misma ternura de siempre en sus ojos.

–¿Estás bien, querida? –dice, inclinándose hacia delante y mirándome con la atenta preocupación que estoy acostumbrada a ver en su rostro.

–Sí –digo, hablando lento para fingir amodorramiento–. ¿Leon?

–¿Lara?

–¿Por qué...? –Mi visión se nubla, y frunzo el ceño para concentrarme. –¿Por qué mataste a Guy? Nunca me contaste lo que sentías por mí, deberías habérmelo dicho antes.

Asiente y hace un gesto a una camarera.

–Un curry verde de pollo, un curry verde de verduras, un arroz y dos cervezas, por favor –dice secamente.

La muchacha lo escribe en su cuadernito, se lo vuelve a leer y se marcha. Me pregunto si podría pasarle una nota a la camarera, pero si Leon me descubre las consecuencias serán serias. De todos modos, voy a tener que arriesgarme en algún momento. No tengo bolígrafo ni papel, pero podría ir al servicio y, al pasar junto a los empleados, pedirles que llamen a la Policía.

Solo haré algo si hay muchas posibilidades de que salga bien, pero tengo que intentarlo, porque se me está acabando el tiempo.

–No vas a poder seguirme, pero voy a explicártelo de todos modos, antes de que te tomes tu medicación –dice, volcando todo el arroz en su plato. No me permite tomar hidratos porque tengo que mantenerme delgada.

–Vale –contesto, con mi voz adormilada.

–Como ahora sabes, llevo mucho, muchísimo tiempo amándote. No de un modo depravado, porque jamás te he tocado, ni de niña ni de adolescente. A ver, ni siquiera te he puesto la mano encima ahora, ¿cierto? Todavía no. Estoy esperando para que sea perfecto. Te adoro. Mi matrimonio con Sally fue bastante feliz, la mayor parte del tiempo. Pero mi corazón te ha pertenecido a ti, Lara, los últimos veinte años.

»¿De verdad no lo sabías? Pensaba que sí. Pensaba que teníamos una conexión y que lo habrías notado. Los dos sufriendo nuestros aburridos matrimonios con gente que no encajaba con nosotros, para nada, no como debe ser. Nos teníamos el uno al otro. Lo nuestro era especial, y tuve paciencia porque sabía que algún día estaríamos juntos. Siempre lo supe. Siempre.

»Entonces, acudiste a mí para que te buscara un trabajo, porque querías venirte a Londres, donde yo vivía, escapando de Sam Finch y de todo lo que él representaba. Supe que había llegado nuestro momento. Esperaría a que Sam y tú rompierais para entrar en escena y salvarte. Estaba dispuesto a dártelo todo. Lo primero que tenía pensado era traerte al Himalaya para que disfrutaras de las mejores vacaciones de tu vida. Después de eso, haríamos lo que tú quisieras. Tenía tantos planes e ideas, Lara. Iba a vivir mis últimos años en la felicidad más absoluta. Lara Wilberforce y yo. Era lo único que siempre había querido.

–Y aquí estamos.

Me mira con severidad.

–Pero cuando Guy Thomas hizo su aparición, comprendí que me encontraba ante un serio problema. ¿Recuerdas cuando en el pub te dije que te mantuvieras alejada de él, aquella noche que Olivia anunció su feliz noticia? Tenía la esperanza de que todo fuera flor de un día, un catalizador que acelerase el fin de tu matrimonio. Pero entonces resulta que los dos os disponíais a abandonar a vuestras parejas. Estabas loca por él. Ibais a empezar una nueva vida juntos. Tenía que intervenir cuanto antes, de inmediato. Sabía que podía cuidarte, si lo pasabas mal. Querida, no era mi intención que la gente pensase que lo mataste tú. Por eso te eché algo en la bebida, para que te durmieras y quitarte así de en medio. Pero cuando vi que realmente parecía que tú eras la asesina, y luego te bajaste del tren en el

Reading profundo, me pregunté si al final no nos convendría que la gente lo creyera.

Me cuesta un mundo mantener la calma mientras me cuenta esto. Pestañeo para contener las lágrimas. Lo único que quiero hacer es salir corriendo hasta la comisaría más cercana. Lo odio. Lo odio, y odio a mis padres por ponerme bajo su cuidado cuando era pequeña –por haberlo llevado a una iglesia a prometer que cuidaría de mí–, y me odio a mí misma por haberme pasado la puta vida entera pensando que era un padrino atento y responsable, creyendo que la persona que me perseguía era Jake.

Sin embargo, por encima de todo, hay un vacío gigantesco y desolador en mi existencia ocupando el lugar donde debería estar Guy. Si Leon me lleva a esas montañas, me arrojaré por un precipicio a la primera ocasión que tenga.

De repente, se pone brusco.

–Ahora me odias, y ese es el precio que tendré que pagar por un tiempo. No puedes acudir a la Policía porque te buscan por asesinato, así que ni se te ocurra. No vas a odiarme siempre, ¿sabes? Terminarás comprendiendo mi forma de pensar. No te he tocado, ¿a que no? No quiero obligarte a hacer nada. Quiero que acudas a mí voluntariamente y te me ofrezcas.

Parece que de verdad cree que eso pasará.

–Aunque cuando estemos en las montañas, igual no estaría de más un poco de seducción por mi parte. Haremos una fiesta para celebrar nuestra nueva vida. Vamos a tener todo el tiempo del mundo. Voy a verme obligado a tenerte encerrada en la casa unos años, espero que lo entiendas. Para que no te tires por pistas de montaña o puentes, ni pases notas a los aldeanos. Nada de eso. Hasta que pueda ver en tus ojos que estás lista, continuaré tomando precauciones.

–Pero si ni siquiera me deseas –le dije–, ahora que ya me tienes. ¿La clave de todo esto era que no podías tenerme?

Me siento mucho más fuerte después de haber comido. Ni siquiera a Leon se le ocurriría espolvorear tranquilizantes molidos en la comida en un restaurante. La cerveza se me está subiendo a la cabeza.

–Necesitas tu medicación –comenta–. Eso que has dicho ha sido cruel. En cierto sentido, tienes razón, estar contigo día y noche no es lo que me esperaba. Pero eso cambiará. Tu piel siempre fue perfecta, y ahora está… Bueno, no voy a ser desagradable. Y tu cuerpo, demacrado. Y tendremos que moldear tu comportamiento hasta que se enderece. Esperaba algo más de garbo en ti, querida, tengo que admitirlo. Un poquito más de elegancia.

Me mira como si debiera pedirle disculpas. No lo hago, y esto, sospecho, confirma su argumento.

–En cualquier caso –continúa, pasándome dos pastillas–, será mejor que te tomes esto. Si te las tragas con la cerveza, te mantendrán calmadita hasta que hayamos dejado Singapur. Comprendo que para ti tiene que ser difícil volar a esa ciudad, pero aquellos días quedan ya muy atrás. Hace mucho que Rachel dejó este mundo, y todos hemos pasado página.

Desearía que Leon no fuera la única persona que conoce mi pasado de traficante. Cada vez que lo menciona, siento que lo utiliza para controlarme. Ojalá no me hubiera dado aquellos buenos consejos en su tiempo. Ojalá no fuera cierto que él solito me ayudase a levantarme y me enseñase que debía seguir con mi vida a pesar de todo. Odio el hecho de tener que estar siempre en deuda con él por aquello.

El picor de la peluca me resulta insoportable. Quiero quitármela, pero sé que no puedo. Tomo las dos pastillas y me las meto en la boca. Las escondo en el carrillo y finjo tragármelas con un sorbo de cerveza.

–Enséñame la boca.

La abro del todo. Leon se pone de pie para acercarse. Me las trago rápidamente, algo asqueroso sin líquido, un segundo antes de que llegue a mi lado. Me mete un dedo en la boca y le dejo. Ni siquiera le muerdo. Debo de estar «moldeándome», usando sus palabras.

–Bien –dice–. Aunque creo que lo has hecho en el último segundo. Bueno, esperemos unos minutos para que empiecen a hacer efecto, y luego me temo que debo realizar una visita urgente al lavabo. Tú quédate aquí vigilando nuestras cosas. Confío en ti. Es una prueba.

Digo que sí con la cabeza, y doy varios tragos de agua para calmar mi garganta, pues siento como si esas dos pastillas hubieran excavado un maldito surco al ir bajando.

–Vale. –Parece dolido–. Confío en ti.

–De acuerdo.

Se retira con rapidez. En cuanto desaparece de mi vista, agarro su bolso de cuero y saco su teléfono. Nunca he estado así sola, no con sus cosas, y no puedo desperdiciar este precioso tiempo en salir corriendo al baño a vomitar.

No puedo hacer una llamada porque al instante lo vería en su historial, y ya estaremos lejos antes de que alguien pudiera presentarse aquí.

Entro en el menú de ajustes y pongo el Safari en modo «navegación oculta». Luego, abro el navegador y voy a mi cuenta de Twitter, dispuesta a dejar un mensaje para mis decenas de miles de seguidores. Daré detalles y confiaré en que entre ellos haya suficientes periodistas como para que se lo tomen en serio y manden a alguien.

Sin embargo, pincho en el icono de mensajes y encuentro una serie de mensajes privados de Iris. Se me para el corazón. Los leo rápidamente, y luego respondo: «Estoy también en Krabi. Ahora mismo, restaurante en las afueras, carretera del aeropuerto. Bar con terraza, en hotel de mochileros, junto a cafetería. Esta noche vuelo a SG. Ayuda».

A continuación, cuelgo un tuit público que dice: «¡Socorro! Estoy viva. Me han secuestrado. Lara». Siento pánico mientras lo escribo. Leon podría verlo con facilidad. Lo borro rápidamente.

Vuelvo a dejar Safari en sus ajustes normales y devuelvo el teléfono al bolso de Leon. Todavía estoy de pie cuando él regresa del baño, así que me acerco a la valla y finjo estar mirando la ropa tendida. Me empiezan a fallar las piernas y siento que mi cerebro comienza a apagarse.

Me derrumbo en mi silla, con la vista nublada, y sé que ya he sobrepasado el punto en el que me preocuparía por ir a vomitar. No me serviría de mucho, de todos modos. Quiero dormir. Leon me está hablando.

–... al Scrabble –dice–, cuando recuperes tus facultades.

–Vale –acepto, y apoyo la cabeza en la mesa.

Nunca debería haber dejado que pasara esto. Sé que cuando vuelva a recuperar la conciencia, ya estaré montada en un avión rumbo a Delhi. Perdida para siempre. Es el mayor error que podría haber cometido. Debería haber vomitado por la valla, en vez de mandar los tuits.

Haciendo un esfuerzo supremo, me llevo la mano al estómago y digo:

–Necesito ir al baño.

–Pues claro –dice Leon–. Conozco esa sensación. Ve. ¿Quieres que te acompañe?

Mi cabeza flota. Intento decir que no, pero Leon me agarra del brazo y me levanta de todos modos. Sujetando con fuerza mi antebrazo, me conduce hasta los servicios.

Están a la vuelta de la esquina, tras un recibidor con mucho eco, junto a unas escaleras.

–Vuelvo a la mesa –dice–, ya veo que no estás en condiciones de ir a ningún sitio.

Cierro la puerta y me quedo de pie durante un momento, apoyándome en las paredes blancas.

Tengo que concentrarme. No puedo permitir que esto pase.

Me quito la peluca, me arrodillo y vomito todo lo que tengo en el estómago, aunque sé que ya me ha llegado a la sangre. Vomitar no cambiará mi estado, pero reducirá un poco el efecto. No estoy acostumbrada a tener tantas cosas en mi estómago, y es triste ver salir ese curry, sus setas y guisantes flotando en la superficie del agua. Tengo que tirar cinco veces de la cadena para que se vaya todo.

Me estoy lavando las manos cuando escucho una voz:

–¿Lara?

Como estoy tan grogui, ni me sorprendo. Miro a mi alrededor y al final localizo la ventana en lo alto de la pared. Tiene barrotes en vez de cristales. Ella está fuera, y debe de estar subida a algo, porque desde aquí la ventana queda muy alta. Me mira, con su pelo corto. Ya no parecemos iguales.

–Eh –le digo–, hola.

–¡Dios, Lara, estás aquí! En cuanto leí tu mensaje de Twitter tomé un taxi y le describí este sitio, y supo exactamente dónde era. Es un bar famoso, por lo visto. Todo el mundo lo conoce. No me puedo creer que estés bien. ¿Qué te ocurre?

–Me da pastillas. Intento vomitarlas, pero con estas he llegado demasiado tarde.

–Vale, no te preocupes. Mira, sal de aquí. Hay una puerta en la parte de atrás. Te veo allí.

Necesito pensar. Mi mente está espesa.

–Me pillará. No llegaré a ninguna parte. Me pillará y será peor.

Me cuesta todas las fuerzas que tengo decir esas palabras. Ver a Iris, saber que me ha encontrado, me ayuda a mantenerme entera a pesar de las drogas que circulan por mi organismo.

–Tienes que salir corriendo, Lara, ahora mismo. Vamos. Tomaremos un taxi y escaparemos a Bangkok.

–En serio, no puedo. Me encontrará. La Policía le creerá a él. Todos piensan que yo maté… –No puedo decir su nombre, no ahora–. Tenemos que hacerlo bien. Sé cómo conseguirlo, llevo días planeándolo. Te diré qué tienes que hacer. ¿Lo harás?

Le cuento mi plan, haciendo un esfuerzo sobrehumano para transmitirle el mensaje. Parece aterrada. Sin esperar su respuesta, la dejo y regreso tambaleante a mi mesa, con mi carcelero.

–Estaba a punto de ir a buscarte –dice–. Me alegro de que hayas vuelto.

Asiento y cierro los ojos.

35

Iris

No quería hacer esto. Vi el tuit de Lara que decía que estaba secuestrada, y aunque lo borró al instante volví a verlo, retuiteado en una captura de pantalla. Llegaría a las noticias. Eso significaba que Leon, en algún momento, también lo leería. Después de ver el estado en el que la tenía su captor, comprendí por qué su llamada de auxilio había sido tan imprecisa.

Estaba esquelética. Su piel estaba pálida y llena de manchas, sus ojos carecían de vida, y me di cuenta de que para hablarme con un poco de coherencia precisó de todas sus energías. Y con la peluca, nadie –ni sus padres, ni Sam, ni el pobre difunto de Guy– la reconocerían como Lara Finch o Lara Wilberforce. Para disfrazarla, Leon se había dedicado a destruirla.

Recordé a la Lara que vino a mi casa en Navidad, llena de vida y chispa. Rememoré nuestra conversación sobre los *mince pies* y sobre cómo aprovecharíamos nuestras habilidades en un mundo posapocalíptico. Ahora, Lara lo había perdido todo. Había perdido su ímpetu, su ser, todo.

Y eso a pesar de sus esfuerzos por vomitar todas las pastillas que podía. Aquel hombre la tenía atrapada, y la estaba matando. Estaba claro que iba a destruirla, igual que se había cargado a Guy Thomas.

El plan de Lara era una locura, pero me resultaba tentador. Serviría para darle a Leon justo lo que se merecía.

Llamé a Alex, pero seguía sin contestar. No había ni rastro de la Policía local por ninguna parte. No tenía tiempo para preocuparme de eso. Olivia respondió al instante, aunque sabía que era muy temprano para ella.

–Hola –dijo–. Lara ha puesto un tuit. ¿Era ella?

–Sí. Me envió un mensaje diciendo dónde estaba y la he encontrado. La he visto. He conseguido hablar con ella mientras vomitaba en un lavabo.

–¡Has vuelto a verla! ¿Y?

Me pregunté qué responder a eso.

–Está viva, pero no se encuentra bien, nada bien. Pero, oye, Olivia, me ha pedido que haga algo que es una auténtica locura, y necesito una segunda opinión antes de decidirme.

Le expliqué el plan. Olivia tardó un poco en responder. Cuando habló, sonaba con más fuerza que nunca:

–Si no te importa correr el riesgo –dijo–, creo que debes hacerlo. Dadle a ese cabrón justo lo que se merece. Si algo sale mal, te ayudaremos. No vas a estar sola, te lo prometo. Nos encargaremos de que no te pase nada, como sea.

Al final encontré el barrio al que me había enviado Lara. Resultaba sorprendente lo cerca que estaba de las calles turísticas, pero supuse que era lógico.

Intenté no mostrarme cohibida mientras deambulaba por la zona, esforzándome por parecerme a una de las personas que hacen este tipo de cosas. La calle era sórdida y estrecha, un lugar para ocultarse incluso bajo la abrasadora luz del sol.

Un gato famélico se acercó y se restregó –con auténtica lascivia– contra mis piernas. Un pájaro graznó por encima de mi cabeza. Había baches en la calzada, y acera solo a un lado. Sentí unos ojos clavados en mí, y me entraron ganas de darme la vuelta y salir corriendo. En vez de eso, caminé lentamente, me detuve un instante, volví a andar, y volví a pararme.

Llevaba encima toda la pasta que pude sacar de tres cajeros. Confiaba en que fuera suficiente.

Deambulé por esa calle durante veinte minutos, y estaba a punto de abandonar cuando el hombre se me acercó.

–¿Quieres comprar algo? –dijo.

Asentí con la cabeza, temiendo sonar demasiado inglesa si decía «Pues la verdad es que sí, caballero».

–¿Qué?

Me mordí el labio. Y, sin querer, mis palabras sonaron como las de una locutora de Radio 4:

–¿No tendrá usted, por un casual, algo de heroína?

36

Lara

El aeropuerto es pequeño. Me apoyo en el brazo de Leon, fingiendo estar más alelada de lo que realmente estoy, exagerando mi colocón para tenerlo contento.

Sé que el plan que he preparado con Iris es estúpido. Ahora mismo, ella podría estar detenida. Puede que la haya enviado, igual que a la pobre Rachel, al agujero negro de una prisión asiática. De todas las cosas que se podían hacer, he decidido mandar a la mujer que ha demostrado ser mi mejor amiga en el mundo a comprar droga en Tailandia.

Ojalá hubiera puesto la palabra *Krabi* en aquel tuit. Ojalá no lo hubiera publicado. Espero que nadie lo haya visto. Pero si hubiera puesto dónde me encontraba, entonces igual podría haber alguien en el aeropuerto buscándome, por si acaso. Miro a mi alrededor, concentrándome en los que van de uniforme. Hay muchos por aquí, pero probablemente son de la seguridad del aeropuerto. En estos sitios siempre hay gente uniformada.

Me fallan las piernas, eso no ha sido fingido. La cerveza y las pastillas no han reaccionado bien. Me estoy poniendo peor.

Estamos en la cola para facturar. Leon me mira constantemente, pero no hablamos. No estoy segura de ser capaz de pronunciar una sola palabra. Deposita su maleta tumbada en un carrito y me invita a sentarme. Lo hago, cruzando las piernas como una niña.

–Le ha sentado mal algo que ha comido –oigo que Leon le dice a alguien.

Es mentira. No he comido nada, desde hace siglos.

Después, estamos en la sala de embarque. Es pequeña, con montones de sillas en filas. Apoyándome en él, hago un esfuerzo para que mis piernas caminen. Hay una tienda y sé lo que necesito hacer. Pruebo a repasar las palabras en mi mente. Tengo que decírselo. Tengo que entrar en esa tienda y comprar algo. Lo que sea. Debo llevar una bolsa de la tienda del aeropuerto porque es una parte fundamental del plan. Casi no puedo formular las palabras, pero debo hacerlo. Lo haré antes de que salgamos de esta sala.

Leon me conduce a una zona donde casi no hay nadie, y me deposita en una silla. Se sienta a mi lado. Descanso la cabeza en su hombro y cierro los ojos.

–Lara, querida. Tienes que llegar hasta el avión, cariño, y luego puedes volver a dormir.

Le dejo que me ponga de pie. Apoyo todo mi peso en él, y obligo a mis piernas a caminar. Nos acercamos al fondo de la sala de embarque y atravesamos una puerta. Leon enseña nuestras tarjetas de embarque, y explica:

–Me temo que mi esposa tiene una intoxicación alimentaria.

Seguimos a la gente por unas escaleras, doblando esquinas, y salimos al sol ardiente, que de inmediato me provoca dolor de cabeza.

En el avión, me derrumbo contra la ventanilla y cierro los ojos. Sé que he fallado, pero ya no me acuerdo por qué, ni qué tenía que hacer. Se supone que debía decir algo, pero me quedé dormida y no lo hice.

–Eso es –dice Leon–. Duerme.

Me despierto sobresaltada cuando las ruedas tocan el asfalto de la pista. No consigo entender el anuncio de megafonía, pero sé que están diciendo que hemos llegado.

Una parte pequeña de mi cerebro reconoce que estoy en Singapur, el país que nunca, jamás, quería volver a visitar. La última vez que estuve aquí... En ese estado, ni siquiera puedo pensar en ello. Rachel estaba conmigo, y luego la perdí para siempre. Su vida se acabó.

Lentamente, recuerdo mi plan a medio hacer. Me revuelvo en el asiento, preguntándome si Iris estará en el avión, pero solo consigo que Leon levante la vista del periódico y se dé cuenta de que estoy despierta.

–Singapur –dice con cariño, y me da unas palmaditas en la rodilla. Estoy demasiado aturdida para poner mala cara–. Pero solo vamos a hacer transbordo, ¿de acuerdo? No va a suceder nada malo. Nos habremos ido sin entrar de veras.

–¿No vamos a salir del aeropuerto?

–Casi, prácticamente. Por desgracia, esta mierda de aerolínea nos deja en un cuchitril que llaman «la terminal económica». Desde allí no podemos hacer el transbordo. Tenemos que pasar por el control de pasaportes, ir al aeropuerto propiamente dicho y volver a facturar. Es incómodo, sí, pero *c'est la vie.*

Consigo asentir, con la mirada perdida.

–Vale.

–Esa es mi chica.

Comprendo que tiene razón: soy su chica.

No he visto a Iris. No creo que esté aquí. Espero que no haya cumplido con su parte del plan, porque yo no cumplido la mía.

Entonces me viene una idea a la cabeza: todavía puedo conseguirlo. Después de esta siesta, estoy un poco más despierta. Tengo que intentarlo. Debo hacer un último intento a la desesperada.

Me quedo rezagada, y Leon me espera con una paciencia infinita. Le gusta que esté lenta e inútil. Al final, salimos del avión y bajamos las escaleras entre una humedad pegajosa, con la mano de Leon, como siempre, aferrándome por encima del codo. Me sostiene mientras avanzo, tanteando el suelo con cada paso, una y otra vez, con mis pies metidos en los impecables zapatos elegantes que me compró.

El cielo en Singapur está gris y cubierto. Siento un hormigueo de calor. Puedo notarlo en los pulmones. Odio este sitio.

En el edificio de la terminal, veo una tienda.

–¿Puedo comprarme un perfume? –pregunto, tirándole lastimeramente de la manga–. Por favor, Leon, quiero un perfume. ¿Puedes…?

Duda un poco.

–¿Quieres un perfume? ¿En serio?

–Quiero oler bien.

Se ríe.

–Por supuesto, ¿cómo voy a negarme a eso? Venga. De todos modos, tenemos que matar el tiempo durante unas cuantas horas. Pero, querida, recuerda que en algún momento vas a tener que pasar por un control de seguridad. Es la única parada que te voy a permitir. No va a pasar nada.

Leon está eligiendo un perfume para mí, olisqueando con interés unos cuantos, hasta que finalmente se ríe y lleva una caja blanca al mostrador.

–En caso de duda… –dice, entregando a una mujer con bata blanca la caja de Chanel número 5.

Le doy un pañuelo que he escogido al azar. Leon lo cambia por otro distinto, rosado, y lo compra.

–Gracias, caballero –dice la mujer del mostrador.

Tomo la bolsa y miro su contenido.

–Gracias –digo.

Leon asiente y me acaricia la peluca.

–Vamos a devolverte a tu antiguo estado –dice, un mechón entre los dedos, y no tengo claro de si es una amenaza o una promesa–. Mi Lara…

Camino meciendo la bolsa. He hecho muy poco y demasiado tarde, pero es un intento de seguir con el plan. Me consuelo diciéndome que al menos tengo un perfume y un pañuelo, y me pregunto si en Delhi podré escapar. Tendré alguna ocasión de volver a usar su teléfono.

Esto no va funcionar. Nada funcionará. El único modo de escapar será arrojarme por un barranco para morir. Eso sí funcionará. Ese es mi siguiente plan. No puedo esperar.

Nos estamos acercando a las colas del control de inmigración cuando una mujer con el pelo corto se acerca a mí, me roza y, antes de comprender qué está pasando, me quita la bolsa de mi mano sumisa y la cambia por otra. Bajo la vista. En la nueva bolsa también pone «Duty free». Es igual que la mía. Miro a mi alrededor. ¿Era ella? Ni siquiera tengo la certeza de que haya sucedido. Podría habérmelo imaginado.

De todos modos, sé qué hacer.

–¿Leon?

Me mira, con sus serios ojos verdes.

–¿Sí?

–¿Puedes llevar tú esto? Estoy un poco… mareada.

Sonríe y recibe la bolsa sin decir palabra, sin mirarla. Hacemos cola y enseñamos nuestros pasaportes. Nadie nos detiene. El hombre que pone los sellos me mira con recelo, pero nos deja pasar.

Tenemos las maletas, y Leon lo apila todo en un carrito.

–Bien –dice–, vamos.

Me llevo las manos a la tripa.

–¡Tengo que ir al servicio! –digo–. Ahora mismo vuelvo. Lo siento.

Me alejo de él, llevando solo mi bolsa de mano. Esto es algo que he hecho antes. Con la cabeza bien alta, avanzo despreocupada, con toda la elegancia que puedo reunir en mi estado actual. Cruzo el control de aduanas y salgo al vestíbulo del aeropuerto, fingiendo que tengo prisa por llegar a un lavabo.

La última vez que hice esto, Rachel no me siguió.

En esta ocasión, es Leon el que no me sigue. Quiero creer que no va a aparecer, que no va a agarrarme del brazo y llevarme al mostrador de facturación.

Me pregunto qué hacer. Estoy sola. No sé adónde ir. No tengo teléfono, ni dinero, y podría no tener tiempo para llegar a ninguna parte. Leon se presentará aquí en cualquier momento. Pero todavía no ha llegado.

Intento concentrarme. Necesito escapar. No se me ocurre qué hacer, pero, sea lo que sea, debo hacerlo rápido.

Concéntrate.

Me giro para mirar detrás de mí. Leon sigue sin aparecer. No puedo ir a ninguna parte sin dinero. Leon me quitó todo lo que tenía: mi mente, mis recuerdos, mi amante y mi vida. Sin rumbo fijo, me pongo en una fila. Creo que se dirige hacia la salida.

Me detengo, dejando que la gente me adelante. El aire acondicionado está muy fuerte. Se me eriza el vello de los brazos. Leon estará aquí dentro de nada, y no puedo ordenar mis pensamientos el tiempo necesario para escapar.

Me quedo parada y observo. La gente cruza la puerta, pero ninguno de ellos es Leon. No viene.

Y sigue sin venir.

Me sentaré aquí un ratito. Me acomodo en el suelo, cruzo las piernas y espero.

Un instante después, una mano se posa en mi brazo.

–Levanta, vamos. Levanta y ven conmigo.

Pero no es la voz de Leon. La persona que me toma de la mano y me ayuda a incorporarme no es él.

–Ven, vamos. Parece que tu plan descabellado ha funcionado, tarada. Arriba. Estás bien, Lara. Leon ya no está. –Me pone una mano en cada hombro y me gira para que estemos cara a cara; la miro–. Lara, te pondrás bien. Vamos a cuidar de ti.

Miro a mi alrededor. ¿A quién se referirá con ese «vamos»? Hay cinco agentes de Policía cerca, observándonos. Me asusto.

–No te preocupes –dice–, no corres peligro. Ninguno. Ya pasó. De todos modos, no les cuentes lo que le hicimos a Leon, ¿vale? Es un secreto. La Policía no necesita saberlo. Les avisé y lo detuvieron. Ya está. Mira, ese es Alex. Tampoco se lo cuentes a él. Es de Falmouth. Llevaba un montón de tiempo intentando llamarlo, pero no me contestaba porque estaba de camino, para encontrarme. Para encontrarte.

Un hombre alto y blanco se acerca a nosotras. Mira a Iris, que asiente.

–Hola, Lara –dice–. Soy Alex Zielowski. Tú no sabes quién soy, pero para mí es un privilegio y un placer conocerte por fin.

Miro a Iris. Ya no parecemos iguales, no ahora que ella se ha cortado el pelo. Eso me recuerda la peluca. Me la quito. Iris la guarda en su bolso.

–Aquí estás –dice–. Lara Wilberforce, Lara Finch. Te echábamos de menos. Vamos a llevarte a casa.

Epílogo

Iris
Septiembre

Estoy en un cementerio del oeste de Londres, hablando, como siempre, con un hombre que no está aquí. Hablo en voz alta, porque no hay nadie cerca, así que no me siento ridícula. Me he pasado años conversando con este muerto en particular: es, por lo visto, una costumbre difícil de abandonar.

La luz del sol de otoño me ciega y entorno los ojos, deslumbrada, pero con frío. Doy pataditas al suelo mientras hablo, intentando mantener calientes los pies, que me calcé con demasiado optimismo. No me atrevo a quitarme las sandalias que me compré en Bangkok, aunque ya hace demasiado frío para ponérmelas. De hecho, sigo vestida de verano. Hasta ahora está siendo un año de demasiadas emociones pero, por raro que resulte, un año muy feliz.

Hay una lápida con su nombre: «Laurence Jonathan Madaki». Aparece la fecha de nacimiento y, treinta y dos años después, la de defunción. Le he traído unas flores. Es extraño, pero me reconforta traerlas; recordarle a la manera convencional me proporciona una enorme sensación de solidaridad con los visitantes anónimos que cuidan de las demás tumbas, que recuerdan a toda esta gente.

–Me voy –le digo–. ¿No te importa, verdad? Sé que no te importa. Tú querrías que hiciese esto. –Le dejo un espacio de cortesía para que hable–. Ya está todo organizado. Bueno, más o menos. Lo cierto es que estoy aterrada. Pero va a ser increíble. ¿Para qué se compra una un billete de lotería si no va a hacer algo con el premio que le cambie la vida? Lo sé. Necesito hacerlo. Siempre te echaré de menos, Laurie, siempre. Siempre serás el amor de mi vida. Pero como no estás aquí, y todo es breve y totalmente impredecible, creo que prefiero seguir viviendo.

Siento su conformidad. En realidad no emana de su tumba, pero sé que el Laurie al que tanto amé hubiera querido que yo hiciera esto.

He dejado la casa de Budock, y las feroces gatas shakespearianas se han mudado, a regañadientes, con Sam Finch, que está comenzando a descubrir que es un hombretón en la treintena, atractivo y sin hijos. La última vez que hablé con él, me dijo:

–¿Te lo puedes creer, Iris? Tengo los próximos tres viernes y sábados reservados con citas. ¡Con una mujer diferente cada día! ¡Y todas preciosas! ¿Qué demonios verán en un idiota aburrido como yo?

–Bueno, a las mujeres nos encantan los idiotas aburridos –le aseguré.

–Gracias.

–Las mujeres que acabaron mal con sus novios en el pasado y empiezan a sentir la llamada del instinto maternal quieren un…, bueno, un hombre estable que no vaya a hacérselo pasar mal. Eso suena mejor que un idiota aburrido, ¿no te parece?, aunque sea lo mismo. Te lo digo con cariño.

Se rio.

–Gracias. Si en algún momento me decido a sentar la cabeza con una de ellas, tendrá que contar primero con tu aprobación.

–Muy bien, haré todo lo que pueda por resultar lo más aterradora posible.

Lara vuelve a vivir en Londres: ella y Sam tuvieron un par de conversaciones incómodas y desagradables cuando ella regresó. No volverán a hablar a menos que tengan que tramitar los papeles del divorcio. Algunas relaciones no tienen un final feliz.

Me he pasado gran parte del verano con ella, charlando, paseando por Londres, viendo cuadros, yendo al cine, caminando junto al río. Está floja, y lo estará por una buena temporada: apenas ha comenzado a asumir la idea de que algún día superará lo de Guy. El sentimiento de culpa y el horror se la comen, y el renovado frenesí mediático cuando apareció fue una pesadilla peor que la anterior. La gente todavía la señala por la calle, e incluso le piden autógrafos. Vive en un estudio y se toma las cosas día a día. Pero hay brotes verdes que me parece que ella todavía no puede ver. Se ha distanciado de sus padres, algo que era necesario, y como resultado está extrañamente unida a Olivia, en particular desde que nació su bebé, Isaac, el primero de mayo. Es un bebé adorable, hace que me entren ganas de tener uno, y eso no me ha pasado nunca, ni siquiera cuando Laurie estaba vivo.

La maternidad ha cambiado a Olivia. Es más tierna y amable, y sigue siendo una de las mujeres más formidables que conozco. Ella e Isaac llenan a la perfección el piso de Covent Garden. Sale a todas partes con el pequeño atado a una mochila en su tripa, mirándola con sus adorables ojos. «Es lo mejor que he hecho», dijo el otro día, contemplando al bebé, que arrullaba y gorjeaba para llamar la atención, tumbado en la alfombra del suelo del salón. «¿Quién lo hubiera dicho? Isaac, ¿quieres que la tía Iris te cambie el pañal, o la tía Lara?»

Lo hizo Lara. Todavía siente que está en deuda con el mundo, que estará expiando lo que le pasó a Guy, a Rachel y a Sam por el resto de su vida. Espero que pase página algún día.

Salgo del cementerio y me sumerjo en las populosas calles londinenses. Me he despedido de Laurie, y ahora soy libre.

Llamo a mi madre. «Estaré allí en media hora», le digo, y me contesta alegre que va a poner la tetera a calentar. Ha sido raro regresar a la vida de mi familia. Como Lara, aunque de un modo distinto, estoy siempre intentando no obsesionarme con el horror que siento por lo que les he hecho pasar. Ellos también querían a Laurie, y cuando murió me perdieron a mí también. Ahora he regresado, y, aunque las cosas son extrañas, se portan bien conmigo. Nos sentimos algo incómodos juntos, y mi hermana Lily está resentida porque he vuelto como la hija pródiga cuando ella ha estado aguantando a mis padres durante cinco largos años, pero al menos es mejor así que antes.

Lara y yo no le hemos contado a nadie que colocamos la heroína a Leon. Su atolondrado plan de hacerle lo que Jake le hizo a Rachel funcionó. Lo detuvieron por tráfico de drogas y luego, cuando todo lo demás salió a la luz, lo extraditaron al Reino Unido, donde fue condenado por asesinato. Sea como sea, no saldrá de la cárcel en mucho tiempo. Lara teme tener que prestar declaración en el juicio, pero sé que podrá hacerlo. Lo mirará a los ojos y contará todo al mundo. Luego, quizá, pase página.

Mientras me acerco a la parada del autobús, decido hacer una llamada. Alex responde al instante.

–¿Iris? ¿Estás bien? ¿Has ido al cementerio?

–Sí –le digo–. Y sí, estoy bien. He hecho lo que debía: le he dicho que nos vamos, que estaremos un año fuera, por lo menos. Sé que no puede oírme, pero me alegro de haberlo hecho.

Subo al autobús y paso mi tarjeta de transporte por el lector. Pita, y subo por la estrecha escalera, hablando. Me siento junto a una ventanilla, girándome hacia el cristal para que los demás pasajeros no tengan que oír mi conversación.

–¿Sin nervios, entonces? –me pregunta.

Me lo puedo imaginar, de camino a Londres, con su jersey rojo, su cara recién afeitada e ilusionado.

Me río.

–¿Bromeas? Nos vamos de viaje por Estados Unidos, y eso solo es el principio. Pues claro que nada de nervios. ¿Y tú?

–Ay, Señor… Me muero de ganas. Te veo en casa de tus padres en unas horas, ¿vale?

–Yo también me muero de ganas –le digo.

Me guardo el teléfono en el bolsillo y contemplo una bandada de pájaros a lo lejos, dirigiéndose hacia el sur para pasar el invierno.

Agradecimientos

Muchísimas gracias a ese policía anónimo –tú ya sabes quién eres– por su inestimable ayuda con datos sobre el cuerpo, y a Amanda James por sus detallados consejos sobre el trabajo de desarrollo inmobiliario de Lara. Los dos habéis dedicado mucho tiempo a ayudarme, y cualquier imprecisión que haya en la novela es responsabilidad mía.

Vanessa Farnell, gracias por participar de nuevo en el proceso de documentación y por colaborar desinteresadamente en la búsqueda de información sobre Koh Lanta y Krabi. Gracias a Steve y Ali Brooks, de Singapur, por su increíble hospitalidad.

Debo dar las gracias a las personas que mantuvieron mi cordura día a día: Kerys Deavin, Jayne Kirkham, Bess Revell y muchos más, y a mis hijos por recordarme constantemente que había vida fuera del libro.

Mi librería local, la Falmouth Bookseller, es un apoyo permanente: gracias a Ron Johns y a todos sus colegas.

Mientras escribía *Extraños en el tren nocturno,* he contado con un enorme apoyo de Sherise Hobbs y todo el equipo de Headline, y de mi maravilloso agente, Jonny Geller, y los restantes miembros de Curtis Brown. Gracias.

Agradecimientos